Fred L. Fehling
STATE UNIVERSITY OF IOWA

Wolfgang Paulsen
SMITH COLLEGE

Elementary German

A SYSTEMATIC APPROACH

Revised Edition

AMERICAN BOOK COMPANY
New York · Cincinnati · Chicago · Atlanta · Boston · Dallas · San Francisco

Copyright, 1952, by AMERICAN BOOK COMPANY

All rights reserved. No part of this book protected by the copyrights hereon may be reprinted in any form without the written permission of the publisher.

Copyright, 1949, by AMERICAN BOOK COMPANY

FEHLING AND PAULSEN:
Elementary German — A Systematic Approach
E.P. 4   MADE IN THE UNITED STATES OF AMERICA

Preface

The text here presented is intended to acquaint the American student with those essentials of grammar without which the reading of German can be little more than guesswork. The aim throughout our presentation has been to discuss the material as briefly as possible without sacrificing clarity.

EXPLANATION OF GRAMMATICAL TERMS

Since most students come to us more or less untrained in the use of grammatical terminology, we have seen fit to preface each chapter with definitions of the grammatical terms that are about to be introduced in the respective chapters. These explanations are primarily designed to help the student in his own work, but they may also be used profitably in classroom discussions.

GRAMMAR

In scope, the grammatical material differs little from that presented in other texts. However, we have added many hints not found in the usual beginner's books for the quick solution of numerous major and minor problems encountered in reading German. Thus, we have not hesitated to devote considerable space to the common Zangenkonstruktion which is not explained in most elementary texts.

Our guiding principle has been to deal with only one problem at a time wherever feasible since we have found time and again that the introduction of several grammatical points in a single chapter needlessly complicates an already complicated subject.

RECAPITULATION OF MAIN POINTS

To simplify matters still further, we have followed each chapter with a recapitulation of the main points discussed. There the student is presented with the absolute minimum of what he is expected to remember. These recapitulations also may serve as a convenient guide to review work and quick reference.

EXERCISES

The exercises have been carefully chosen for their illustrative value and, above all, for their naturalness.

In order to facilitate and accelerate the work of those who must finish the grammar in one semester or less, we have adapted the grammatical exercises to the principles of *Recognition Grammar* and *Active Grammar*. For a mere reading knowledge the recognition grammar exercises should be sufficient. The active grammar exercises are meant to be a kind of "fixative."

READING MATERIAL AND VOCABULARY

We have considered the reading material of secondary importance. We believe that a grammar should be primarily a grammar and only secondarily a reader. The student should build up his vocabulary from readers designed for that purpose. Nevertheless, every effort has been made to render the texts chosen as lively as possible.

The vocabulary has been chosen less with a view to spacing and grading words than to the natural demands of the subject in hand. Words which seemed to be above the level of a basic vocabulary were relegated to footnotes. In this manner the student makes their acquaintance without feeling forced to commit them to memory.

The average vocabulary to be learned runs to about 30 to 40 words. In our experience the student cannot easily master more than that at one time. *Words similar to English (Cognates)* in the vocabulary lists (beginning with Lesson III) are intended to lighten the burden of vocabulary learning and to train the student in observing similarities he might otherwise overlook.

Accent marks have been furnished wherever it was thought necessary in order to prevent a wrong stress. The student should, of course, be told that such marks are not used in German print or writing.

SPOKEN GERMAN

While this book is intended primarily to train students to read, we wish to affirm our belief that German, at any rate, requires a strong emphasis on oral work. We have found again and again that a wrong translation is often the result of faulty sentence stress, and stress is aural rather than visual. Hence, care has been taken to cast the exercises in a natural and easy German which well lends itself also to emphasizing a speaking ability.

The questions following the reading selections are intended to be answered orally even by those aiming primarily at a reading objective. In this manner the student will train his ear to catch the rhythm of the language and, as a result, see its grammatical forms in their proper perspective.

The Authors

Table of Contents

	PAGE
Preface	iii
Introduction:	
The German Alphabet	ix
Pronunciation	x
Glottal Catch	xvii
Accent	xvii
Compounds	xviii
Capitalization	xviii
Punctuation	xviii
Useful Expressions	xix

Aufgabe

I.	*Present Tense of the Verb*	1
	Text: Wie man bekannt wird	1
II.	*The Definite Article and the der-Words*	11
	Text: Wie man Minister wird	11
III.	*The Indefinite Article and the ein-Words*	20
	Text: Junge Frauen und alte Ideen	20
IV.	*The Imperative*	32
	Text: Der Kaufmann und der Tod	32
V.	*The Noun*	40
	Text: Wie man Geld bekommt	40
VI.	*Prepositions. Wo- and da-Compounds*	50
	Text: Der Ausflug	50
VII.	*Personal Pronouns*	62
	Text: Noch einmal Herr und Frau Schmidt	62

—vii

VIII.	*Reflexive and Impersonal Verbs*	71
	Text: Essen Sie gern Pfannkuchen?	71
IX.	*The Adjective*	82
	Text: Die dicke und die dünne Dame	82
X.	*The "Weak" or Regular Verb*	95
	Text: Der ehrliche Mann und sein Hemd	95
XI.	*The Strong Verb*	108
	Text: Heinrich Heine (1797–1856)	108
XII.	*Separable and Inseparable Prefixes*	119
	Text: Voltaire und der Pfarrer	119
XIII.	*Irregular Weak Verbs*	130
	Text: Till Eulenspiegels lustige Streiche	130
XIV.	*Modal Auxiliaries*	138
	Text: Georg Friedrich Händel (1685–1759)	138
XV.	*The Passive Voice*	148
	Text: Der Freiherr von Münchhausen	148
XVI.	*Relative Pronouns*	159
	Text: Die Büros bleiben	159
XVII.	*Conjunctions and Word Order*	169
	Text: Eine Sage aus dem Mittelalter	169
XVIII.	*Numerals*	182
	Text: Shakespeare und die Deutschen	182
XIX.	*The Subjunctive*	194
	Text: Die Schlacht im Teutoburger Wald	194
XX.	*Special Constructions*	210
	Text: Goethe als Wissenschaftler	210

Appendix: A Condensed Synopsis of German Grammar   221

German-English Vocabulary   257

English-German Vocabulary   281

Index of Grammar Topics   289

Introduction

1. The German Alphabet

GERMAN FORM		GERMAN NAME	ROMAN FORM	
a	𝔄	ah	a	A
b	𝔅	bay (bé)	b	B
c	ℭ	tsay (tsé)	c	C
d	𝔇	day (dé)	d	D
e	𝔈	ay (é)	e	E
f	𝔉	eff	f	F
g	𝔊	gay (gé)	g	G
h	ℌ	hah	h	H
i	ℑ	ee	i	I
j	𝔍	yott	j	J
k	𝔎	kah	k	K
l	𝔏	ell	l	L
m	𝔐	emm	m	M
n	𝔑	enn	n	N
o	𝔒	oh	o	O
p	𝔓	pay (pé)	p	P
q	𝔔	koo	q	Q
r	ℜ	err (trilled *r!*)	r	R
s, ſ	𝔖	ess	s	S
t	𝔗	tay (té)	t	T
u	𝔘	oo	u	U
v	𝔙	fow (*as in* fowl)	v	V
w	𝔚	vay (vé)	w	W
x	𝔛	icks	x	X
y	𝔜	üpsilon	y	Y
z	ℨ	tset	z	Z

— ix

x — Introduction

COMPOUND CONSONANTS

ch	tsay-háh
ck	tsay-káh
ß	ess-tsét
tz	tay-tsét

Be careful to distinguish between

    f and f: fingen, to sing,
                 finden, to find;
    n and u: nach, to,
                 und, and;
    m and w: New Orleans
                 Hamburg

Also distinguish between

    capital A and U: Amérika
                     USA
    capital N and R: Neujork
                    Robert
    capital M and W: Mexiko
                     Washington
    capital B and V: Berlin
                    Venus

„ß" is another way of writing *ss*. It is used when *ss* is final or follows a long vowel or diphthong: Miß Weiß (Miss Weiss); Meißen (Meissen, *a town in Saxony*).

2. Pronunciation

A proper pronunciation is best acquired by imitating the pronunciation of your instructor. The following statements may be found helpful in guiding the beginner.

    a. Vowels are long or short; usually long, when followed by one consonant; usually short, when followed by two or more consonants; always short, when followed by a double consonant (mm, nn, *etc.*).

EXCEPTION: A long verbal stem vowel generally remains long in inflected forms even before two or more consonants. Personal endings do not affect the vowel quantity:

ſagen (a *long*), to say;
er ſagt (a *long*), he says;
leben (e *long*), to live;
er lebte (e *long*), he lived.

b. Monosyllabic (*i. e.*, one-syllable) words are sometimes long and sometimes short. They must be learned by experience.
c. An h following a vowel indicates that the preceding vowel is long; this h is silent:

nehmen, to take; ihn, him.

d. THE VOWELS

a long (written a, ah, aa), like *a* in *father:*

Er nahm und aß. He took and ate.

a short, like *a* in *artistic*, but much shorter:

Das iſt alles. That is all.

e long (written e, eh, ee), like *ay* in *gay*, but without the glide into the English *ee*-sound, characteristic of English:

Leben, life; eben, simply; nehmen, to take.
Man muß das Leben eben nehmen,
Wie das Leben eben iſt.
One must simply take (accept) life
as life simply is, *i. e.*, as it happens to be.

e short, like *e* in *get:*

Emma iſt nett. Emma is nice.

xii — Introduction

e in unaccented syllables, like the slurred e in *open:*
> die Decke, the ceiling; der Boden, the floor.

i long (written i, ie, ih), like *ee* in *meet:*
> Kennt ihr ihn? Do you know him?
> Sie liebt Wien. She loves Vienna.

i short, like *i* in *it:*
> Sie sitzen am Tisch. They are sitting at the table.

o long (written o, oh, oo), like *oa* in *boat,* but avoiding the glide into *u,* characteristic of English:
> Was ist los, mein Sohn? What's the matter, my son?

o short, something like *o* in *fortress,* but shorter and pronounced with rounded and protruded lips. Avoid the *o*-sound as in *got:*
> Mein Gott, Otto kommt! Heavens, Otto is coming!

u long (written u, uh), like *oo* in *hoot:*
> Ist das ein Hut? Is that a hat?

u short, something like *oo* in *good,* but pronounced with rounded and protruded lips. Pronounce this sound as short and incisively as possible:
> Und die Mutter schmiert die Butter.
> And mother spreads (*literal:* smears) the butter.

e. THE DIPHTHONGS

au like *ou* in *house:*
> das Haus, house; die Frau, woman.

ei (ai, ay, and ey) like *i* in *might:*
> Klein aber mein. Small but mine.
> der Mai, May; Bayern, Bavaria; Mayer, Meyer, Meier.

Introduction — *xiii*

NOTE: To distinguish ei from ie look at the last letter. If English *i:* pronounce the combination ei as *i* in *might;* if English *e:* pronounce the combination ie as *ee* in *bee:*

Meine liebe, kleine Marie. My dear little Mary.

NOTE: =ie, at the end of *a few* words, is pronounced "yə":

die Familie (*fahmēēlyə*), family; die Linie (*lēēnyə*), line; die Lilie (*lēēlyə*), lily, *etc.*

eu and äu like *oy* in *oyster:*

Heuer sind Häuser teuer.
Nowadays houses are expensive.

f. MODIFIED VOWELS (UMLAUT)

ä long (written ä, äh), like *ai* in *fair:*   *long e*

Sie näht, er gähnt.   She sews, he yawns.

ä short, like *e* in *get:*   *shwa e*

Er hält das Geld in den Händen.
He holds the money in the (*i. e.*, his) hands.

ö long (written ö, öh), has no equivalent in English. It is like *ay* in *gay,* but pronounced with rounded and protruded lips, as if you were to whistle:

Flöten geben schöne Töne.   Flutes give beautiful tones.

ö short, like *e* in *get,* but pronounced with rounded and protruded lips, as if you were to whistle:

Können Sie kommen?   Can you come?

ü long (written ü, üh), has no equivalent in English. It is like *ee* in *meet,* but pronounced with rounded and protruded lips, as if you were to whistle:

Meine Güte, diese Hüte!   My goodness, these hats!

ü short, like *i* in *it*, but pronounced with rounded **and protruded lips**, as if you were to whistle:

Er hörte sie flüstern. He heard them whispering.

ŋ is used only in words of foreign origin and is pronounced like long or short ü:

die Analŷse, the analysis; das Sŷmbŏl, symbol.

g. THE CONSONANTS

f, ff, m, n, p, pp, t, and x are pronounced as in English.

b, d, g, when beginning a word or syllable (initial) or when coming between vowels (medial), are pronounced as in English, except that g always has the quality of *g* as in *get*.

But: When b, d, g are final in a word or syllable, they are pronounced p, t, ff, respectively:

Sie gab dem Kind ein Bad. She gave the child a bath.
Guten Tag! Good day, *or:*
How are you? (*as a mere greeting*)

ch is similar to the initial sound that is heard when whispering English *huge, yes,* or *cure*. It is a soft friction sound produced by forcing the breath through the narrow opening formed by the arched front part of the tongue and the roof of the mouth:

ich, I; mich, me; dich, you; sich, self.
Ich liebe dich. I love you.

ch, when preceded by a, o, u, or au, is unlike the ich-sound. It is produced by forcing the breath between the back part of the tongue and the soft palate. *Avoid the closure for k!* Pronounce:

ach, oh; Bach, brook; Dach, roof; Loch, hole; Buch, book; auch, also.

ch§ is always pronounced like *x*, *i. e.*, like *ks:*
>   Sachsen, Saxony; wachsen, to grow, wax.

ig, when not followed by an ending, is pronounced like ich; otherwise like *g* in *go:*
>   billig, cheap; drollig, droll; *but:* billige, Könige, kings.

h is pronounced as in English, except when it is used as a sign that the preceding vowel is long; it then is silent:
>   Herr Schmidt geht mit ihm.
>   Mr. Schmidt is going with him.

j like *y* in *yes:*
>   Ja, dieser Junge hat eine Jacke.
>   Yes, this boy has a jacket.

But it is pronounced like *z* in *azure* in certain words of foreign origin:
>   der Journalist, the journalist.

kn: both the k and the n are pronounced:
>   das Knie (*k-n-ee*), knee; der Knabe, boy.

l is different from English *l:* Put the tip of the tongue at the base of the upper teeth and say:
>   Lippe (lip), lachen (laugh), alt (old), kalt (cold),
>   halt! (stop!), Milch (milk).

ng as in *sing* (not as in *finger!*):
>   singen, to sing; England; Finger.

pf: both the p and the f are pronounced:
>   der Pfennig, penny; das Pferd, horse.

ps: both the p and the s are pronounced:
>   der Psalm (pronounce also the *l*), psalm.

qu like *kv:*
>   die Quelle, source, spring; der Quatsch, nonsense.

r is rolled or trilled with the tip of the tongue:

rennen, to run; brennen, to burn; rot, red; der Herr, gentleman; die Frau, woman; das Fräulein, Miss, young lady.

ſ initial or medial, like English *z* in *zeal:*

Sie singt so selten.   She so rarely sings.
Sie zerbrach sechs Gläser.   She broke six glasses.

s final, like English *s* in *son:*

Was ist das?   What is that?

sch like *sh* in *shine:*

Der Fischer fängt frische Fische.
The fisherman catches fresh fish.

sp-, st-, when initial in a word or syllable, are pronounced *shp-* and *sht:*

Er springt über Stock und Stein.
He jumps over stick and stone.

th is simply pronounced *t.* The English *th*-sound is unknown in German:

das Theater, Thomas, Goethe.

-tion is pronounced *tsyón:*

die Natión, die Informatión.

tz like *ts:*

Wo sitzen sie jetzt?   Where are they sitting now?

v in German words, like *f:*

von meinem Vater, from my father;

in foreign words, like English *v:*

die Villa, November, die Violine.

w like English *v:*

das Wetter, weather; Donnerwetter!, Gosh!

z like *ts:*

zweiundzwanzig Zimmer, twenty-two rooms.

3. Glottal Catch

Words or syllables beginning with an accented vowel are introduced in German by what is known as the glottal catch. This glottal catch prevents words from "running together," as is generally the case in English (comp.: *notatall*) and French. To imitate the glottal catch, enunciate each word incisively and separately as in emphatic English: It's *awful!*

Wo ist er?   Where is he?

The glottal catch operates even when words are written as one:

überáll (über:áll), everywhere.

4. Accent

a. The accent rests on the *stem syllable*, which in German words is generally the first syllable:

Jéden Mórgen lésen wir die Zei′tung.
Every morning we read the newspaper.

b. Separable prefixes take the accent:

áufmachen, to open; zúmachen, to close; zurúckkommen, to return.

c. The syllables be=, emp=, ent=, er=, ge=, ver=, zer= are known as inseparable prefixes and are never accented:

besúchen, to visit; erzählen, to tell; gefállen, to please; verstéhen, to understand.

d. The suffix =ei takes the accent: die Bäckerei′, bakery.

e. Words of foreign origin are generally accented on the last or second-last syllable:

die Natión, der Studént, die Universität, das Papier′; der Charákter.

5. Compound Nouns

German readily forms compounds, and some of these are, by English standards, rather lengthy. Dictionaries do not list many of these compounds, and so the student must early develop the skill of breaking up compounds into their component parts:

Lebensversicherungsgesellschaften: Leben = life; Versicherung = insurance; Gesellschaften = companies.

6. Capitalization

German capitalizes all nouns and words that are used as nouns, all forms of polite address, and, of course, proper names:

Haben Sie etwas Neues von Ihrer Frau gehört?
Have you heard anything new from your wife?

ich (I), du (you, *singular*), and ihr (you, *plural*) are not capitalized, nor are the adjectives denoting nationality:

die amerikanische Fahne, the American flag.

7. Punctuation

In general, commas are more numerous than in English:

Der Mann sagte nichts, aber die Dame,
die bei ihm war, schimpfte so laut,
daß alle glaubten, sie sei seine Frau.
The man said nothing, but the lady
who was with him scolded so loudly
that everyone believed she was his wife.

Note that **all** dependent clauses in German are set off by commas.

The exclamation point is used after commands:

Kommen Sie mit!   Come along.

Direct quotation is punctuated as follows:

Dann sagte sie: „Ist das alles?"
Then she said, "Is that all?"

8. Useful Expressions

Use the following expressions as pronunciation exercises and learn them by heart. *Read them aloud.* They are a part of your vocabulary.

deutsch	German (*adj.*)
Deutsch	German (language)
auf deutsch	in German
Deutschland	Germany
der Deutsche, die Deutschen	the German, the Germans
Guten Tag!	How are you? (*as a greeting; literally:* Good day!)
Wie geht es Ihnen?	How are you? (*An answer is expected; it is a sincere inquiry, not a mere greeting in German!*)
Ganz gut, danke.	Quite well, thanks.
Guten Morgen!	Good morning!
Guten Abend!	Good evening!
Gute Nacht!	Good night!
Auf Wiedersehen!	See you again.
heute	today
morgen	tomorrow
Kalt heute!	[It's] Cold today!
Ja, sehr kalt (warm)!	Yes, very cold (warm)!
Bitte!	Please!
Danke schön!	Thanks!
Bitte sehr!	You're welcome.
Entschuldigen Sie!	Excuse me.
Verzeihung!	Pardon (me).

Was ist los?	What's the matter?
nichts	nothing
nicht	not
nicht wahr?	is it not so?, isn't it, *etc.*
ein	a, an; one
kein	no, not any
nein	no (*as a negative response to a question*)
ja	yes
jawohl	yes, indeed
was?	what?
wer?	who?
wo?	where?
wie?	how?
Wie heißen Sie?	What's your name?
Ich heiße . . .	My name is . . .
Ich weiß nicht.	I don't know.
Herr Schmidt	Mr. Schmidt
Frau Schmidt	Mrs. Schmidt
Fräulein Schmidt	Miss Schmidt
Übungen	exercises
Fragen	questions
Aufgabe	lesson
Wortschatz	vocabulary
eins	one
zwei	two
drei	three
vier	four
fünf	five

Elementary German

Aufgabe eins

Present Tense of the Verb

Wie man bekannt wird[1]

Hans und Fritz stehen auf der Straße. Eine Studentin kommt.

„Nett, nicht wahr?" sagt Hans zu Fritz.

„Sehr nett sogar," sagt Fritz zu Hans.

Zu der Studentin sagt Hans: „Guten Tag!"

Aber die Studentin sagt nichts und geht weiter.

„Huh!"[2] sagt Hans, „kalt heute."

„Ja," antwortet Fritz, „und wir haben erst September!"[3]

Eine zweite Studentin kommt. Fritz sagt zu der Studentin: „Entschuldigen Sie, hier ist Ihr Bleistift. Ich habe ihn in der Mathematikklasse gefunden."[4]

„Oh, danke schön," antwortet das Mädchen, „das ist sehr nett von Ihnen." Dann lächelt sie freundlich und sagt: „Auf Wiedersehen!"

„Donnerwetter!" sagt Hans. „Wie heißt sie?"[5]

„Ich weiß es nicht," antwortet Fritz, „ich kenne sie nicht. Ich bin in keiner Mathematikklasse. Und sie wahrscheinlich auch nicht."

„Ach so! Also dann[6] auf Wiedersehen!"

„Wohin gehst du?" fragt Fritz.

„Ich kaufe mir[7] ein Dutzend Bleistifte."

---

[1] How one becomes acquainted   [2] Brr!   [3] And this is only September!
[4] I found it in the mathematics class.   [5] What is her name?   [6] Well, then,
[7] I'm going to buy myself . . .

Fragen

1. Wo stehen Hans und Fritz? 2. Wer kommt? 3. Was sagt Hans?
4. Was antwortet Fritz? 5. Was sagt Hans zu der Studentin?
6. Was antwortet die Studentin? 7. Ist es im September kalt?
8. Was sagt Fritz zu der zweiten Studentin? 9. Was antwortet die Studentin? 10. Kennt Fritz das Mädchen? 11. Studiert das Mädchen Mathematik? 12. Was kauft Hans?

I. Grammatical Terms

1. A *verb* is a word which expresses action or a state of being, as: we *work;* he *is* rich, they *slept,* etc.
2. The *tense* of a verb indicates the time of an action:

   Present tense: he drives, is driving, does drive
   Past tense: he drove, was driving, did drive
   Future tense: he will drive
   Present perfect tense: he has driven
   Past perfect tense: he had driven
   Future perfect tense: he will have driven

3. *Auxiliary verbs* are verbs which help to form the compound tenses (i. e., future and perfect tenses) and the passive voice:

   he *has* gone; he *will* go; he *was* killed.

4. To *conjugate* a verb is to give the forms of its tenses, *etc.*, in order. Thus, the verb *to work* is conjugated in the present tense as follows:

   1st person singular: I work
   2nd person singular: you work
   3rd person singular: he (she, it) works

   1st person plural: we work
   2nd person plural: you work
   3rd person plural: they work

5. *Pronouns* are words used in place of nouns:

> the man.........*he*
> the book.........*it*
> my book.........*mine*

The words *I, you, he, she, it, we,* and *they* are called *personal pronouns*.

6. The ending *-s* in the 3rd person singular (he work*s*) is called a *personal* (or *inflectional*) *ending*.
7. The *infinitive* is the given, unconjugated form of the verb, usually preceded by *to*, as: *to work*. Sometimes the infinitive is used without *to*, as: he can't *work*.

II. The Present Tense in German

1. The German infinitive ends in ₌en (sometimes in ₌n). By dropping this infinitive ending one obtains the *stem of the verb*:

> *Infinitive:*   *Stem:*
> gehen, to go   geh₌

2. To form *the present tense* of the verb, add the following personal endings to the stem:

> 1st person singular: ich geh₌e
> 2nd person singular: du geh₌ſt
> 3rd person singular: { er / ſie / es } geh₌t
>
> 1st person plural: wir geh₌en
> 2nd person plural: ihr geh₌t
> 3rd person plural: ſie geh₌en
> Polite address: Sie geh₌en (= *you go, both sing. and plur.*)

3. When the stem of a verb ends in =d or =t, or when a succession of consonants makes it difficult to pronounce the endings of the verb (as in: du öffn=ſt), an e is inserted between the stem of the verb and the endings =ſt and =t:

EXAMPLES

finden, to find (stem ends in =d)	antworten, to answer (stem ends in =t)	öffnen, to open (succession of consonants)
ich finde	antworte	öffne
du findeſt	antworteſt	öffneſt
er ⎫ sie ⎬ findet es ⎭	antwortet	öffnet
wir finden	antworten	öffnen
ihr findet	antwortet	öffnet
sie finden	antworten	öffnen
Sie finden	antworten	öffnen

4. When the stem of a verb ends in an =ß, =ſ͟z, =tz, or =z, the 2nd person singular drops the =ſ of the ending =ſt:

EXAMPLES

sitzen, to sit	heißen, to be called, to be one's name
ich sitze	heiße
du sitzt	heißt
er sitzt	heißt

Thus, the verbal forms of the second and third person singular are identical.

5. *In the polite form of address*, Sie (*sing. or plur.; always written with a capital*) is used when addressing acquaintances and strangers (anyone whom one would refer to as Mr., Mrs., or Miss). *In the familiar forms of address*, du (*singular*) and ihr (*plural*) are used only when addressing intimate friends, relatives, children, or animals:

Familiar { *sing.:* Gehst du schon, Robert?
Are you going already, Robert?
plur.: Geht ihr schon, Kinder?
Are you going already, children?

Polite { *sing.:* Gehen Sie schon, Herr Schmidt?
Are you going already, Mr. Schmidt?
plur.: Gehen Sie schon, meine Herren?
Are you going already, gentlemen?

6. Ich gehe can mean: *I go, I am going* (progressive construction), or *I do go* (emphatic construction). German does not have these progressive or emphatic constructions. Hence, *We are going* (or *do go*) *to the movies* is simply: Wir gehen ins Kino.

7. To form a question, begin with the verb:

Kennen Sie diese Studentin?
Do you know this student (co-ed)?
Heißt du Fritz?
Are you called Fritz?, *i. e.*, Is your name Fritz?

As in English, interrogative pronouns and interrogative adverbs always come first, followed immediately by the verb:

Was **ist** das?   What *is* that?
Wohin **gehst** du?   Where *are* you going?

8. The present tense of haben (to have), sein (to be), and werden (to become) are slightly irregular and should be committed to memory:

		sein	haben	werden
Sing.	ich	bin	habe	werde
	du	bist	hast	wirst
	er (sie, es)	ist	hat	wird
Plur.	wir	sind	haben	werden
	ihr	seid	habt	werdet
	sie	sind	haben	werden
	Sie (*sing.* and *plur.*)	sind	haben	werden

Aufgabe eins

> NOTE: These three verbs are important not only because they are common verbs but also because they are *auxiliary verbs*. Thus haben and sein are used to form the perfect tenses, and werden is used to form the future tense and the passive voice, as for instance:

ich habe gefunden, I have found (haben with the past participle)
ich bin gekommen, I have come (sein with the past participle)
ich werde finden, I shall find (werden with the infinitive)
ich werde gefunden, I am found (werden with the past participle)

Recapitulation of Main Points:

1. To form the present tense, drop the =en of the infinitive and add the personal endings:

    ich _____e   wir _____en
    du _____ft   ihr _____t
    er ⎫   sie _____en
    sie ⎬ _____t
    es ⎭   Sie _____en (*sing. or plur.*)

2. English *you* is rendered by du, ihr, or Sie, depending on the person addressed:

    du for a child, intimate friend, or relative;
    ihr for children, intimate friends, or relatives;
    Sie (*sing. or plur.; always capitalized*) for an acquaintance or acquaintances, a stranger or strangers (for anyone addressed as Mr., Miss, or Mrs.).

3. Note that sie (*not capitalized*) can mean *she* or *they* depending on the ending of the verb:

    sie _____t (she); *but:* sie _____**en** (they).

4. Neither progressive nor emphatic forms are used in German.

    Progressive: I am going: Ich gehe.
    Emphatic: I do go: Ich gehe.

Übungen

I. Recognition Grammar

A. Translate; use the progressive form in English when necessary:

1. Hans steht mit einem Dutzend Bleistifte auf der Straße. 2. Eine Studentin kommt. 3. „Verzeihung," sagt Hans, „hier ist Ihr Bleistift. 4. Ich habe ihn in der Mathematikklasse gefunden." 5. „Das ist sehr interessant, aber ich studiere nicht Mathematik." 6. Eine zweite Studentin kommt. 7. „Entschuldigen Sie," sagt Hans, „hier ist Ihr Bleistift. 8. Ich habe ihn in der Biologieklasse gefunden." 9. „Das ist sehr nett von Ihnen," antwortet das Mädchen, „aber ich studiere nicht Biologie. Ich studiere Mathematik. 10. Studieren Sie Mathematik? 11. „Nein," antwortet Hans, „ich studiere, wie man bekannt wird. 12. Aber ich weiß nicht, was los ist. Bin ich dumm?" 13. „Das weiß ich nicht," antwortet das Mädchen und lächelt freundlich. 14. „Aber ich zeige Ihnen, wie man bekannt wird. 15. Ich heiße Elisabeth, und wie heißen Sie?"

B. Werden, sein, and haben as auxiliaries. Translate:

1. Wir haben nichts gekauft. 2. Sie haben freundlich gelächelt. 3. Wer hat das Fenster geöffnet? 4. Wir sind ins Kino gegangen. 5. Wer hat das gesagt? 6. Er ist nicht gekommen. 7. Er hat sie gekannt. 8. Sie haben kein Geld gehabt. 9. Was habt ihr geantwortet? 10. Es wird warm werden. 11. Wird er kommen? 12. Werden Sie in Berlin studieren? 13. Wahrscheinlich wird er nein sagen.

C. Translate and identify the verb forms:

EXAMPLE

ihr geht, you are going; second person plural, familiar address.

1. Gehen Sie allein ins Kino? 2. Kennen Sie das Mädchen? 3. Was kauft sie? 4. Er zeigt den Bleistift und sagt: „Was ist das?" 5. Wer öffnet das Fenster? 6. Es wird warm. 7. Wo studierst du? 8. Was

8 — Aufgabe eins [there]

habt ihr da? 9. Geht ihr ins Kino? 10. Wo sitzt du? 11. Die Studenten haben kein Geld und die Lehrer auch nicht. 12. Die Mädchen sind Studentinnen. 13. Sitzt ihr allein? 14. Findest du die Aufgabe leicht? 15. Wahrscheinlich studiert sie Mathematik. 16. Dann gehen wir ins Kino. 17. Sie lächeln freundlich und sagen nichts.

II. Active Grammar

A. Conjugate the following verbs in the present tense:

1. kommen 2. sitzen 3. kennen 4. sein 5. fragen 6. haben
7. antworten 8. werden

B. In the left-hand column are personal pronouns; in the right-hand column are verb forms. Match each pronoun with the correct verb form. If several verbs bear the appropriate ending for one and the same pronoun, add them to your first choice:

1. wir *b h i*   a. gehe
2. du *g e*   b. bekommen
3. sie (she) *c f g*   c. wird
4. sie (they) *b h i*   d. habt
5. Sie (you) *b h i*   e. hast
6. ihr *d g f*   f. kennt
7. ich *a*   g. sitzt
8. er *c f g*   h. fragen
9. es *c f g*   i. sind

C. Add the correct endings:

EXAMPLE

du frag— = du fragst

1. wir wohn*en* 2. du leb*st* 3. sie (they) hab*en* 4. ich komm*e*
5. Sie sitz*en* 6. sie (she) kenn*t* 7. Hans und Fritz antwort*en*
8. ihr steh*t* 9. sie (she) leb*t* 10. Wo wohn*en* Sie? 11. er antwort*et* 12. ihr öffn*et*

D. Change to the polite form of address:
1. Wer bist du? 2. Wie heißt du? 3. Wo wohnt ihr? 4. Kennst du das Mädchen? 5. Bist du Student? 6. Seid ihr Studenten? 7. Hast du Geld? 8. Wohnt ihr in Berlin?

E. Change the following into questions:
1. Sie haben eine Schwester. 2. Sie sind der Lehrer. 3. Ihr seid dumm. 4. Du bist da. 5. Der Mann hat kein Geld. 6. Der Professor kommt. 7. Es wird warm.

F. Study the vocabulary and translate into German:
1. I am coming. 2. You are very stupid, Max. 3. Do you see this (diese) street, gentlemen (meine Herren)? 4. She has money. 5. I believe (glauben) you know New York. 6. Do you know the lady (die Dame), Mr. Schmidt? 7. Lord (mein Gott), yes; I know her (sie), and she knows me (mich). 8. Why do you say that? 9. We are from (aus) Iowa City. 10. She is my wife (meine Frau). 11. Who are they? 12. My name is Ferdinand.

Wortschatz[1]

der Bleistift, -e[1] pencil
der Lehrer, — teacher
der Student, -en student

die Straße, -n street
die Studentin, -nen student, co-ed

das Dutzend, -e dozen
das Fenster, — window
das Geld money
das Mädchen, — girl

antworten (p.p. geantwortet) to answer
gehen (p.p. gegangen) to go
haben (p.p. gehabt) to have
kaufen (p.p. gekauft) to buy
kennen (p.p. gekannt) to know
kommen (p.p. gekommen) to come
lächeln (p.p. gelächelt) to smile
öffnen (p.p. geöffnet) to open
sagen (p.p. gesagt) to say
sehen (p.p. gesehen) to see
sitzen (p.p. gesessen) to sit

[1] Nouns are followed by an indication of their plurals. Thus, the plural of der Bleistift, -e is die Bleistifte. A dash as after der Lehrer, —, indicates that the plural is the same as the singular. Singular: der Lehrer; plural: die Lehrer. The nom. plural article for all genders is die.

Aufgabe eins

stehen to stand
studie′ren to study
(ich, er) weiß (I, he) know(s)
werden to become
wohnen to live
zeigen to show

aber but, however
allein alone
auch also
auch nicht not either
auf on
da there
(zum) Donnerwetter! Gosh!
dumm stupid
freundlich friendly, in a friendly way
hier here

Ihnen (*dat.*) (to) you (*dat.*)
von Ihnen of you
Ihr your
leicht easy
nett nice
sie she; her (*acc.*)
sogar even
wahrscheinlich probably
warm warm
warum? why?
weiter on, further
wohin? where (where to)?
zu to
zweit- second

ins Kino gehen to go to the movies

Aufgabe zwei

The Definite Article and the der=Words

Wie man Minister wird

Ein König sucht einen neuen Minister. Mancher möchte gern[1] Minister werden. Dieser und jener kommt zum König, aber der König ist mit keinem zufrieden. Endlich ruft er alle Kandidaten zusammen und erzählt ihnen[2] diese Geschichte:

"Eines Tages will ich auf die Jagd gehen. Ich frage meinen Minister, ob es regnen wird. ‚Nein, Majestät,' antwortet der Minister, ‚es wird nicht regnen.' Ich gehe also auf die Jagd. In kurzer Zeit regnet es in Strömen.[3] Ich entlasse[4] also meinen Minister.

Wieder gehe ich auf die Jagd. Auf dem Wege treffe ich einen Bauer auf einem Esel. Ich frage den Bauer, ob es regnen wird. ‚Jawohl, Majestät, es wird regnen,' antwortet der Bauer. In kurzer Zeit regnet es in Strömen. Ich möchte den Bauer also gern[1] zum Minister machen.[5]

Der Bauer aber will nicht Minister werden. ‚Ich bin nur ein dummer Bauer,' sagt er; ‚ich weiß nicht, ob es regnen wird. Nur mein Esel weiß das. Wenn der iah macht,[6] regnet es.' — Gut, antworte ich, wenn du nicht Minister werden willst, mache ich deinen Esel zum Minister."

[1] would like to   [2] them   [3] es regnet in Strömen = it pours   [4] dismiss
[5] to make . . . minister   [6] when he goes ee-ah (brays)

Also habe ich den Esel zum Minister gemacht. Aber es war ein großer Fehler."

„Warum war es ein großer Fehler?" fragt einer der Kandidaten.

„Weil jetzt jeder Esel Minister werden will," antwortet der König.

Fragen

1. Wer sucht einen Minister? 2. Wer möchte gern Minister werden? 3. Was erzählt der König den Kandidaten? 4. Was tut der König eines Tages? 5. Was fragt er den Minister? 6. Was sagt der Minister? 7. Regnet es? 8. Wen trifft der König auf der zweiten Jagd? 9. Wo sitzt der Bauer? 10. Was fragt der König? 11. Regnet es wieder? 12. Will der Bauer Minister werden? 13. Warum nicht? 14. Wer wird endlich Minister? 15. Warum war es ein großer Fehler?

I. Grammatical Terms

1. The *definite article* in English is *the: the* man, *the* men.
2. In English the article is not *declined;* that is, its forms do not change according to case and number; instead, prepositions are used to indicate some case relations: *of* the, *to* the.

    In German, on the other hand, the article is declined, i. e., changed in form to express the four cases: *nominative, genitive, dative,* and *accusative*.
3. These cases have the following basic functions in a sentence:

    The *nominative* is the case of the subject:

    The man gives the child a dime. (To determine what case is used, ask: *Who* is doing it?)

    The *genitive* is the case showing possession:

    The child's face lit up. (To determine what case is used, ask: *Whose* face lit up?)

    The *dative* is the case of the indirect object; it indicates to or for whom something is done:

The man gave *the child* a dime. (To determine what case is used, ask: *To whom* did he give a dime?)

The man bought *the child* candy. (Sometimes *for whom* must be asked to determine the dative.)

The *accusative* is the case of the direct object; it indicates the noun or pronoun receiving the direct action of the verb:

The man gave the child *a dime*. (To determine what case is used, ask: *What* did he give the child?)

In English the genitive is often rendered by the preposition *of*: the face *of the child*, and the dative by the preposition *to* (or *for*): He gave a dime *to the child*.

II. The Definite Article in German

1. As stated above, the definite article in German has different forms to indicate case; in addition, it changes in the singular according to the three genders: masculine, feminine, and neuter, while in the plural it has the same forms for all three genders:

	Singular			Plural (all three genders)	General Translation
	Masculine	*Feminine*	*Neuter*		
NOMINATIVE:	der	die	das	die	the
GENITIVE:	des	der	des	der	of the
DATIVE:	dem	der	dem	den	to the
ACCUSATIVE:	den	die	das	die	the

2. Whether der, die, or das is to be used with a noun depends on the grammatical gender of the noun, and this grammatical gender is sometimes confusing to the English-speaking student. While it seems obvious to say der Mann, die Frau, and das Kind, it is less clear why it should be der Tag, die Zeit, or das Geld. It should, therefore, be a *fixed rule to learn each noun with its article*. Never say: Esel, Geschichte, Mädchen, but *always:* der Esel, die Geschichte, das Mädchen.

3. In general, the definite article is used in German wherever it would be used in English. Occasionally, however, it appears in German where it is omitted in English, for instance with the names of metals, with abstract and generalized nouns:

Das Gold ist ein Metall. Gold is a metal. (*name of a metal*)
Die Liebe macht blind. Love makes one blind. (*abstract noun*)
Das Leben ist kurz, die Kunst ist lang. Life is short, art is long. (*generalized nouns*)

4. Most masculine and neuter nouns require the ending =s (or =es) in the genitive; =es is used with monosyllables (i. e., nouns of one syllable). In the following, der Fehler (mistake) and das Fenster (window) require =s in the genitive because they have more than one syllable, while der Mann (man) and das Kind (child) require =es since they are monosyllables:

NOMINATIVE:	der Fehler	der Mann	das Fenster	das Kind
GENITIVE:	des Fehlers	des Mannes	des Fensters	des Kindes
DATIVE:	dem Fehler	dem Mann(e)	dem Fenster	dem Kind(e)
ACCUSATIVE:	den Fehler	den Mann	das Fenster	das Kind

Note that monosyllabic masculines and neuters *may* take an =e in the dative: dem Manne, dem Kinde.

5. Feminine nouns have no ending in the singular; they always remain uninflected:

NOM.	die Frau
GEN.	der Frau
DAT.	der Frau
ACC.	die Frau

6. The formation of the plural of nouns will be taken up later. At this point, learn the forms of the article in the plural and note that nouns add =n in the dative plural unless their nominative plural already ends in =n:

Plural

NOM.	die Männer	die Frauen	die Kinder
GEN.	der Männer	der Frauen	der Kinder
DAT.	den Männern	den Frauen	den Kindern
ACC.	die Männer	die Frauen	die Kinder

7. **Der-words.** The following words are declined very much like the definite article and are therefore called **der-words**:

dieser	this	mancher	many a; *in the plural:* some
jeder	every, each	solcher	such
jener	that	welcher	which, what

The der-word alle (all) is used in the plural only. Distinguish clearly between jeder and jener!

EXAMPLE: dieser

	Singular			Plural
	Masc.	*Fem.*	*Neuter*	*(all three genders)*
NOM.	dieser	diese	dieses (or: dies)	diese
GEN.	dieses	dieser	dieses	dieser
DAT.	diesem	dieser	diesem	diesen
ACC.	diesen	diese	dieses (or: dies)	diese

8. Der-words are sometimes used as pronouns:

> **Dieser** ist es nicht. — It isn't *this one*.
> **Jener** auch nicht. — Not *that one* either.
> Das sagt **jeder**. — *Everyone* says that.

9. Der, die, and das can also be used as pronouns; when so used, they have forms differing slightly from the definite article and are generally translated with *he, she, that, they,* etc.:

	Singular			Plural
	Masc.	*Fem.*	*Neuter*	(*all three genders*)
NOM.	der	die	das	die
GEN.	**dessen**	**deren**	**dessen**	**deren (derer)**
DAT.	dem	der	dem	**denen**
ACC.	den	die	das	die

Some typical uses of der as a pronoun:

Der ist es nicht.	It isn't *he.*
Dem gebe ich keinen Pfennig.	I won't give *him* a penny.
Den kenne ich nicht.	I don't know *him.*
Dessen bin ich sicher.	*Of that* I am sure.

10. German has constructions like the English *this is my pencil, that is my sister, it is a girl (a boy):*

> **Dies ist** mein Bleistift.
> **Das ist** meine Schwester.
> **Es ist** ein Mädchen (ein Junge).

Different from English, however, is the use of dies, das, and es with the plural nouns in the predicate. In English we say: *These* are my sisters; *those* are the mistakes; *they* are students, but in German dies, das, and es remain singular and only the verb is changed to the plural:

> **Dies sind** meine Schwestern.
> **Das sind** die Fehler.
> **Es sind** Studenten.

Recapitulation of Main Points:

1. German has three sets of forms for the definite article: masculine (der), feminine (die), and neuter (das), depending on the gender of the noun. The plural article die is used for all three genders.

2. Dieser, jeder, jener, mancher, solcher, and welcher are called der=*words* and are declined like dieser (see § 7 above). Be especially careful to distinguish between jeder (every, each) and jener (that).
3. der, die, das, when not followed by a noun, are pronouns and are generally translated simply by *he, she, him, her, that,* and in the plural by *they, them*. The only forms that differ from those of the definite article are the genitive singular (dessen, deren, dessen) and the genitive and dative plural: deren (also occasionally: derer), denen.
4. The following constructions are invariable:

dies ist........this is   dies sind........these are
das ist........that is   das sind........those are
es ist.........it is   es sind.........they are

Übungen

I. Recognition Grammar

A. The definite article, singular and plural. Translate accurately:

1. Der Name des Mannes war Schmidt. 2. Der Name der Frau war auch Schmidt. 3. Die Eltern des Kindes haben Geld. 4. Was ist der Name der Eltern? 5. Er kauft den Eltern ein Auto. 6. Ich kenne die Männer nicht. 7. Er erzählt den Kindern die Geschichte. 8. Er zeigt den Studenten die Fehler. 9. Er zeigt der Studentin das Auto. 10. Die Eltern des Mädchens gehen ins Kino. 11. Die Eltern der Mädchen haben Geld. 12. Er zeigt dem König das Gold.

B. Der=words in various cases. Translate:

1. Welche Universität ist das? 2. Der Esel und der Minister: Jener weiß, ob es regnen wird, dieser nicht. 3. Mancher Lehrer weiß das nicht. 4. Die Kinder solcher Eltern sind intelligént. 5. Er kennt jedes Mädchen. 6. Dies ist mein Vater. 7. Das sind meine Eltern. 8. Das Aluminium ist ein Metall. 9. Du sagst, er ist sehr intelligent; bist du

18 — Aufgabe zwei

dessen sicher? 10. Der hat Geld. 11. Nicht jeder weiß das. 12. Die ist aber dumm! 13. Es sind gute Studenten. 14. Dem gebe ich keinen Pfennig. 15. Der kauft er ein Auto und mir (*dat.:* me) nichts. 16. Solche Fehler macht man (one) nicht!

C. Translate the following sentences and interpret the forms in heavy print in grammatical terms.

EXAMPLE

Ich kenne **den Mann** = I know the man (accusative masculine; direct object).

1. Wer kennt **die Frau**? 2. **Jedes Kind** weiß das. 3. Ich kenne **den Autor dieses Buches**. 4. **Dessen** bin ich sicher. 5. Das weiß jeder. 6. **Denen** gebe ich keinen Pfennig. 7. Er redet **solchen Unsinn**. 8. Das Produkt **dieser Firma** ... 9. **Dies** sind neue Autos und **das** sind alte. 10. **Diese** Geschichte erzählt er jedem. 11. Er gibt (gives) **allen Studenten** ein A. 12. **Solche Studenten** haben wir nicht.

II. Active Grammar

A. Decline in the singular:

1. mancher Vater 2. solche Frau 3. jedes Mädchen 4. welches Fenster 5. jener König

B. Give the correct form of the der-word in parenthesis. Plurals are indicated:

1. Das weiß (every) Esel. 2. Die Eltern (of this) Mädchens sind alt. 3. (Which) Esel erzählt (such) Geschichten (*pl.*)? 4. (Which) Manne zeigt er das Auto? 5. (These) Mädchen (*pl.*) kennen (the) Namen (*pl.*) (of all) Studenten (*pl.*). 6. (It is) der Professor. 7. Die Kinder (of this) Frau ... 8. Die Kinder (of these) Eltern ...

C. Translate into German:

1. These are the parents of the girl. 2. The name of that king is Friedrich. 3. I know (*use* kennen) such students. 4. Not

every student knows (weiß) that. 5. That is the man. 6. Which story are you telling, Max? 7. They are the parents. 8. She makes many a mistake. 9. I know those names.

D. Review exercises:

1. Conjugate: (a) antworten (to answer) (b) rauchen (to smoke)
2. Change to the polite form of address: (a) du kennst (b) ihr habt (c) Wo wohnst du?
3. Translate: (a) he is coming (b) we are answering (c) Do you have money, Fritz? (d) Are you here, Marie? (e) Are you going already, gentlemen?

Wortschatz

der Bauer, –n   peasant, farmer
der Esel, –   donkey, ass
der Fehler, –   mistake
der König, –e   king
der Mann, ⸚er   man; husband
der Name, –n   name
der Tag, –e   day
    eines Tages   one day
der Vater, ⸚   father
der Weg, –e   way, road

die Frau, –en   woman, wife; Mrs.
die Geschichte, –n   story
die Jagd, –en   hunt
die Schwester, –n   sister
die Zeit, –en   time

das Kind, –er   child

die Eltern (*plural*)   parents

erzählen   to tell (*a story*)
fragen   to ask
machen   to make, do
regnen   to rain

rufen   to call
suchen   to seek, look for
tun   to do, make
war   was
will   wants (to)

alles   all, everything
also   therefore, hence, consequently
alt   old
endlich   finally
groß   great; big, tall
gut   good
jetzt   now
kurz   short
neu   new
nur   only
ob   whether
sicher   (*w. gen.*) sure (of), certain (of)
    (*adv.*) surely, certainly
weil   because
wenn   if; when, whenever
wieder   again
zufrieden   satisfied, pleased
zusammen   together

Aufgabe drei

The Indefinite Article and the ein=Words

Junge Frauen und alte Ideen

Herr und Frau Schmidt gehen zu einem eleganten Abendessen. Herr Schmidt ist nicht sehr alt, aber er hat schon recht alte Ideen. Er ist zum Beispiel[1] politisch[2] sehr konservativ. Frau Schmidt ist etwas jünger als ihr Mann und hat viel jüngere Ideen. Sie ist noch ganz hübsch und daher tolerant und optimistisch. Sie glaubt zum Beispiel, daß keiner weiß, wie alt sie ist.

Beim[3] Abendessen sitzt zwischen den Schmidts ein junger Mann. Er ist reizend und intelligent. Der junge Mann spricht viel. Er macht Frau Schmidt viele kleine Komplimente und erklärt Herrn Schmidt seine radikalen politischen Ideen. Frau Schmidt lächelt freundlich, und Herr Schmidt schlürft seine Suppe[4] und sagt nur dann und wann: „Hm."

Nach dem Abendessen gehen Herr und Frau Schmidt nach Hause. Zu Hause sitzen sie noch eine Weile in ihrem Wohnzimmer. Sie sprechen über[5] dieses und jenes. Herr Schmidt sagt nicht viel, aber seine Frau spricht um so mehr.[6]

„Was für ein schönes Abendessen! Und was für ein intelligenter junger Mann! Ist er nicht reizend?"

[1] for example [2] politically [3] at the [4] sips his soup [5] about
[6] all the more

The Indefinite Article and the ein=Words in German

„Ob er reizend ist, weiß ich nicht," antwortet Herr Schmidt, „aber er muß lernen, jüngere Frauen und ältere politische Ideen zu loben."

Fragen

1. Wohin gehen Herr und Frau Schmidt? 2. Ist Herr Schmidt schon alt? 3. Ist Herr Schmidt politisch radikal? 4. Ist Frau Schmidt so alt wie ihr Mann? 5. Warum ist sie tolerant und optimistisch? 6. Was glaubt sie zum Beispiel? 7. Wer sitzt zwischen den Schmidts? 8. Was macht der junge Mann Frau Schmidt? 9. Was erklärt er Herrn Schmidt? 10. Was sagt Herr Schmidt zu seinen radikalen Ideen? 11. Wohin gehen Herr und Frau Schmidt nach dem Abendessen? 12. Wo sitzen sie eine Weile? 13. Lobt Frau Schmidt das Abendessen? 14. Wie findet sie den jungen Mann? 15. Was sagt Herr Schmidt?

I. Grammatical Terms

1. The *indefinite article* in English is *a* or *an*.
2. The *possessive adjectives* are *my*, *your*, *his*, *her*, *its*, *our*, *their*. They are called *adjectives* because they modify nouns: *my* house, *your* wife, *his* money, etc., and *possessive* because they indicate possession (ownership).
3. *Possessive pronouns* are used instead of possessive adjectives when the noun is understood: Is this *my* (possessive adjective) hat or *yours* (possessive pronoun)? — It is *mine* (possessive pronoun).

II. The Indefinite Article and the ein=Words in German

1. The indefinite article in German is **ein**. It has the same endings as the der=words with three exceptions: in the nominative masculine and in the nominative and accusative neuter:

Aufgabe drei

	Masculine	Feminine	Neuter
NOM.	ein Mann	eine Frau	ein Kind
GEN.	eines Mannes	einer Frau	eines Kindes
DAT.	einem Mann(e)	einer Frau	einem Kind(e)
ACC.	einen Mann	eine Frau	ein Kind

Ein as the indefinite article means *a* or *an*, but sometimes it may also mean *one*. The context must decide whether ein Mann should be translated as *a man* or *one man*.

2. Like ein are declined: kein (no, not any), and the possessive adjectives:

mein	my	unser	our
dein	your	euer	your
sein	his	ihr	their
ihr	her		
sein	its	Ihr	your (*polite address*)

NOTE: The possessive adjective ihr can mean *her* or *their*. Capitalized Ihr always means *your* (polite address, *singular and plural*).

Be careful to distinguish the personal pronoun ihr (ihr habt: *you* have) from the possessive adjective ihr (ihr Haus: *her* or *their* house).

3. Ein has no plural, but other ein-words have. The endings are the same as those of the der-words:

PLURAL
- NOM. keine (Männer, Frauen, Kinder)
- GEN. keiner (Männer, Frauen, Kinder)
- DAT. keinen (Männern, Frauen, Kindern)
- ACC. keine (Männer, Frauen, Kinder)

4. The ein-words unser and euer are easily confused with der-words. In a der-word, like dieser for instance, the =er is dropped and the endings are added to the stem dies=. *In the ein-words* **unser** *and* **euer**, *however, the* =er *is part of the stem*, and endings are, therefore, added as follows:

The Indefinite Article and the ein=Words in German

NOM.	unser Vater	unsere Mutter	unser Kind
GEN.	unseres Vaters	unserer Mutter	unseres Kindes
	etc.	etc.	etc.

5. Occasionally you will encounter the printed forms **unsres, unsrem, unsren, unsre, unsrer** as well as **unsers, unserm, unsern** for the longer forms used in §4 above. The same applies to **euer: eures, eurem**, etc., as well as **euers, euerm**, etc.

6. To use the possessive adjectives correctly, it is necessary only to bear in mind that **mein, dein, sein**, etc., are simply the German words for *my, your, his*, etc., and that the ending to be attached to them is determined by the *number, gender, and case* of the noun they modify. Thus, in the sentence:

> I give an apple to my child,

child is singular, dative, neuter. Hence, the possessive adjective *my* must, in German, have the ending of the singular, dative, neuter — which is: **=em**:

> Ich gebe meinem Kinde einen Apfel.

NOTE: Guard against thinking that the *possessive* adjective in the phrase "*my* child" expresses a possessive *case* relationship, i. e., the genitive case. The genitive (= possessive case) of *my child* is *of my child;* in German: **meines Kindes. Meinem Kinde**, on the other hand, is the dative case (indirect object).

7. The three possessive adjectives **dein, euer**, and **Ihr** mean *your*. Remember: Use **dein** with **du; euer** with **ihr;** and **Ihr** with **Sie**.

> Wo hast **du dein** Auto geparkt, Hans?
> Where have you parked your car, Hans?

> Wo habt **ihr euer** Auto geparkt, Jungens?
> Where have you parked your car, boys?

> Wo haben **Sie Ihr** Auto geparkt, Herr Schmidt?
> Where have you parked your car, Mr. Schmidt?

8. To make the possessive relationship immediately clear, when more than two people are talking or being talked about, dessen (the latter's; masc. and neut. sing.) is used for sein and deren (the latter's: feminine sing.; fem., masc., and neut. plural) for ihr:

Der König vertraute seinem Minister und dessen (*i. e.*, seines Ministers) Politik.
The king trusted his minister and his (*i. e., the latter's, his minister's*) politics.

Frau Schmidt kam mit ihrer Tochter und deren (*i. e.*, der Tochter) Sohn.
Mrs. Schmidt came with her daughter and her (*i. e., the latter's, the daughter's*) son.

Sie besuchten die Indianer in deren (*i. e.*, der Indianer) Dörfern.
They visited the (American) Indians in their (*i. e., the latter's, the Indians'*) villages.

9. The ein=words can also be used as pronouns. When so used, they have the endings of the der=words in all cases and *agree in gender, number, and case* with the noun for which they stand. These pronouns differ in form from the possessive adjectives only in three cases: the nominative masculine, and the nominative and accusative neuter singular:

	Adjective Forms		Pronoun Forms	
	Masc.	*Neuter*	*Masc.*	*Neuter*
NOM.	ein	ein	einer	eines (or eins)
ACC.		ein		eines (or eins)

As pronouns, the ein=words are translated as follows (nominative masculine singular forms are used for these examples):

einer   one, someone
keiner   none, no one

The Indefinite Article and the ein-Words in German

meiner	mine	unserer	ours
deiner	yours	euerer	yours
seiner	his	ihrer	theirs
ihrer	hers		
seiner	its	Ihrer	yours (*polite address*)

Some typical uses for pronouns follow:

a) Pronouns differing in form from adjectives:

	Adjectives	Pronouns
NOM. MASC. SING.:	Ein Mann ist besser als kein Mann. One man is better than no man.	Einer ist besser als keiner. One is better than none.
NOM. NEUT. SING.:	Dein Kind ist besser als mein Kind. Your child is better than my child.	Deins ist besser als meins. Yours is better than mine.
ACC. NEUT. SING.:	Ich kaufe ein Auto. I am buying a car.	Kaufst du auch eins? Are you going to buy one, too?

b) Pronouns and adjectives using identical endings in the other cases:

Adjectives	Pronouns

DAT. MASC. SING.:

Ich gebe meinem Vater ein Buch.   Was gibst du deinem?
I give my father a book.   What are you giving yours?

ACC. MASC. SING.:

Ich habe deinen Bleistift und.... du hast meinen.
I have your pencil and........... you have mine.

DAT. FEM. SING.:

Ich gebe meiner Mutter ein Buch.   Was gibst du deiner?
I give my mother a book.   What are you giving yours?

ACC. FEM. SING.:

Haben Sie Ihre Rechnung?   Er hat **seine.**
Do you have your bill?   He has his.

NOM. PLURAL:

Hier sind **deine** Bücher, ... aber wo sind **meine?**
Here are your books, ... but where are mine?

10. Instead of the pronoun forms **meiner, deiner, seiner,** etc., one sometimes finds:

    der (die, das) meine   der (die, das) unsere
    der (die, das) deine   der (die, das) euere
    der (die, das) seine   der (die, das) ihre
        der (die, das) Ihre

Less frequently:

    der (die, das) meinige   der (die, das) unsrige
    der (die, das) deinige   der (die, das) eurige
    der (die, das) seinige   der (die, das) ihrige
        der (die, das) Ihrige

These forms are sometimes capitalized in certain set phrases:

    Jedem das Seine.   To each his own.
    das Deine (Deinige), your possession(s); your share
    Er vermehrt das Seine.   He increases his possessions.
    er und die Seinigen (Seinen), he and his own (= people, family)

11. In the forms **manch ein** (many a; *in plural*, some), **solch ein** and **so ein** (such a, what), **welch ein** (what a), and **was für ein** (what kind of) only the **ein** is declined:

    Solch eine (= So eine) Frechheit!
    What impudence!

    Was für ein Auto (einen Professor) hast du?
    What kind of car (professor) do you have?

Recapitulation of Main Points — 27

Welch ein Wetter!   What weather!
Was für eine ⎫ Idee!   What an idea!
Welch eine ⎭

With plural nouns, ein is omitted:

Was für Leute sind das?   What kind of people are they?
Manche Eltern sind streng.   Some parents are strict.

12. In referring to parts of the body or clothing, German prefers to use the definite article instead of the possessive adjective if the relationship is clear:

Was hast du in der Hand?
What have you in *your* hand?

Mit dem Hute in der Hand kommt man durch das ganze Land.
With *one's* hat in *one's* hand one goes through all the land (*i. e.*, politeness opens all doors).

Recapitulation of Main Points:

1. The indefinite article is: **ein** (masculine), **eine** (feminine), and **ein** (neuter).
2. Remember that only three forms differ in their endings from the der=words:

	Masc.	*Neuter*
NOM.	ein Mann	ein Kind
ACC.		ein Kind

3. The ein=words are:

kein	no		
mein	my	unser	our
dein	your	euer	your
sein	his ⎫		
ihr	her	ihr	their
sein	its ⎭		
		Ihr	your (*polite address*)

4. When these words are used as pronouns, they have the same endings as the der-words; see § 9 above.
5. There is no way of telling, except from the context, whether ihr means *her* or *their*. Capitalized Ihr always means *your* (unless, of course, Ihr stands at the beginning of a sentence in which case the context again must decide which of the three meanings [*her*, *their*, *your*] is implied).
6. In the emphatic forms manch ein (many a), solch ein or so ein (such a, what), and was für ein (what kind of) only the **ein** is declined.
7. dein, euer, and Ihr mean *your:*

with du use dein: Hast **du dein** Buch (**deine** Bücher)?
with ihr use euer: Habt **ihr euer** Buch (**euere** Bücher)?
with Sie use Ihr: Haben **Sie Ihr** Buch (**Ihre** Bücher)?

Übungen

I. Recognition Grammar

A. Translate:

1. Wo ist deine Frau? 2. Ich habe keine. 3. Nicht? Ich habe dich aber mit einer jungen Dame gesehen. 4. Das war keine Dame, das war eine Studentin. 5. Du kennst Karl und Max, nicht wahr? Das ist ihre Schwester. 6. Ist das Ihr Bruder? 7. Dort ist Anna, aber wo ist ihr Mann? 8. Er ist der Sohn seines Vaters: stark aber dumm. 9. Habt ihr euer neues Auto schon? 10. Nein, wir haben unsers noch nicht, aber Schmidts haben ihrs. 11. Er kauft mein Haus und verkauft seins. 12. Ihr Mann ist euer Professor. 13. Unserer? 14. Ja, eurer! 15. Was für ein Kerl! 16. Was haben Sie auf dem Kopf? Ein Vogelnest? 17. Nein, das ist unser Salat für morgen. 18. Er arbeitet für die Seinen. 19. Haben Sie die ein-Wörter verstanden (understood)? 20. Mancher lernt sie (them) nie.

B. Translate, and characterize the forms of the words in heavy print by grammatical terms.

EXAMPLE

Sie geben **ihren** Kindern alles. They give their children everything. — Ihren (their) is the dative plural of the possessive adjective, indirect object.

1. Der Präsident **unserer** Universität . . . 2. Kennt ihr **euren** Professor nicht? 3. Der Professor kennt **seine** Studenten nicht. 4. Es ist **Ihre** Idee, nicht **meine**. 5. Die Gesundheit **unserer** Kinder . . . 6. Du kennst Marie, aber kennst du auch **ihren** Mann? 7. Habt ihr **ihr** Buch? 8. Ist **Ihr** Bruder auch Student? 9. Sie geben **ihrer** Mutter ein Buch. 10. Was gebt ihr **eurer**? Auch ein Buch? — Nein, sie hat schon **eins**.

II. Active Grammar

A. Decline in the singular:

1. unser Buch   2. Ihre Frau   3. euer Vater   4. seine Schwester
5. keiner   6. was für ein Mädchen

B. Give the proper form of the ein=word in parenthesis:

1. Hast du (your) Buch? 2. Was geben Sie (your) Frau? 3. Was gebt ihr (your) Vater? 4. Kennst du (his) Schwester? 5. (No one) war hier. 6. (What kind of) Auto hast du? 7. Kennst du (our) Haus? 8. (What an) Idee! 9. Wo ist (your) Frau, Herr Schmidt? 10. (Their) Wohnzimmer ist sehr groß. 11. Wie ist (her) Gesundheit? 12. (A) Mann, (a) Wort; (a) Frau, (a) Wörterbuch (*neut.*, dictionary)

C. Give the proper form of the possessive pronoun:

1. Unser Haus ist groß, (his) ist klein. 2. Wo ist sein Buch? Er hat (none). 3. Unser Lehrer heißt Schmidt, wie heißt (yours, *familiar plural*)? 4. Hier ist dein Bleistift, wo zum Donnerwetter ist (mine)? 5. Ich habe (yours, *i. e.*, pencil) und du hast (mine). 6. Das war meine Idee, nicht (yours, *familiar sing.*). 7. Wir bringen unsere Kinder mit (along) und sie (theirs).

D. nach Hause and zu Hause:

1. Wir sitzen ____. 2. Warum gehst du nicht ____? 3. Er arbeitet nie ____. 4. ____ sprechen wir Englisch. 5. Manche Eltern sind nie ____. 6. Geht ihr schon ____? 7. Warum studieren Sie nicht ____?

E. Translate:

1. What a man! 2. What a woman! 3. I am buying a book. 4. Do you know her husband? 5. No one knows him (ihn). 6. He has no car. 7. What kind of house have you? 8. She gives (gibt) her parents nothing. 9. Are you going home already? 10. Is he at home? — Not yet.

F. Review exercises:

1. Supply the correct form of the word in parenthesis: (a) die Gesundheit (of this) Mannes (b) der Name (of every) Studentin (c) (such) Eltern (*plur.*). (d) (which) Kind
2. Translate: (a) It is my mother. (b) They are my parents. (c) Gold is a metal. (d) Who knows (kennen) this woman?

Wortschatz

der Kerl, -e fellow, "guy"
der Kopf, ⸚e head

die Dame, -n lady
die Gesundheit health
das Abendessen, - dinner (party)

das Haus, ⸚er house
das Vogelnest, -er bird's nest
das Wohnzimmer, - living room

   arbeiten to work
   erklären to explain; to declare
   glauben to believe, think
   lernen to learn
   loben to praise

muß must, has to
sprechen (er spricht) to speak, talk
verkaufen to sell

als (*after a comparative*) than
daher therefore
dich (*acc.*) you
dort there
etwas somewhat; something
ganz quite
hübsch pretty
jung young
   jünger (*comparative*) younger
klein small, little
nach after
nie never

noch still
  noch nicht not yet
recht quite, rather
reizend charming
schon already
schön beautiful

so ... wie as ... as
stark strong
viel much
viele many
wie how
zwischen between

IDIOMS:

zum Beispiel for example
dann und wann now and then
nach Hause home
zu Hause at home

Komplimente machen to pay compliments
was für ein what a
eine Weile for a while

WORDS SIMILAR TO ENGLISH (COGNATES):[1]

das Auto, –s auto, car
der Bruder, ⸚ brother
das Buch, ⸚er book
das Gold gold
die Idee, –n idea
die Mutter, ⸚ mother
der Präsident, –en president
der Professor, die Professóren professor
der Salat, –e salad
der Sohn, ⸚e son
die Universität, –en university

bringen to bring; to take (to)

alt old
  älter (*comparative*) older
elegánt elegant
intelligént intelligent
konservatív conservative
optimístisch optimistic
polítisch political(ly)
radikál radical
toleránt tolerant

[1] It is suggested that you familiarize yourself with these cognates. Read them *aloud* a few times: you will find that you do not have to make a special effort to memorize them.

Aufgabe vier

The Imperative

Der Kaufmann und der Tod

Im alten Nürnberg[1] wohnt ein reicher, junger Kaufmann. Er ist sehr glücklich, denn er hat viel Geld, viele Freunde und eine schöne junge Frau. Er hat nur eine Sorge: er fürchtet sich vor dem Tod.[2]

Eines Tages kommt er nach Hause und ruft seinen Diener. „Schnell," sagt er, „hole mein Pferd! Der Tod kommt. Ich reite sofort nach Rothenburg! Dort findet er mich nicht. Wenn er kommt, sage ihm, daß ich in München bin. Hier, nimm diesen Ring und gib ihn meiner Frau! Sage ihr, ich komme bald zurück!" Dann reitet er, so schnell er kann,[3] nach Rothenburg.

Nun kommt der Tod. Er klopft an die Tür und der Diener ruft: „Herein!" Der Tod tritt ins[4] Haus und der Diener sagt: „Mein Herr ist nicht zu Hause; er ist nach München geritten." — „Deinen Herrn will ich heute nicht," antwortet der Tod. „Ich will nur wissen, wo der kranke Bürgermeister wohnt." Der Diener sagt dem Tod, wo der kranke Bürgermeister wohnt. Der Tod wendet sich zur Tür,[5] bleibt aber stehen und fragt: „Warum ist dein Herr übrigens nach München geritten? Ich frage nur, weil ich ihn morgen in Rothenburg treffen soll."[6]

[1] Nürnberg, Rothenburg, and München (Munich) are cities in Bavaria.   [2] er fürchtet sich vor = he is afraid of (sich is reflexive)   [3] as fast as he can   [4] ins = in das   [5] wendet sich zur (= zu der) Tür = turns to the door   [6] weil ich ihn ... treffen soll = because I am to meet him

The Imperative in German — 33

Fragen

1. Wo wohnt der reiche, junge Kaufmann? 2. Warum ist er so glücklich? 3. Vor wem (whom) fürchtet er sich? 4. Was soll der Diener holen? 5. Was soll der Diener dem Tode sagen? 6. Was soll der Diener der jungen Frau geben? 7. Wohin reitet der junge Kaufmann? 8. Was sagt der Diener zum Tod? 9. Was will der Tod wissen? 10. Wo soll der Tod den jungen Kaufmann treffen?

I. Grammatical Terms

1. A verb has three *moods:* the indicative, the subjunctive, and the imperative.
2. The *indicative* states a fact: You *are* more intelligent about it.
The *subjunctive* suggests unreality: If you *were* more intelligent about it, . . .
The *imperative* is used in commands: *Be* more intelligent about it!

II. The Imperative in German

1. Whereas the English imperative has only one form, however many persons may be addressed, German has three:

   Sage mir, Max, . . . !
   Tell me, Max (*one* person, *familiar*), . . .

   Sagt mir, Kinder, . . . !
   Tell me, children (*several* persons, *familiar*), . . .

   Sagen Sie mir, mein Herr, . . . !
   Tell me, sir (*one* person, *polite*), . . .

   Sagen Sie mir, meine Herren, . . . !
   Tell me, gentlemen (*several* persons, *polite*), . . .

   The three forms of the imperative correspond to the uses of du, ihr, and Sie. Observe how the personal pronouns and possessive adjectives agree with the imperative forms in the following:

> Lerne **deine** Verben, **du** Faulpelz!
> Learn your verbs, you lazy fellow.
>
> Lernt **eure** Verben, **ihr** Faulpelze!
> Learn your verbs, you lazy fellows.
>
> Lernen Sie Ihre Verben, Sie Faulpelz!
> Learn your verbs, you lazy fellow.
>
> Lernen Sie Ihre Verben, Sie Faulpelze!
> Learn your verbs, you lazy fellows.

2. To form the imperative, take the infinitive stem (obtained by dropping the ending =en of the infinitive) and add the following endings:

Sing. familiar:	=e	Sage das nicht, Otto! (Don't say that, Otto.)
Plural familiar:	=t	Sagt das nicht, Kinder!
Polite (sing. and plural):	=en Sie	Sagen Sie das nicht, mein Herr (meine Herren)!

Note that the pronouns du and ihr (you) are not used in the imperative, but that the polite pronoun Sie *must* appear.

3. If the stem of the verb ends in **d** or **t** or in a succession of consonants, an **e** is added before the **t** of the ending for the familiar plural to facilitate pronunciation, just as it is in the corresponding forms of the present tense:

> Arbeitet mehr!   Work more.
> Öffnet das Fenster!   Open the window.

4. The ending =e of the familiar singular imperative is often dropped in colloquial German:

> Komm und erzähl uns eine Geschichte!
> Come and tell us a story.

This ‑e is not dropped, however, when the stem of the verb ends in b or t:

Arbeite und werde reich!   Work and become rich.

Note also that German generally has an exclamation point after imperatives.

5. Certain strong verbs (i. e., irregular verbs like English *give, gave, given*) which have the stem vowel e

   a) change this e to i or ie in the stem and
   b) add no final e in the singular familiar imperative. Study and memorize the following forms:

	Singular Familiar	Plural Familiar	Polite (Sing. and Plur.)
essen, to eat	iß!	eßt!	essen Sie!
geben, to give	gib!	gebt!	geben Sie!
lesen, to read	lies!	lest!	lesen Sie!
nehmen, to take	nimm!	nehmt!	nehmen Sie!
sehen, to see	sieh!	seht!	sehen Sie!
sprechen, to speak	sprich!	sprecht!	sprechen Sie!
treffen, to meet	triff!	trefft!	treffen Sie!
treten, to step, kick	tritt!	tretet!	treten Sie!

6. The imperative forms of sein (to be) and werden (to become) are:

   sei!   werde!
   seid!   werdet!
   seien Sie! werden Sie!

7. Infinitives and past participles are often used in short, sharp commands directed impersonally at groups (less often at individuals). They have a peremptory flavor, especially the past participle:

   Infinitive: Einsteigen!   All aboard!
                   Weitergehen!   Move on!
                   Mund halten!   "Shut up!", Keep silent!

Past Part.: Maul gehalten! Shut up! (Maul = **trap**)
Still gestanden! Attention! (*military command*)

8. Less common is the use of the present tense, or of haben zu with the infinitive:

Sie sind also morgen um acht Uhr dort!
So you will be there at eight o'clock tomorrow.

Sie haben um acht Uhr hier zu sein!
You are (have) to be here at eight o'clock.

9. Sometimes single words express commands:

Herein! Come in!
'raus! Get out! (*short for* heraus!)

Recapitulation of Main Points:

1. The imperative has three forms:

singular familiar: lerne!
plural familiar: lernt!
polite, singular and plural: lernen Sie!

2. Certain *strong* (irregular) verbs with the stem vowel e change this e to i or ie and add no final =e in the singular familiar imperative:

essen: iß!
eßt!
essen Sie!

Übungen

I. Recognition Grammar

A. Translate:

1. Gib mir bitte ein Glas Milch! 2. Klopfen Sie sofort an die Tür! 3. Warten Sie hier eine Weile! 4. Hole mir bitte das Buch! 5. Kommt bald nach Hause, Kinder! 6. Nimm den Finger aus dem

Mund! 7. Sagt mir, was ihr gelernt habt! 8. Iß nicht so schnell! 9. Eßt eure Suppe, Mädchen! 10. Erzähl uns eine Geschichte, Papa! 11. Unser tägliches Brot gib uns heute! 12. Sprich nicht so laut! 13. Erklären Sie mir das! 14. Sei nicht so dumm! 15. Geh und frag deine Schwester! 16. Tritt nicht auf das Papier! 17. Sagen Sie das bitte noch einmal! 18. Seien Sie so gut und geben Sie mir die Zeitung! 19. Lies die Zeitung! 20. Werde bald wieder gesund! 21. Seid freundlich und ihr werdet glücklich sein! 22. Glauben Sie das nicht, mein Herr! 23. Nehmen Sie das nicht! 24. Sie haben jeden Tag Ihre Aufgaben zu machen! 25. Sprechen Sie deutsch! 26. Und nun: 'raus! 27. Und den Mund gehalten!

B. Give the infinitive of the following verbs and characterize the imperative forms employed (singular or plural, familiar or polite):

1. Nehmt eure Bücher und lest! 2. Lerne jetzt endlich diese neuen Wörter! 3. Klopfen Sie nicht so laut an die Tür! 4. Den Mund halten! 5. Glauben Sie ihm kein Wort! 6. Essen Sie! 7. Nicht stehenbleiben, bitte! 8. Sprechen verboten! 9. Seien Sie so gut und holen Sie mir die Zeitung! 10. Sofort nach Hause kommen! 11. Iß nicht so schnell, du wirst krank! 12. Tun Sie das nicht noch einmal! 13. Erzähle nicht wieder solch dumme Geschichten! 14. Hol die Zeitung und lies! 15. Sieh! Was habe ich gesagt?

II. Active Grammar

A. Give the three imperatives of:

1. sagen 2. holen 3. klopfen 4. kommen 5. werden 6. sein 7. essen 8. nehmen

B. Use the appropriate form of the imperative:

1. (Kommen) ins Haus, Kinder! 2. (Erzählen) nicht wieder deine dummen Geschichten! 3. (Kommen) bald, mein Herr! 4. (Essen) dein Brot, Kind! 5. (Werden) bald wieder gesund, Otto! 6. (Nehmen) deine Medizin! 7. (Glauben) das nicht, meine Herren! 8. (Sagen) eurer Mutter nichts! 9. (Geben) mir deine Zeitung!

Aufgabe vier

10. (Gehen) nicht nach Hause, Robert! 11. (Machen) es allein, wenn du kannst (can)! 12. (Sprechen) nicht so laut, Elisabeth. 13. (Halten) den Mund, Kinder. 14. (Machen) mir keine Komplimente; ich kenne Sie! 15. (Treten) nicht auf meinen Finger, du Dummkopf!

C. Translate:

1. Don't speak so fast! 2. Be so kind (gut), Max! 3. Write soon, Fritz. 4. Give me your pencil, Karl. 5. Take your horse and ride with me (mit mir). 6. Don't eat so much. 7. Find the mayor, sir! 8. Ask the servant, Marie. 9. Tell me a story, papa. 10. Take the book and read, Otto. 11. Don't believe that, Miss Meyer.

D. Review exercises:

1. Name the ein=words.
2. Identify the forms: (a) **meiner Mutter** (b) **seinem Vater** (c) **Ihr Kind** (d) **die Eltern solcher Kinder**
3. Supply the possessive forms: (a) Hier ist (his) Auto; wo ist (mine)? (b) Ich habe (her) Bleistift, und sie hat (mine).

Wortschatz

der Bürgermeister, — mayor
der Diener, — servant
der Herr, —en gentleman; Mr.; master; lord
der Kaufmann, die Kaufleute businessman, merchant
der Mund mouth
der Tod death

die Sorge, —n worry
die Zeitung, —en newspaper

das Fräulein young woman; Miss
das Pferd, —e horse

finden to find
geben (du gibst, er gibt; gib!) to give
holen to fetch, go and get
klopfen (an) to knock (on)
nehmen (du nimmst, er nimmt; nimm!) to take
reiten (ist geritten) to ride (on horseback)
schreiben to write
soll should, am (is) to
stehenbleiben to stop
treffen (du triffst, er trifft; triff!) to meet
treten (du trittst, er tritt; tritt!) to step; to kick
warten to wait

bald soon
dann then
daß that (*conjunction*)
denn for
gesund healthy, well
glücklich happy
herein in
   Herein! Come in!
ihm (*dat.*) him
ihn (*acc.*) him; it
ihr (*dat.*) her
krank sick, ill

mich (*acc.*) me
mir (*dat.*) me
nach (*as in:* nach München) to (*referring to cities and countries*)
nun now
schnell quick(ly), fast
sofort immediately
tot dead
übrigens by the way
zurück– (*pref.*) back

IDIOMS:

jeden Tag every day
mein Herr! sir!; meine Herren! gentlemen!

noch einmal once again, once more
sprechen verboten! no talking!

WORDS SIMILAR TO ENGLISH (COGNATES):

das Brot, –e bread
der Finger, – finger
der Freund, –e friend
das Glas, ⸚er glass
die Medizin, –en medicine
die Milch milk
das Papier', –e paper

der Ring, –e ring
die Suppe, –n soup
die Tür, –en door
das Wort, –e (*in connected discourse*), ⸚er (*isolated*) word
laut loud
reich rich

Aufgabe fünf

> ### The Noun

Wie man Geld bekommt

Zwei Studenten wohnen zusammen in einem Zimmer. Der eine ist Künstler, der andere ist klug. Beide haben kein Geld. In ihrem Zimmer haben sie zwei Stühle, zwei Tische und zwei Betten. An den Wänden hängen viele Bilder.

Die Wirtin klopft. Wie alle Wirtinnen will sie Geld haben. Sofort oder — 'raus! Wie viele Studenten sagen auch diese: morgen!

Der Künstler sagt: „Was machen wir?"[1] Schließlich erklärt der kluge Student: „Ich habe einen guten Gedanken." Dann schickt er den Künstler mit einem seiner Bilder in den Laden eines Händlers. In diesem Laden findet man alles: alte Kleider, Schuhe, Hüte, Mäntel, Lampen, Maschinen, Tennisbälle, ausgestopfte[2] Vögel, Bücher, Papier und Füllfedern, — wahrscheinlich auch Ratten und Mäuse.

Der Künstler fragt den Händler: „Wollen Sie nicht[3] dieses Bild kaufen? Es kostet nur hundert Mark." — „Sind Sie verrückt? Hundert Mark! Ich habe bessere Bilder in Wirtshäusern gesehen." — „Gut," antwortet der Student, „ich lasse das Bild hier und komme später wieder zurück." Dann geht er.

Nun kommt der zweite Student herein. Er hat feine Kleider und sogar Handschuhe an. „Womit kann ich dienen?"[4] fragt der Händler.

---
[1] What are we to do?   [2] stuffed, mounted   [3] Don't you want to
[4] *literally:* With what can I serve; *i. e.*, What can I do for you?

„Oh, ich sehe mir nur die Sachen hier an,"[5] sagt der Student. Dann sieht er das Bild seines Freundes. „Wieviel kostet dieses Bild?" — „Dreihundert Mark." — „Was? Nur dreihundert Mark! Warten Sie, ich hole sofort das Geld!" Mit diesen Worten geht er.

Jetzt kommt der Künstler zurück. „Ich will mein Bild holen," sagt er zu dem Händler. „Einen Augenblick, mein Herr. Ich gebe Ihnen die hundert Mark." — „Nein," erklärt der Künstler, „jetzt kostet es zweihundert." — „Einhundert und keinen Pfennig mehr." — „Zweihundert!" Endlich muß der Händler die zweihundert Mark bezahlen.

Der Händler bekommt das Bild, die Studenten bekommen das Geld, und die Wirtin bekommt ihre Miete.[6]

Fragen

1. Was ist der eine Student? 2. Wie ist der andere? 3. Was hängt an den Wänden? 4. Was will die Wirtin haben? 5. Wohin schickt der kluge Student den Künstler? 6. Was ist in dem Laden des Händlers? 7. Wieviel will der Künstler für das Bild haben? 8. Was sagt der Händler? 9. Was hat der kluge Student an? 10. Was fragt der Händler? 11. Wieviel will der Händler für das Bild haben? 12. Will der Student das Bild kaufen? 13. Wieviel will der Künstler jetzt für das Bild haben? 14. Wieviel muß der Händler endlich für das Bild bezahlen? 15. Was bekommt die Wirtin?

I. Grammatical Terms

(For detailed explanations of grammatical terms, see Aufgabe zwei.)

II. The Noun in German

1. It has been explained in Aufgabe zwei that:
   a) the German noun has four cases, both in the singular and in the plural: nominative, genitive, dative, accusative;

---

[5] *literally:* I am only looking at the things here; *i. e.*, just looking around
[6] rent

b) most masculine and neuter nouns take ‑ℨ in the genitive singular (‑eℨ when monosyllabic);
c) monosyllabic masculines and neuters *may* take ‑e in the dative singular;
d) *feminine nouns remain unchanged in the singular;*
e) all nouns, except those ending in n in the nominative plural, add ‑n in the dative plural.

2. In English it is possible to give a general rule for forming the plural: add -s and learn the exceptions. In German there are *four* ways of forming the plural:

CLASS I: No ending, sometimes with umlaut: (⸚): der Vater, die Väter

CLASS II: Add ‑e, sometimes with umlaut: (⸚)e: der Schuh, die Schuhe

CLASS III: Add ‑er, umlaut where possible: ⸚er: das Haus, die Häuser

CLASS IV: Add ‑en or ‑n in *both* the singular (*except with feminines!*) and plural; no umlaut, as in the following:

Class V Add [en]

Singular

NOM.	der Knabe	der Mensch	der Student
GEN.	des Knaben	des Menschen	des Studenten
DAT.	dem Knaben	dem Menschen	dem Studenten
ACC.	den Knaben	den Menschen	den Studenten

Plural

NOM.	die Knaben	die Menschen	die Studenten
GEN.	der Knaben	der Menschen	der Studenten
DAT.	den Knaben	den Menschen	den Studenten
ACC.	die Knaben	die Menschen	die Studenten

3. In general, German plurals are best learned by experience, but the following hints may prove helpful in determining to which class a noun belongs, i. e., which plural ending is to be chosen. These rules are mere guides; they aid in systematiz-

The Noun in German — 43

ing what would otherwise seem a very arbitrary manner of forming the plural. (For fully declined nouns of the various classes see APPENDIX, §§ 17–20.)

CLASS I includes

    a) masculine and neuter nouns ending in ₌el, ₌en, ₌er;
    b) nouns with the suffixes ₌chen and ₌lein (*always neuter!*);
    c) neuters with the prefix Ge₌ and the ending ₌e: das Gebirge (mountain range);
    d) two feminines: die Mutter (*plur.:* die Mütter), die Tochter (*plur.:* die Töchter).

    NOTE: ₌chen and ₌lein are diminutive suffixes, i. e., they suggest the idea of *small* or *cute* and are often used to express endearment: Väterchen, Mütterchen. *Nouns with these suffixes are always neuter*, no matter what the original gender of the noun was before the addition of either of the two diminutive endings: der Vater — das Väterchen; die Frau — das Fräulein. The diminutive endings usually cause umlaut.

CLASS II includes

    a) most MONOSYLLABIC feminines and masculines, and some important MONOSYLLABIC neuter nouns;
    b) masculine nouns ending in ₌ich, ₌ig, and ₌ling.

CLASS III includes

    a) most neuter MONOSYLLABLES;
    b) a few masculine MONOSYLLABLES (but no feminines): der Mann, der Wald (forest), der Leib (body), der Wurm (worm), der Geist (ghost).

CLASS IV includes

    a) all FEMININE NOUNS OF MORE THAN ONE SYLLABLE (except die Mutter, die Tochter: Class I! Feminine nouns are never declined in the singular!);

b) a few monosyllabic feminines not in Class II: die Frau, die Tür, die Uhr, die Zeit;
c) a few masculine monosyllables: der Fürst (prince), der Mensch (human being, man), der Herr (=n in the singular, =en in the plural!);
d) masculine nouns ending in =e in the nominative singular and denoting male beings: der Knabe, der Neffe (nephew), der Ochse (ox), der Affe (monkey; ape), etc.;
e) masculine nouns of foreign origin that denote living beings and have the accent on the last syllable: der Soldát (soldier), der Studént, der Kandidát, der Demokrát, der Soziálist, der Bolschewík, der Philosóph, der Prophét, etc.;
f) no neuter nouns.

NOTE: Feminine nouns ending in =in (die Wirtin, die Studentin, etc.) add =nen in the plural: die Wirtinnen.

[Class V] Some few masculine and neuter nouns have strong forms in the singular (=, =es, =[e], =) but weak forms in the plural (=en, =en, =en, =en); they never have umlaut:

    das Auge, des Auges, dem Auge, das Auge;
      plural: die Augen, etc.,   eye

    das Ohr, des Ohres, dem Ohr(e), das Ohr;
      plural: die Ohren, etc.,   ear

    das Bett, des Bettes, dem Bett(e), das Bett;
      plural: die Betten, etc.,   bed

To this group belong all words ending in =or (always masculine): der Proféssor, der Pástor. Note the shift of accent in the plural: der Proféssor, des Proféssors, dem Proféssor, den Proféssor; plural: die Professóren, etc.

NOTE: The nouns der Bauer (farmer) and der Nachbar (neighbor) can be *weak* or *strong* in the singular, but in the plural they take =n;

der Bauer { des Bauers, dem Bauer, den Bauer / or: / des Bauern, dem Bauern, den Bauern } plural: die Bauern, etc.

der Nachbar { des Nachbars, dem Nachbar, den Nachbar / or: / des Nachbarn, dem Nachbarn, den Nachbarn } plural: die Nachbarn, etc.

5. Some nouns are *weak* but add =ns in the genitive singular: *Irreg. of 1 Decl.*

   der Gedanke (thought), des Gedankens, dem Gedanken, den Gedanken; *plur.*: die Gedanken, *etc.*
   der Name (name), des Namens, dem Namen, den Namen; *plur.*: die Namen, *etc.*
   Similarly: der Glaube (belief), der Friede (peace), and some others.

6. Some nouns, mostly of foreign origin, form their plurals in =s: das Hotel, die Hotels; das Auto, die Autos; das Restaurant, die Restaurants; das Kino, die Kinos (movie), *etc.*
   NOTE: *In all other instances the ending =s denotes a genitive singular and not a plural.*

7. Dictionaries and glossaries give what are called the *principal parts of a noun:* Nom. singular; gen. sing.; and nom. plural:

   der Dichter, =s, =, poet
   der Bauer, =s (*or* =n), =n, farmer (*Note the two genitives!*)

   With these principal parts, it is possible to form any case of a noun.

8. Very characteristic of German is the compound noun. It is commonly made up of two or more nouns, or of a noun combined with adjectives or adverbs. The gender of such compounds is determined by the final element:

   der Vogel, bird; **das** Nest, nest   = **das** Vogelnest
   das Mädchen, girl; **die** Schule, school = **die** Mädchenschule
   schnell, fast; **der** Zug, train   = **der** Schnellzug (express train)

Many of these compound nouns are not listed in dictionaries, and their meanings must therefore be deduced from their separate components. Generally speaking, it is best to begin with the final element:

die Ausdrucksmöglichkeiten = die Möglichkeiten (possibilities); der Ausdruck (expression): *possibilities of expression*

Recapitulation of Main Points:

1. Masculine and neuter nouns ordinarily take ₋s in the genitive singular. Monosyllabic masculines and neuters take ₋es in the genitive and may add ₋e in the dative.
2. Feminine nouns always remain unchanged in the singular.
3. All nouns end in ₋n in the dative plural, except those foreign nouns taking an ₋s in the nominative plural.
4. There are four ways of forming plurals:

> Class I: (⸚) (no special plural ending)
> Class II: (⸚)e
> Class III: ⸚er
> Class IV: –en (*in both singular and plural*)

5. Only classes I and IV have definite rules about membership:

   Class I includes masculine and neuter nouns ending in ₋el, ₋en, ₋er; the neuters with the diminutive suffixes ₋chen and ₋lein; the two feminines die Mutter (Mütter), die Tochter (Töchter).

   Class IV includes feminines of more than one syllable; nouns like der Herr, der Mensch; der Knabe, der Löwe; der Studént, etc.

6. Excepting a few foreign nouns (das Hotel, das Auto, etc.), German nouns do not use the ending ₋s to form the plural. The ending ₋s is primarily a genitive singular ending.

Übungen

I. Recognition Grammar

A. The following nouns are given in the plural. Identify the class to which they belong.

1. die Fenster 2. die Bleistifte 3. die Kinder 4. die Schwestern 5. die Fehler 6. die Zeiten 7. die Tage 8. die Könige 9. die Männer 10. die Sachen 11. die Esel 12. die Diener 13. die Häuser 14. die Ideen 15. die Freunde 16. die Ringe 17. die Freundinnen 18. die Sorgen 19. die Pferde 20. die Menschen 21. die Löwen 22. die Präsidenten 23. die Winter 24. die Winde

B. Translate the following phrases in heavy print and identify their cases:

1. die **Bilder jener Künstler** 2. die **Eltern solcher Kinder** 3. die **Zimmer ihrer Häuser** 4. Ich kenne **diesen Menschen**. 5. **Diesen Menschen** gebe ich keinen Pfennig. 6. Die Idee **des Kandidaten** 7. in **den Zeitungen** 8. im Namen **des Herrn** 9. auf allen **Stühlen und Tischen** 10. in **diesen Zeiten** 11. Kennen Sie **den Präsidenten**? 12. Kennen Sie **einen** guten **Händler**? 13. Kennen Sie **keine** guten **Händler**? 14. Die Worte **des zweiten Paragraphen**

C. With the aid of the vocabulary at the end of the book, translate the following compounds:

1. der Kunstgegenstand 2. das Inhaltsverzeichnis 3. der Atomzertrümmerungsversuch

II. Active Grammar

A. Decline in the singular and plural:

1. der Lehrer 2. das Mädchen 3. der Tisch 4. der Mann 5. die Freundin 6. das Auge

B. On the basis of class, give the plural for the following:

Class I: der Künstler, der Laden (¨), der Onkel
Class II: der König, der Hut (¨), der Tisch, die Maus (¨)

48 — Aufgabe fünf

Class III: das Bild, das Buch, das Wirtshaus
Class IV: die Wirtin, die Sorge, der Knabe, der Professor

C. In the following only such nouns are given as have predictable plurals; give the nominative plural of:

1. das Fenster 2. die Lehrerin 3. der Esel 4. die Schwester 5. das Kätzchen 6. der Finger 7. der Apfel (¨) 8. die Aufgabe 9. das Wohnzimmer 10. der Fehler

D. Change the phrases in heavy print to the plural. Be sure to keep the same *case:*

1. Ich kenne **diesen Menschen**. 2. Er kennt **dies Bild** nicht. 3. Hast du **dein Buch**? 4. Gib **diesem Menschen** Brot! 5. der Vater **dieses Knaben** 6. die Mutter **dieses Mädchens** 7. Er ist immer **in dem Laden**. 8. Kennst du **diesen Herrn**? 9. Er hat **kein Auge** für die Kunst (art) und **kein Ohr** für die Musik. 10. Er ist immer **in dem Wirtshaus**.

E. Translate:

1. Do you know these boys? 2. The mothers of these girls are often (oft) not at home. 3. The rooms of these houses are large. 4. That is a girls' school. 5. The girls work in their classes. 6. He is an artist, but these clothes!

F. Review translation:

1. Take this book, Karl! 2. All aboard! 3. Get out! 4. Come in! 5. Tell me everything, Miss Schmidt. 6. Ask papa, children!

Wortschatz

CLASS I:

der Künstler, –s, – artist
der Laden, –s, ¨ shop
der Mantel, –s, ¨ overcoat

das Zimmer, –s, – room

CLASS II:

der Handschuh, –es, –e glove
der Stuhl, –es, ¨e chair
der Tisch, –es, e table

die Wand, –, ¨e (*inside*) wall

CLASS III:

das Bild, -es, -er picture
das Kleid, -es, -er dress (*plural:* dresses *or* clothes)
das Wirtshaus, -es, -̈er inn

CLASS IV:

der Knabe, -n, -n boy
der Löwe, -n, -n lion
der Mensch, -en, -en human being, person

die Füllfeder, -, -n fountain pen
die Sache, -, -n thing
die Wirtin, -, -nen landlady

IRREGULAR:

der Gedanke, -ns, -n thought

das Auge, -s, -n eye

WORDS SIMILAR TO ENGLISH (COGNATES):

der Apfel, -s, -̈ apple
der Hund, -es, -e dog ("hound")
der Hut, -es, -̈e hat
die Katze, -, -n cat
die Lampe, -, -n lamp
die Maschine, -, -n machine
die Maus, -, -̈e mouse
der Pfennig, -s, -e penny
der Schuh, -es, -e shoe

das Bett, -es, -en bed
das Ohr, -es, -en ear

bekommen to get
bezahlen to pay
lassen to let; to leave
schicken to send

an on
ander- other
beide both, (the two)
immer always
klug clever, smart
morgen tomorrow
schließlich finally; after all
später later
verrückt crazy
wie as, like
wieviel? how much?

drei Mark three marks
Er ist Künstler. He is *an* artist.

hängen to hang
kosten to cost

besser better
fein fine
hundert hundred
mehr more
was what

Aufgabe sechs

Prepositions. Wo- and da-Compounds

Der Ausflug

Seit einer Woche ist es heiß. Wir machen also heute einen kleinen Ausflug.[1] Wir sitzen schon im Auto vor dem Haus und warten. Wir warten auf Emma. Emma kommt immer zu spät. Sie verbringt zu viel Zeit vor dem Spiegel! Endlich aber ist sie da, mit Emil und ihrem Hund. Und mit vielen Paketen, womit sie das halbe Auto ausfüllen. Sie steigen ins Auto. Der Hund springt auf meinen Schoß. Ich liebe Hunde, aber an heißen Tagen und auf Ausflügen kann ich auch ohne Hunde leben.

Jetzt geht es los.[2] Wir fahren schnell und sind bald außerhalb der Stadt. Es ist schön — schön und heiß. Ich schwitze.[3] Der Hund auf meinem Schoß jappt.[4] Es ist herrlich!

Nun sind wir auf dem Lande.[5] Wir steigen aus dem Auto und gehen unter die Bäume. Unter den Bäumen ist es schön kühl. Die Frauen packen das Essen aus. Und dann kommen die Ameisen![6] Sie sind überall: auf dem Tischtuch,[7] in der Butter, auf dem Brot und in dem Kartoffel= salat.[8] Es ist herrlich!

[1] So we go on a little picnic today. [2] We're off. [3] perspire [4] jappen, to pant [5] in the country(side) [6] ants [7] table cloth [8] potato salad

50 —

Die Eltern gehen nach dem Essen spazieren, und die Jungens spielen Ball. Der Ball fliegt durch die Luft und fällt in den Kartoffelsalat. Emma schreit. Emil schimpft: „Zum Teufel mit eurem Ball! Zum Teufel damit!" Die Eltern sind wütend. Die Jungens heulen.[9] Der Hund heult auch. Mit dem Ausflug ist es aus.[10] Wir fahren wieder nach Hause.

Wieder sitzt der Hund auf meinem Schoß. Wir halten schließlich vor dem Haus. Alle steigen aus. „War es nicht herrlich!" rufen sie; „wir müssen bald wieder einmal einen Ausflug auf das Land machen!"

Ich nehme den Hund vom Schoß und frage: „Müssen wir?"

Fragen

1. Wo sitzen wir? 2. Auf wen (whom) warten wir? 3. Mit wem kommt Emma? 4. Wohin springt der Hund? 5. Lieben Sie Hunde? 6. Ist es schön? 7. Wer schwitzt? 8. Wie ist es unter den Bäumen? 9. Wo sind die Ameisen? 10. Wer spielt Ball? 11. Wohin fliegt der Ball? 12. Was macht Emma? 13. Was sagt Emil? 14. Wer schimpft und wer ist wütend? 15. Wer heult? 16. Womit ist es aus? 17. Wohin fahren wir jetzt? 18. Wo halten wir? 19. Wer will wieder einen Ausflug machen? 20. Was tue ich mit dem Hund?

I. Grammatical Terms

Prepositions are words like: in, under, for, with, to, against, *etc.*

II. Prepositions in German

1. In German, prepositions govern certain cases. There are prepositions governing the genitive; others govern the dative; still others govern the accusative; and there is one group which governs either the dative *or* the accusative depending on the nature of the verb.

---

[9] howl, "bawl"   [10] That's the end of the picnic.

2. The following prepositions govern the genitive only:[1]

anstatt (or: statt)	instead of	wegen	on account of, because of
trotz	in spite of		
während	during	um ... willen	for the sake of

EXAMPLES

anstatt (or: statt) eines Autos — instead of a car
um Gottes willen! — for heaven's sake!

3. The following prepositions govern the dative only:

aus	out of
außer	besides, except
bei	near, at (... house); with, in the home of
mit	with
nach	after; according to; to (*referring to cities and countries*)
seit	since, for (*referring to duration of time*)
von	from, by (*authorship*)
zu	to

EXAMPLES

aus dem Hause	out of the house
bei uns	at our house
Godesberg bei Bonn	Godesberg near Bonn
Er ist bei seinem Vetter.	He is with his cousin.

Observe particularly the following uses of nach, seit, and von:

nach einer Stunde (*time*)	after an hour
nach Chicago (*place*)	to Chicago
nach Einstein (*reference*)	according to Einstein
meiner Meinung nach (nach *after noun!*)	according to my opinion

[1] Less frequently used are the following prepositions which govern the genitive:

diesseits	this side of	unterhalb	below
jenseits	that side of	außerhalb	outside of
oberhalb	above	innerhalb	within

Prepositions in German — 53

seit jenen Tagen	since those days
seit einiger Zeit	for some time (now)
von meinen Eltern	from my parents
ein Buch von Thomas Mann	a book by Thomas Mann

4. The following prepositions govern the accusative only:

durch	through, by means of
für	for
gegen	against
ohne	without
um	around, at (. . . o'clock)
wider (*literary!*)	against

EXAMPLES

durch das Fenster	through the window
durch diese Komposition	by means of this composition
um das Haus	around the house
um fünf Uhr	at five o'clock

5. The following prepositions govern *either* the dative *or* the accusative:

an	on, at, to, up to	vor	before, in front of
auf	on, upon, on top of	neben	beside, next to
über	over, above	hinter	behind
unter	under, among	zwischen	between
	in in, into		

RULE: If *motion toward* the object is implied, use the accusative. If a *stationary relationship* or an *activity in a confined area* is implied, use the dative.

NOTE: an and auf both mean *on;* in general an is used when referring to vertical surfaces, like: an der Wand (on the wall); auf, when referring to horizontal surfaces, like: auf dem Tisch (on [top of] the table). — Note also the distinction between: Er sitzt **an** dem Tisch (He sits at the table), and: Er sitzt **auf** dem Tisch (He sits on [top of] the table).

EXAMPLES

Accusative	Dative
(*motion toward*)	(*stationary; confined area*)
Ich hänge das Bild an **die** Wand.	Das Bild hängt an **der** Wand.
I hang the picture on the wall.	The picture is hanging on the wall.
Er geht an **das** Fenster.	Er steht an **dem** Fenster.
He goes to the window.	He is standing at the window.
Er geht unter **die** Leute.	Er lebt unter **den** Leuten.
He goes among the people, *i.e.*, to mingle with the people.	He lives among the people.
Er kriecht unter **das** Auto.	Er liegt unter **dem** Auto.
He crawls under the car.	He is lying under the car.

6. When the prepositions that may govern either the **dative or the accusative** are used in a figurative sense, they are usually followed by the accusative (except vor). Note, for instance, the following uses:

an: Ich glaube an Gott den Vater ...
I believe in God the Father ...
Ich schreibe an meinen Vater.
I am writing to my father.
An wen denkst du?
Of whom are you thinking?
Jetzt komme ich an die Reihe.
Now it is my turn.

auf: Ich antworte auf seinen Brief.
I am answering his letter.
Ich gehe auf mein Zimmer.
I am going to my room.

Ich warte auf dich.
I'll wait for you.
Er spricht auf englisch.
He talks in English.
Er setzt sich auf den Stuhl.
He is sitting down on the chair.

über: Was sagen sie über mich?
What are they saying about me?
Er schreibt über die Romantik.
He is writing on (about) Romanticism.
Er spricht über seine Reise.
He talks about his trip.

vor: Sie fürchtet sich vor jeder Maus.
She is afraid of every mouse.
Hundert Jahre vor Christus ...
A hundred years before Christ ...

NOTE: Very common is the use of vor for English *ago:*

vor vielen Jahren   many years ago
vor zehn Minuten   ten minutes ago

This *never* means *for many years, for ten minutes.*

7. Many of these prepositions combine with certain verbs to form certain fixed verbal expressions. The same is true of the use of the prepositions in English, except that the two languages usually employ different prepositions for such expressions. In case of doubt, consult a dictionary! A few examples of common occurrence are listed below:

antworten **auf** (*acc.*)   to answer (*a question*)
bitten **um**   to ask *for* (*a favor*)
danken **für**   to thank *for*
denken **an** (*acc.*)   to think *of*
fragen **nach**   to ask *about* (*a thing*)
glauben **an** (*acc.*)   to believe *in*
halten **für**   to take *for*, consider

Aufgabe sechs

halten **von** — to think *of*
hoffen **auf** (*acc.*) — to hope *for*
sprechen **von, über** — to speak *about*
warten **auf** (*acc.*) — to wait *for*

8. Some of the prepositions permit of contractions with the **dative** or accusative forms of the definite article, dem, der; das:

dem (*dat.*)		**der** (*dat.*)		**das** (*acc.*)	
bei dem	= beim	zu der	= zur	durch das	= durchs
von dem	= vom			für das	= fürs
zu dem	= zum			um das	= ums
an dem	= am			an das	= ans
in dem	= im			in das	= ins
hinter dem	= hinterm			auf das	= aufs
über dem	= überm			hinter das	= hinters
unter dem	= unterm			über das	= übers
vor dem	= vorm			unter das	= unters
				vor das	= vors

9. A few prepositions follow the nouns they modify. Study these examples:

meiner Meinung **nach** ⎫
dem Ziel **entgegen** ⎬ (*dative*)
die Straße **entlang** (*acc.*)

according to my opinion
toward the goal
along the street

10. **Wo**= and **da**=compounds:

With what, for what, about what, etc., are expressed in German by wo= plus the given preposition: womit, wofür, wovon, etc.; compare English: *wherewith, wherefor,* etc.

11. With it (or: that), for it (or: that), about it (or: that), etc., are expressed by da= plus the given preposition: damit, dafür, davon, etc.; compare English: *therewith, therefor, therefrom.*

   EXAMPLES

   Womit hat er das getan?
   With what (*i.e.,* by which means) did he do it?

Damit!
With this (*or:* with that)!
Wofür soll ich ihm danken?
What should I thank him for?
Wovon reden Sie?
About what are you talking?
Davon hat er nichts gesagt.
He did not say anything about that.
Dafür gebe ich dir nichts.
I won't give you anything for that.

12. If the preposition in question begins with a vowel, an **r** is inserted between wo= or da= and the given preposition:

Woran hast du gedacht?   What were you thinking of?
Er legt einen Stein darauf.   He puts a stone on it.

Recapitulation of Main Points:

1. German prepositions govern certain cases. The following schematic arrangement will be of aid in remembering which cases the various prepositions govern:

	Genitive →	anstatt, trotz, während, wegen
an, auf, über, unter, vor, neben, hinter, ← zwischen, in	Dative →	aus, außer, bei, mit, nach, seit, von, zu
	Accusative →	durch, für, gegen, ohne, um, wider

2. In the case of the prepositions governing either the dative or the accusative, it is the verb which decides. If the verb suggests direction toward, use the accusative; if rest or activity in a confined area, use the dative.

3. Womit, wofür, worüber, etc., mean: *with what, what for, about what,* etc.

Damit, dafür, darüber, etc., mean: *with it* (*or: that*), *for it* (*or: that*), *about it* (*or: that*), etc.

Aufgabe sechs

Übungen

I. Recognition Grammar

A. Translate:

1. während des Tages. 2. nach drei Jahren. 3. ein Drama von Schiller. 4. wegen des Vaters. 5. Sie wohnen bei mir. 6. Er ist seit einer Woche in Berlin. 7. Seiner Meinung nach ist es nicht zu spät. 8. Wer nicht für mich ist, ist wider mich. 9. Für wen arbeitest du? 10. Er geht ans Fenster und öffnet es. 11. Ich warte auf dich vorm Hotel. 12. Worüber redet er? 13. Was hältst du davon? 14. Sie lebt auf dem Lande. 15. Denken Sie nicht mehr daran! 16. vor zwei Tagen.

B. In the following exercises prepositions are used idiomatically. Try to infer their meanings from the rest of the sentence:

1. Mit anderen Worten: du willst nicht. 2. Ich interessiere mich nicht für Mädchen. 3. Was verstehst du unter Impressionismus? 4. Auf diese Frage hat er nicht geantwortet. 5. Aus diesem Grunde (reason) sage ich nein. 6. Er nimmt mich beim Wort. 7. Ihr Kleid ist aus Seide (silk). 8. Ich habe kein Geld bei mir. 9. Hat er nach mir gefragt? 10. Ich bitte Sie um Ihre Telephonnummer.

C. Translate, and account for the case used with the preposition.

EXAMPLE

für solche Leute = solche Leute is the accusative plural; für always takes the accusative.

1. Gehst du mit mir? 2. Nach sieben Jahren kommen Sie wieder! 3. Das Buch ist von meinem Freund. 4. Sie geht ums Haus. 5. Er steht vor der Tür, den Hut in der Hand. 6. Ich bin seit einer Woche in Chicago. 7. Trotz seines Geldes liebt sie ihn nicht. 8. Er stellt den Tisch ans Fenster. 9. Er kann im Park bleiben. 10. Die Studentin liegt hinter dem Baum im Gras. 11. Ihre Mutter sitzt zwischen uns. 12. Das Telegramm ist für Sie. 13. Legen Sie es auf den Tisch! 14. Er arbeitet an einem interessanten Problem.

Active Grammar — 59

D. From the prepositions given, select a suitable one for the following sentences; be sure it fits the case!

durch   hinter   an   unter
für   nach   auf vor
gegen   von   in   zwischen

1. Der Hund springt ___ das Auto. 2. Der Brief ist ___ Sie.
3. Der Vogel fliegt ___ das Fenster. 4. ___ den Zimmern ist eine Tür. 5. Er arbeitet ___ mich. 6. Das Geld liegt ___ dem Tisch.
7. Er ist gern (likes to be) ___ Menschen. 8. ___ zehn Jahren war er bei mir. 9. Schreibst du ___ deine Eltern? 10. ___ mir bekommst du keinen Pfennig. 11. ___ dem Theater gehe ich nach Hause.

II. Active Grammar

A. Give the meanings of the following prepositions and state what case they take:
1. um 2. neben 3. durch 4. trotz 5. vor 6. bei 7. hinter
8. wegen 9. ohne 10. nach

B. Supply the proper endings:
1. für mein___ Vater 2. ohne ihr___ Mutter 3. um dies___ Zeit
4. gegen solch___ Leute 5. mit ihr___ Kind 6. nach jed___ Mahlzeit (fem., meal) 7. seit ein___ Woche 8. zu dies___ Damen 9. wegen sein___ Freundin 10. trotz mein___ Frau 11. während dies___ Minuten 12. statt ein___ Revolution (fem.).

C. Dative or accusative? Supply the correct form of the definite article and justify your choice:
1. Er geht an ___ Fenster. 2. Er steht vor ___ Haus. 3. Er liegt auf ___ Bett. 4. Wir gehen morgen in ___ Stadt. 5. Der Vogel fliegt über ___ Haus. 6. Der Hund spielt unter ___ Tisch. 7. Der Mann liegt unter ___ Bank. 8. Er spricht über ___ Romantik (fem.).
9. Er setzt sich (he sits down) neben ___ Mädchen. 10. Die Garage steht zwischen ___ Haus und ___ Straße. 11. Er glaubt nicht an

Aufgabe sechs

____ Götter (gods). 12. Er war lange unter ____ Indianern (American Indians).

D. Supply the wo= and da=compounds suggested by the parenthesis:

1. (With what) hast du das gemacht? 2. Ich gebe dir drei Mark (for that). 3. (For what) schenkst du ihm drei Mark? 4. Was halten Sie (of that)? 5. Er hält die Hand (in front of it). 6. Er legt seinen Hut (on it). 7. (Behind it) ist die Garage. 8. Ich glaube nicht (in it). 9. (About what) sprechen Sie? 10. Was tut er (with it)?

E. Translate into German:

1. for the girl 2. with him 3. in spite of the landlady 4. during the day 5. out of the house 6. through the window 7. for a week now 8. without his friend 9. He is going to the country. 10. It is lying in front of the window. 11. You are among friends, sir. 12. We are spending this week in the city.

F. Review exercises:

1. Explain the four ways of forming the plural.
2. Give the plural of: (a) der Künstler (b) der Vogel (¨) (c) der Hund (d) das Bild (e) die Lampe (f) die Lehrerin
3. Translate: (a) Mit diesen Menschen gehe ich nicht. (b) Die Leute in den Städten haben keine Pferde. (c) Die Additions= und Multiplikationsmaschine

Wortschatz

der Ausflug, –s, ¨-e picnic
der Baum, –es, ¨-e tree
der Brief, –es, –e letter
der Junge, –n, –n (or: –ns) boy
der Teufel, –s, – devil

die Luft, –, ¨-e air
die Stadt, –, ¨-e city
die Woche, –, –n week

das Essen, –s, – meal, dinner
das Fenster, –s, – window
das Paket, –s, –e parcel

aus=füllen to fill (up)
aus=packen to unpack
fahren (fährt) to travel, go
fallen (fällt) to fall
fliegen to fly

lieben to love
schimpfen to scold, to be mad
schreien to scream
spazieren-gehen to go for a walk
spielen to play
springen to jump
steigen to climb; to get (in, out)
   aus-steigen to get out

heiß hot
herrlich wonderful
kühl cool
lange for a long time
(zu) spät late
überall everywhere
wer who; he who
wütend mad, furious

IDIOMS:
aufs (auf das) Land to the country
auf dem Lande in the country
seit einer Woche for a week (now)
vor drei (vier, *etc.*) Tagen three (four, *etc.*) days ago
wieder einmal once again

WORDS SIMILAR TO ENGLISH (COGNATES):
der Ball, -es, -̈e ball
die Bank, -, -en bank; -, -̈e bench
die Butter, - butter
die Hand, -, -̈e hand
das Hotél, -s, -s hotel
das Jahr, -es, -e year
die Seite, -, -n side

halten to hold
leben to live
liegen to lie

halb half

Aufgabe sieben

Personal Pronouns

Noch einmal Herr und Frau Schmidt

Herr und Frau Schmidt sitzen wieder einmal nach dem Abendessen zu Hause in ihrem Wohnzimmer. Er liest[1] die Zeitung und sie ein Buch. Beide aber denken noch immer an die Geschichte mit dem jungen Mann in Aufgabe drei und sind daher schlechter Laune.[2]

Schließlich sagt er zu ihr: "Hier in der Zeitung steht, eine Frau ist wie ein wertvolles Kunstwerk: schön, aber man hat nur Sorgen, wenn man es besitzt."

Sie sieht ihn eine Weile an,[3] blättert[4] in ihrem Buch und dann antwortet sie ihm: "Und in diesem Buch steht: eine Frau braucht keinen Mann. Sie kann genau so gut[5] einen Papagei[6] haben, der den ganzen Tag schimpft, und einen Kater,[7] der in der Nacht ausgeht."

Aber Herr Schmidt läßt sie nicht lange auf seine Antwort warten:[8] "Frauen behaupten immer, so klug zu sein, aber sie interessieren sich wirklich nur für ihre Kleider und die Liebe. Außerdem sind sie bestimmt nicht sehr intelligent. Daher werden sie niemals große Künstler oder Mathematiker."[9]

"Vielleicht nicht," erwidert Frau Schmidt, "aber deswegen sind Frauen

---

[1] is reading [2] schlechter Laune = in a bad mood [3] sieht ... an = looks at
[4] turns the pages [5] genau so gut = just as well [6] parrot [7] tomcat
[8] läßt sie nicht ... warten = does not keep her waiting [9] mathematician

noch lange nicht¹⁰ dumm. Sie sind sogar klüger als¹¹ Männer, aber sie dürfen es sich nicht merken lassen."¹²

"Unsinn," erklärt Herr Schmidt. "Will nicht jede Frau lieber schön sein als intelligent?"

"Ja, aber nur weil sie weiß, die Männer sind dumm aber nicht blind."

Fragen

1. Was tun Herr und Frau Schmidt nach dem Abendessen? 2. Woran denken sie noch immer? 3. Wie sind sie daher? 4. Was steht in der Zeitung? 5. Wann hat man nur Sorgen? 6. Was steht in Frau Schmidts Buch? 7. Wofür interessieren sich Frauen nur? 8. Können (can) Frauen große Künstler oder Mathematiker werden? 9. Was dürfen sie sich nicht merken lassen? 10. Warum nicht?

I. Grammatical Terms

1. The personal pronouns in English are:

   Subjective (*nominative*)
   case: I   you   he   she   it   we   you   they
   Objective (*accusative*)
   case: me   you   him   her   it   us   you   them

2. The *interrogative pronouns* are *who* and *what*. The declension of *who* is: who, whose, whom, whom.

II. The Personal Pronoun in German

1. In conjugating a verb, the nominative form of the personal pronoun is used. Hence, you already know these forms. It is now merely a matter of learning the dative and accusative forms. The genitive forms are rarely used.

¹⁰ noch lange nicht = not by a long shot   ¹¹ klüger als = smarter than
¹² sie dürfen es sich nicht merken lassen = they must not show it

	NOM.	ich	du	er	sie	es	wir	ihr	sie	Polite Sie
	DAT.	mir	dir	ihm	ihr	ihm	uns	euch	ihnen	Ihnen
	ACC.	mich	dich	ihn	sie	es	uns	euch	sie	Sie

The impersonal pronoun is **man** (English *one*, as in: *One* can hardly imagine . . .); for the dative and the accusative of man, forms of ein are used: *dative:* **einem**; *accusative:* **einen**.

Man weiß das ja.	Everybody (one) knows that.
Er dankt einem nie.	He never thanks one.
Das ärgert einen.	That is annoying (*lit.:* That annoys one).

2. The genitive forms, as stated, are rarely used. They are: **meiner, deiner, seiner, ihrer, seiner;** plural: **unser, euer, ihrer;** polite: **Ihrer.**

They occur most frequently after verbs (sometimes after adjectives) governing the genitive:

Er schämt sich meiner.	He is ashamed of me.
Herr, erbarme dich unser!	Lord, have mercy on us.
Ich bin seiner sicher.	I am sure of him.

Note particularly the combinations of the following genitive forms of the pronouns in conjunction with the preposition wegen (on account of) in which the final **r** of the pronoun (meiner) is changed to **t**: meinetwegen, deinetwegen, seinetwegen, ihretwegen, unsertwegen, euretwegen, ihretwegen (for my sake, for your sake, *etc.*). Meinetwegen, when standing alone, may also mean *for all I care*.

Ich habe das seinetwegen getan.
I did it for him (for his sake).

Wollen wir ins Kino gehen? — Meinetwegen!
Shall we go to the movies? — All right!
(It's all right with me, for all I care!)

3. Since a pronoun must agree in gender with the noun to which it refers, **er** or **sie** can refer to an inanimate object and then mean *it*.

Note in the following how er, ihm, ihn, sie, ihr must be translated by *it*:

er: Der Brief war nicht nur groß, **er** war auch schwer.
The letter was not only big, *it* was also heavy.

ihm: Er nahm den Hut und gab **ihm** eine schneidigere Form.
He took the hat and gave *it* a niftier form.

ihn: Er fand den Fehler und verbesserte **ihn**.
He found the mistake and corrected *it*.

sie: Die Stadt ist nicht nur schön, **sie** ist auch sehr interessant.
The city is not only beautiful, *it* is also very interesting.

ihr: Er nahm die Uhr und gab **ihr** einen kleinen Stoß.
He took the watch and gave *it* a little jolt.

4. It may seem confusing that a single word like sie should have so many meanings. It can mean: *she, her, it, they, them.* In actual practice it is perfectly clear which meaning applies:

a) sie as the *subject of a singular verb form* means only *she* or *it*:

>Marie ist hier. Sie kommt mit mir.
>Mary is here. *She's* coming with me.

>Ich habe eine Uhr, aber sie geht nicht.
>I have a watch but *it* isn't running.

b) sie as the *subject of a plural verb form* means only *they*:

>Meine Freunde kommen. Sie haben Geld.
>My friends are coming. *They* have money.

c) sie as the *direct object* of a verb means *her, them,* or *it;* the context makes the meaning clear:

>Marie ist nett. Ich kenne sie.
>Mary is nice. I know *her*.

Diese Männer! Ich kenne **sie!**
These men! I know *them!*

Wo ist meine Uhr? Ich habe **sie** nicht.
Where is my watch? I don't have *it.*

5. Another word that seems confusing at first sight is **ihr.** It can mean: *you, her, its,* or *their.* Here again the context decides the meaning:

   a) **ihr** as the *subject of a verb form in the plural* means only *you:*

   Ihr geht mit.   *You* are coming along.

   b) **ihr** as the *dative of* **sie** means *her* (pronoun!) or *it:*

   Was soll ich **ihr** geben?
   What should I give *her* (i. e., to Mary)?

   Er nahm die Uhr und gab **ihr** einen Stoß.
   He took the watch and gave *it* a jolt.

   c) **ihr** as a *possessive adjective* (i. e., preceding a noun) means *her* (adjective!), *their,* or *its:*

   Marie und **ihr** Freund ...
   Mary and *her* friend ...

   Meine Eltern und **ihr** Freund ...
   My parents and *their* friend ...

   Die Stadt und **ihre** Häuser ...
   The city and *its* houses ...

6. The interrogative pronouns in German are:

NOM.	wer?	who?	was?	what?
GEN.	wessen?	whose?		
DAT.	wem?	(to) whom?		
ACC.	wen?	whom?	was?	what?

   Wessen Hund ist das?   Whose dog is it?
   Wem sagen Sie das?   To whom are you saying that?
   Wen meinen Sie?   Whom do you mean?
   Was sagen Sie?   What are you saying?

Übungen

I. Recognition Grammar

A. Translate:

1. Was habt ihr da? 2. Marie ist hier. Ich werde ihr das Buch geben. 3. Wer erzählt ihr solche Geschichten? 4. Marie und ihr Freund kommen mit (along). Kommt ihr auch mit? 5. Die Familie und ihr Hund 6. Meine Schwester hat Geburtstag. Was soll ich ihr schenken? 7. Anna war hier. Hast du sie nicht gesehen? 8. Das sind meine Eltern. Kennst du sie? 9. Wer hat Ihnen das gesagt? 10. Hat er euch gesehen? 11. Ich gebe ihnen keinen Pfennig. 12. Ich kenne Sie nicht, mein Herr. 13. Meine Uhr! Ich habe sie vergessen! 14. Was hat sie Ihnen gegeben? 15. Er findet einen Bleistift und gibt ihn ihr. 16. Die Uhr ist teuer. Wo haben Sie sie gekauft? 17. Seine Freunde? Ich kenne sie nicht. 18. Seine neue Freundin? Ich kenne sie nicht. 19. Wem gehört das große Haus?

B. Translate and characterize the forms in heavy print.

EXAMPLE

Sie schenkt **ihm** ihr Buch. She gives him her book;— ihm is the dative of er; indirect object.

1. Ich gebe **Ihnen** das Geld. 2. Wer hat **dir** das gesagt? 3. Kennt er **euch**? 4. Gehen **Sie** mit? 5. Kennen **sie** sie? 6. Kennen sie **dich**? 7. Kennt sie sie? 8. Seid **ihr** schon hier? 9. Ich sage es **ihm**. 10. Was gebt ihr **ihr**? 11. **Wessen** Haus ist das? 12. **Wem** gehört es? 13. Wer hat **euch** das erzählt? 14. **Uns** gibt er nichts. 15. **Ihnen** kann ich das sagen, Frau Schmidt, aber **ihr** nicht. 16. Dann sagt **sie**, daß **sie** ihr ihr Buch zeigen will, aber wenn **sie** sie jetzt nicht stören (disturb) soll, wird **sie** sie morgen besuchen (visit). 17. Wenn man **einen** gut kennt, versteht **man** ihn besser.

C. In each of the following sentences the pronoun means *it*. Explain the form of the pronoun.

Aufgabe sieben

EXAMPLE

Er findet eine Zigarette und raucht sie. He finds a cigarette and smokes *it;* — sie, meaning *it*, must be used in German because sie refers to Zigarette which is feminine; sie is the accusative of sie (she).

1. Er hat einen Bleistift und gibt **ihn** mir. 2. Er kauft die Zeitung und gibt **ihr** einen neuen Namen. 3. Er nimmt den Hut und wirft **ihn** aus dem Fenster. 4. Er nimmt das Radio und gibt **ihm** einen Stoß. 5. Der Hut ist billig, aber **er** ist gut. 6. Ich kaufe die Uhr. Wieviel kostet **sie**?

D. In the column to the left are personal pronouns in various cases. In the column to the right are blanks. Fill the blanks with appropriate pronouns. Be sure the case is correct. If several pronouns apply, use several.

1. mir   a. Ich kenne ____ nicht, mein Herr.
2. ihn   b. Was kann ich ____ geben, Fräulein?
3. Sie   c. Was kann ich ____ geben, Kinder?
4. ihr   d. Mein Freund hat ____ einen Ring gegeben.
5. Ihnen   e. Hier sind die Kinder. Willst du ____ etwas geben?
6. dir   f. Das ist mein Freund. Kennst du ____?
7. ihm   g. Meine Freundin hat Geburtstag. Was werde ich ____ geben?
8. sie   h. Das ist seine neue Freundin. Kennst du ____?
9. ihnen   i. Was für eine Geschichte erzählt er ____?
10. euch   j. Es ist dein Vater. Was wirst du ____ sagen?

II. Active Grammar

A. Insert the proper form of the personal pronoun:

1. (You) ____ seid meine Freunde. 2. Ich kenne (you) ____, mein Herr! 3. Was schenkst du (me) ____? 4. Ich gebe (her) ____ einen Ring. 5. Der Ring ist zu teuer. (It) ____ kostet hundert Mark. 6. Wo hast du (it) ____ gekauft? 7. Was erzählst du (them) ____? 8. Kennt er (us) ____. 9. Nein, aber er kennt (them) ____. 10. Kennst du (him) ____?

Active Grammar — 69

B. Supply the proper form of wer or was:

1. ____ schenkst du ihm? 2. ____ schenkst du es? 3. ____ Haus ist das? 4. ____ war hier? 5. ____ sagst du das? 6. ____ kennst du hier?

C. Supply the proper form of the German pronoun for English *it* in the following sentences:

1. Dies ist mein Bleistift. Ich gebe ____ dir. 2. Wo ist meine Uhr? ____ liegt auf dem Tisch. 3. Das ist eine gute Maschine. Woher (where ... from) hast du ____? 4. Das ist mein Bleistift. Wo war ____? 5. Er kauft das Auto für tausend Mark und verkauft ____ für zweitausend.

D. Translate into German. Use kennen for *to know*. Place the indirect object before the direct object:

1. Does he know her? 2. Do they know you, Max? 3. Does she know him? 4. You are her friend. What will you give (*use:* schenken) her? 5. I know them. 6. I am giving them a book. 7. Give him a hat! 8. I am buying a ring; it is very expensive. 9. Give me the ring. 10. Do you know me?

E. Review exercises:

1. Give the meanings and cases governed by the following prepositions: an, für, mit, aus, durch, auf, vor, ohne, bei, trotz, von, während, seit, gegen, zwischen.
2. Translate: (a) Woran glauben Sie? (b) Was machen Sie damit? (c) Dafür gebe ich dir keinen Pfennig.

Wortschatz

der Geburtstag, –es, –e birthday
der Stoß, –es, –e jolt, push
der Unsinn, –s nonsense

die Antwort, –, –en answer

die Freundin, –, –nen girl friend
die Liebe, – love
die Nacht, –, ⸚e night
  in der Nacht at night
die Uhr, –, –en watch; clock

Aufgabe sieben

das Kunstwerk, –es, –e work of art

aus=gehen to go out
behaupten to claim, maintain
besitzen to own
brauchen to need
erwidern to answer
gehören (*w. dat.*) to belong to
ich (er, sie) kann I (he, she) can
schenken to give (as a present)
stehen (*referring to printed matter*) to be written
vergessen (*p.p.* vergessen) to forget
verstehen to understand

außerdem besides
bestimmt definitely, certainly
billig cheap(ly), inexpensive
deswegen for that reason
lieber rather
niemals (= nie) never
nichts nothing
teuer dear(ly); expensive
vielleicht perhaps
wertvoll valuable
wirklich really

IDIOMS:

den ganzen Tag all day long
noch immer still

COGNATES:

die Familie, –, –n family
blind blind
tausend thousand

Aufgabe acht

Reflexive and Impersonal Verbs

Essen Sie gern Pfannkuchen?

Eine junge Dame kommt zu einem Psychiater.¹ Sie ist gut, ja sogar elegant gekleidet² und macht einen natürlichen, höflichen und vornehmen Eindruck. Die Sekretärin sagt: „Setzen Sie sich bitte! Der Herr Doktor ist gleich fertig." Nach zehn Minuten kommt der Psychiater und bittet sie hereinzukommen. Die junge Dame tritt ins Sprechzimmer,³ und der Doktor sagt freundlich: „Legen Sie sich auf das Sofa dort und beantworten Sie mir einige Fragen. Fürchten Sie sich, wenn es donnert und blitzt? Ärgern Sie sich leicht? Freuen Sie sich, wenn man Sie lobt? Wofür interessieren Sie sich? Tanzen Sie gern? Haben Sie sich schon einmal verliebt? Wie oft? In wen? Warum? Glauben Sie noch an den Weihnachtsmann?" Und so weiter.

Auf alle diese Fragen gibt die junge Dame befriedigende Antworten.⁴ Endlich sagt der Doktor: „Es freut mich, Ihnen sagen zu können,⁵ daß Sie vollkommen normal sind. Ich wundere mich nur, daß Sie überhaupt hier sind."

„Das war auch nicht meine Idee," sagt das Mädchen. „Ich bin nur hier, weil meine Eltern es wünschen. Schließlich weiß ich so gut wie Sie,⁶ daß es nicht unnormal ist, gern Pfannkuchen zu essen."

¹ psychiatrist ² dressed ³ consulting room ⁴ satisfactory answers
⁵ to be able to tell you ⁶ so gut wie Sie = as well as you

72 — Aufgabe acht

„Ich verstehe Sie nicht recht," erwidert der Doktor, „Pfannkuchen? Warum soll das unnormal sein? Ich esse selber gern Pfannkuchen."

„Wirklich? Dann müssen Sie uns einmal besuchen kommen. Ich habe viele Pfannkuchen. Ganze Koffer voll!"[7]

Fragen

1. Wohin geht die junge Dame? 2. Was für einen Eindruck macht sie? 3. Was sagt die Sekretärin? 4. Was fragt der Doktor? 5. Was für Antworten gibt die junge Dame? 6. Was sagt ihr der Doktor? 7. Wessen Idee war es, sie zum Psychiater zu schicken? 8. Was ißt (eats) die junge Dame gern? 9. Essen Sie auch gern Pfannkuchen? 10. Hat die junge Dame Pfannkuchen?

I. Grammatical Terms

1. A *reflexive verb* denotes an action that is directed back upon the subject, as in: I excuse *myself*.
2. The *reflexive pronouns* in English are: myself, yourself, himself, herself, itself; ourselves, yourselves, themselves.
3. *Impersonal verbs* are verbs with an indefinite subject (*it*), as in: It is raining.

II. The Reflexive Verb in German

1. To make a verb reflexive in character, German — like English — simply adds the reflexive pronouns. Since most verbs in German require the object to be in the accusative, the reflexive pronoun is generally the accusative form *of the personal pronoun*, except that sich is used for the third person singular and plural. Some verbs like helfen take the dative, and hence the dative forms *of the personal pronoun* are used, but sich is retained for the third person singular and plural also in the dative case:

[7] Whole trunks full!

The Reflexive Verb in German — 73

REFLEXIVE PRONOUN

In the Accusative	In the Dative
ich entschuldige **mich**, I excuse my-	ich helfe **mir**, I help my-
du entschuldigst **dich** self, etc.	du hilfst **dir** self, etc.
er ⎫	er ⎫
sie ⎬ entschuldigt **sich**	sie ⎬ hilft **sich**
es ⎭	es ⎭
wir entschuldigen **uns**	wir helfen **uns**
ihr entschuldigt **euch**	ihr helft **euch**
sie entschuldigen **sich**	sie helfen **sich**
Sie entschuldigen **sich**	Sie helfen **sich**

Note that in the polite form sich is not capitalized.

2. The reflexive is used in the dative when a direct object follows:

Ich wasche **mir** die Hände.	I wash my hands.
Er kämmt **sich** die Haare.	He combs his hair.
Ich putze **mir** die Zähne.	I brush my teeth.
Du kannst **dir** das nicht vorstellen.	You can't imagine it (that).

3. There are more reflexive verbs in German than in English. It is important to realize that the addition of a reflexive pronoun sometimes changes the meaning of the verb; as for example:

> erinnern, to remind; — sich erinnern, to remember
> fürchten, to fear; — sich fürchten, to be afraid

4. In looking up a reflexive verb in the dictionary, look under the verb itself; if it is reflexive, it will be so designated by sich:

setzen, to set, put, place; —, sich: to sit down, take a seat

5. Common reflexive verbs are:

sich (gut) amüsie′ren	to have a good time
sich ärgern (über)	to be angry (at), vexed (about)
sich beeilen	to hurry (up)

Aufgabe acht

sich befinden	to be, feel (*ill, well*)
sich einbilden	to imagine
sich entschuldigen	to apologize
sich erholen	to recover
sich erinnern (an)	to remember
sich erkälten	to catch cold
sich erkundigen (nach)	to inquire (about)
sich freuen	to be glad
sich fürchten (vor)	to be afraid (of)
sich interessie′ren (für)	to be interested (in)
sich irren	to be mistaken
sich schämen	to be ashamed
sich verlieben (in)	to fall in love (with)
sich verloben (mit)	to become engaged (to)
sich wundern (über)	to be surprised (at) (*not:* to wonder)

6. Reflexive verbs are often used with prepositions. In the case of prepositions governing either the dative or the accusative (an, auf, *etc.*), the accusative is generally used:

Ich erkundige mich **nach** dem Preis (*dat.*).
I inquire about the price.

Ich fürchte mich **vor** dem Donner (*dat.*).
I am afraid of the thunder.

Ich ärgere mich **über** den Preis (*acc.*).
I am angry about the price.

Ich freue mich **auf** das Buch (*acc.*).
I am looking forward to the book.

Ich freue mich **über** das Buch (*acc.*).
I am happy about the book.

Ich interessiere mich **für** den Mann (*acc.*).
I am interested in the man.

Ich verliebe mich **in** das Mädchen (*acc.*).
I fall in love with the girl.

Ich wundere mich **über** sein Glück (*acc.*).
I am surprised at his luck (*or* happiness).

Note how in the case of **sich freuen** the preposition changes the meaning: sich freuen **auf**: to look forward to, anticipate; sich freuen **über**: to be happy about. You may expect similar variations with other verbs.

7. Selber or selbst are sometimes added to the reflexives to intensify them; both words, however, are invariable. They may be used interchangeably:

Er lobt sich selbst (*or* selber).   He praises himself.
Sie loben sich selbst (*or* selber).   They praise themselves.

Selbst and selber are not reflexives; they are simply intensives:

Das weiß ich selber (*or* selbst).   I know that myself.

Selbst (but *not* selber) means *even* when it precedes the subject:

Selbst ich weiß das.   Even I know that.

8. The reflexive pronouns are often used in German to express the equivalent of English *each other*, or *one another;* but this interaction in German can also be rendered by einander. Einander, however, *must* be used if the reflexive pronoun would not unmistakably express this interaction.

Sie geben **sich** (*or* **einander**) die Hand.
They shake hands (*i. e.*, give each other the hand).

Wir sehen **uns** dann morgen.
We'll see each other tomorrow then.

Sie haben **sich** in Berlin kennengelernt.
They made each other's acquaintance in Berlin.

Sie sehen **sich** im Spiegel.
They see themselves in the mirror.

But: Sie sehen **einander** im Spiegel.
They see *one another* in the mirror.

9. The imperative of reflexive verbs is quite regular. Be sure to place the reflexive pronoun (sich) *after* Sie in polite address:

> Setze dich! }
> Setzt euch! } Sit down.
> Setzen Sie sich! }

III. Impersonal Verbs

10. Impersonal verbs are used only in the third person singular; often they denote phenomena of nature:

es regnet	it is raining	es hagelt	it is hailing
es schneit	it is snowing	es friert	it is freezing
es blitzt	there is lightning	es dämmert	it is dawning
es donnert	it is thundering	es taut	it is thawing

11. Some impersonal verbs denote mental or physical states:

es freut mich	I am glad
es friert mich (*or* ich friere)	I am cold
es geht mir gut	I am well (fine)
es gelingt mir	I succeed
es hungert mich (*or* ich bin hungrig)	I am hungry
es ist mir übel	I am (feel) sick
es tut mir leid	I am sorry

Since these verbs cannot be conjugated, the form of the object pronoun changes to indicate the appropriate person:

> es freut mich   es gelingt mir
> es freut dich, *etc.*   es gelingt dir, *etc.*

Colloquial usage sometimes prefers a construction in which the subject es is omitted and the object pronoun placed before the verb: **mich** hungert; **mir** ist übel

12. One of the most common of the impersonal verbal expressions is **es gibt** (there is, there are). If the object of es gibt is in the singular, translate this phrase by *there is;* if it is in the plural, by *there are:*

   Einen solchen Mann gibt es nicht.   There is no such man.
   Solche Männer gibt es nicht.   There are no such men.

   Memorize all tense forms of es gibt:

es gibt	there is, there are (*present*)
es gab	there was, there were (*past*)
es wird geben	there will be (*future*)
es hat gegeben	there has (have) been (*pres. perf.*)
es hatte gegeben	there had been (*past perf.*)
es wird gegeben haben	there will have been (*fut. perf.*)

13. **Es gibt** is used in general statements, **es ist** or **es sind** in specific cases:

   Es gibt Leute, die das nicht glauben.
   There are people who do not believe that.

   Es sind dreihundert Leute im Theater.
   (*or:* Dreihundert Leute sind im Theater.)
   There are 300 people in the theater.

14. **Es war einmal** is a common way of beginning fairy tales:

   Es war einmal eine Königin, die . . .
   Once upon a time, there was a queen who . . .

Recapitulation of Main Points:

1. Most reflexive verbs use the accusative forms of the personal pronoun as the reflexive pronoun; **sich**, however, is used in the third person, singular and plural:

   ACC. { mich, dich, **sich**,
          uns, euch, **sich** }   DAT. { mir, dir, **sich**,
                                          uns, euch, **sich** }

78 — Aufgabe acht

2. Selbst and selber, following a reflexive pronoun, are intensives; selbst preceding a noun or pronoun means *even*.
3. Impersonal verbs are used only in the third person singular of each tense: es regnet; mich friert; es gelingt mir.
4. Es gibt is used in general statements (Es gibt Elephanten in Afrika.); es ist or es sind (with or without es) refers only to specific cases: Es sind fünf Elephanten im Zoo, *or:* Fünf Elephanten sind im Zoo.

Übungen

I. Recognition Grammar

A. Translate:

1. Entschuldigen Sie mich! 2. Entschuldigst du dich nicht? 3. Amüsieren Sie sich gut! 4. Er ärgert sich über die Preise. 5. Sie können sich dort erkundigen. 6. Du mußt dich beeilen. 7. Setzen Sie sich, bitte! 8. Ich fürchte mich vor jeder kleinen Maus. 9. Das Büro befindet sich oben. 10. Wie befinden Sie sich heute, Frau Henckel? 11. Erinnerst du dich noch an Marie? 12. Komm ins Haus; du erkältest dich. 13. Sie irren sich, Herr Schmidt. 14. Schämt er sich gar nicht? 15. Interessieren Sie sich für das Theater? 16. Wunderst du dich gar nicht? Er hat sich schon wieder verliebt! 17. Ihr könnt euch auf mich verlassen. 18. Die Kinder freuen sich auf Weihnachten. 19. Die Kinder freuen sich über ihre Geschenke. 20. Machen Sie sich über mich keine Sorgen! 21. Paßt auf (watch out), Kinder, ihr tut euch weh! 22. Was kauft sie sich? 23. Er freut sich, Sie kennen zu lernen. 24. Es tut mir wirklich leid.

B. Translate:

1. Sokrates sagt: „Kenne dich selbst!" 2. Er selbst war da. 3. Selbst er war da. 4. Sie geben sich die Hand. 5. Die Kinder sitzen im Garten und erzählen einander Märchen (fairy tales). 6. Wir sehen uns morgen. 7. Wo habt ihr euch kennengelernt? 8. Es donnert und blitzt, aber es regnet nicht. 9. Mich friert; ich fürchte, ich erkälte mich. 10. Es

gibt Leute, die alles glauben, was sie in der Zeitung lesen. 11. Es sind achttausend Studenten auf dieser Universität. 12. Es war einmal ein Prinz, der verliebte sich in eine Prinzessin.

C. In the left-hand column are reflexive pronouns. Supply the appropriate sentences in the right-hand column with them:

1. mich   a. Fürchtet ihr ____ ?
2. dir   b. Was kaufst du ____ ?
3. sich   c. Ich interessiere ____ für das Drama.
4. euch   d. Ich mache ____ keine Sorgen über ihn.
5. dich   e. Macht ihr ____ Sorgen?
6. uns   f. Was kauft sie ____ ?
7. mir   g. Erinnern Sie ____ noch an sie?
     h. Wir freuen ____ auf Weihnachten.
     i. Wunderst du ____ ?

II. Active Grammar

A. Conjugate in the present tense the following reflexive verbs:
1. sich erinnern   2. sich beeilen   3. sich erholen   4. sich freuen
5. Ich mache mir Sorgen.

B. Supply the correct form of the reflexive pronoun:
1. Wir amüsieren ____ . 2. Sie freut ____ auf Weihnachten. 3. Sie freuen ____ auf Weihnachten. 4. Freuen Sie ____ auf Weihnachten? 5. Wer erinnert ____ noch an das Märchen? 6. Sie irren ____ ! 7. Setzen Sie ____ ! 8. Ihr müßt ____ beeilen. 9. Wir entschuldigen ____ . 10. Er ärgert ____ 11. Ich verlasse ____ auf dich. 12. Freust du ____ nicht? 13. Interessieren Sie ____ für Musik? 14. Machst du ____ Sorgen? 15. Fürchtest du ____ nicht? 16. Du erholst ____ schnell. 17. Ich wundere ____ nicht sehr. 18. Ich befinde ____ sehr wohl.

C. Translate into German:
1. He is angry. 2. She buys herself a car. 3. I am glad. 4. Are you interested in this book, Mr. Schmidt? 5. Don't worry, sir.

Aufgabe acht

6. The offices (die Büros) are (*use:* sich befinden) upstairs. 7. How are you (*use:* sich befinden), Mr. Meier? 8. Do you remember his girl friend? 9. You are mistaken, sir. 10. Even we do not know (*use:* wissen) that. 11. They shake hands. 12. It is raining. 13. There is no Santa Claus (der Weihnachtsmann). 14. There are such artists. 15. There was once a king.

D. Review exercises:

I. Translate: 1. Er sieht euch. 2. Wir kennen dich. 3. Dort ist Marie. Kennst du sie? 4. Das sind unsere Nachbarn. Kennen Sie sie? 5. Kennen sie Sie? 6. Geben Sie ihnen Geld? 7. Geben sie Ihnen Geld? 8. Ich gebe ihr nichts.

II. Supply the correct form of the pronoun: 1. Ich kenne (you), Max. 2. Wir geben (them) nichts. 3. Wo ist meine Uhr? (It) war hier auf dem Tisch. 4. (Who) sind Sie, mein Herr? 5. (To whom) hast du das gesagt? 6. (Whom) hast du gesehen? 7. Ich kenne (her) nicht. 8. Ich gebe (you, *plural fam.*) ein Buch.

Wortschatz

der Eindruck, —es, —e impression
der Koffer, —s, — suitcase, trunk
der Pfannkuchen, —s, — pancake
der Weihnachtsmann, —es, —er Santa Claus

das Büro, —s, —s office
das Märchen, —s, — fairy tale

Weihnachten (*neut. singl.* or *pl.*) Christmas

beantworten to answer
besuchen to visit
bitten to ask (*a favor*)
essen (du ißt, er ißt) to eat
tanzen to dance
wünschen to wish

REFLEXIVE VERBS:

sich legen to lie down
sich setzen to sit down
sich Sorgen machen to worry
sich weh tun to hurt oneself
  ich tue mir weh I hurt myself

IMPERSONAL VERBS:

es blitzt there is lightning
es donnert it is thundering
  (For other reflexive and impersonal verbs see §§ 5, 6, 11, 12 of this lesson.)

Wortschatz

einige   a few
fertig   ready, finished
gleich   soon, right away, presently
gut (*adv.*)   well
höflich   polite
oben   upstairs; above
recht   quite
vollkommen   complete(ly)
vornehm   refined
zehn   ten

IDIOMS:

bitte!   please!
gar nicht   not at all
gern (*with a verb*)   to like to
     gern tanzen   to like to dance
sich die Hand geben   to shake hands
der Herr Doktor (Professor, usw.) (*formal manner of speaking*) the doctor (professor, etc.)
kennen=lernen   to get to know
schon einmal   once before
und so weiter (*abbr.:* usw.)   and so forth

COGNATES:

der Doktor, –s, ⸗en   doctor, physician
der Elephánt, –en, –en   elephant
die Minúte, –, –n   minute
die Musík, –   music
der Preis, –es, –e   price; prize
der Prinz, –en, –en   prince
die Prinzéssin, –, –nen   princess
der Sekretär, –s, –e   secretary
     die Sekretärin, –, –nen   secretary
das Sofá, –s, –s   sofa
das Theáter, –s, –   theater
der Zoo, –s, –s   zoo

amüsíe′ren   to amuse
irren   to err

natürlich   natural
normál   normal
oft   often
selber, selbst   -self

Aufgabe neun

The Adjective

Die dicke und die dünne Dame

Eine dicke und eine dünne Dame sitzen in einem Abteil dritter Klasse des Berliner Schnellzugs. Die dicke Dame hat ein rotes Gesicht und schwitzt. Die dünne Dame hat ein blasses Gesicht und sie friert. Um die schmalen Schultern hat sie einen warmen Schal. Ein ältlicher kleiner Herr mit einer dicken Brille sitzt in der einen Ecke, liest eine große Zeitung und raucht seine Zigarre, denn es ist ein Abteil für Raucher.

Plötzlich sagt die dicke Dame: „Ich ersticke!" Sie wirft einen bösen Blick auf den ältlichen Herrn und macht das Fenster auf.[1] Die dünne Dame wirft einen ebenso bösen Blick auf die dicke Dame und erklärt: „Mir ist kalt!" und macht das Fenster wieder zu.[2] Da wirft die dicke Dame einen noch böseren Blick auf die dünne Dame und sagt: „Ich muß frische Luft haben oder ich sterbe." Damit macht sie das Fenster wieder auf. Sofort aber schließt die dünne Dame das Fenster wieder und erklärt noch einmal: „Ich erkälte mich, bekomme Lungenentzündung[3] und sterbe!"

In diesem kritischen Augenblick kommt der Schaffner und erkundigt sich liebenswürdig: „Was gibt's?"[4] Die dicke Dame ist wütend und schreit: „Helfen Sie einer armen Frau! Ich ersticke!" Die Dünne aber jammert: „Ich bekomme Lungenentzündung und sterbe sicher." Der Schaffner

[1] macht ... auf = opens [2] macht ... zu = closes [3] pneumonia [4] "What's the matter (trouble)?"

scheint ratlos⁵ zu sein und fragt schließlich: „Ja, was machen wir denn da?"⁶ Der ältliche Herr in der Ecke antwortet: „Erst machen wir das Fenster auf. Dann stirbt die dünne Dame an Lungenentzündung. Darauf schließen wir das Fenster wieder. Dann erstickt die dicke Dame. Und dann haben wir endlich Ruhe!"⁷

Fragen

1. Wer sitzt im Abteil des Schnellzuges? 2. Welcher Klasse fahren sie? 3. Was für ein Gesicht hat die dicke Dame? 4. Was für ein Gesicht hat die dünne Dame? 5. Was hat die dünne Dame um die schmalen Schultern? 6. Was raucht der ältliche Herr in der Ecke? 7. Ist das Rauchen im Abteil nicht verboten? 8. Was sagt die Dicke, als (as) sie das Fenster aufmacht? 9. Was sagt die Dünne, als sie das Fenster zumacht? 10. Was bekommt die dünne Dame, wenn sie sich erkältet? 11. Was fragt der Schaffner? 12. Was sagt der ältliche Herr?

I. Grammatical Terms

1. An *adjective* is a word which indicates the quality or condition of a thing or being named in a noun: a *good* book; an *attractive* woman; the *American* flag.
2. An adjective is said to be in the *attributive* position when it precedes the noun it modifies. The above-mentioned adjectives are in the attributive position; they are called attributive adjectives.
3. An adjective is said to be in the *predicate* position when a verb separates it from the noun it modifies: The woman was *attractive* but for some reason not very *charming*. *Attractive* and *charming* are called predicate adjectives.
4. An adjective may be in the *positive*, *comparative*, or *superlative* degree:

    POSITIVE: rich soil
    COMPARATIVE: richer soil
    SUPERLATIVE: the richest soil

⁵ helpless   ⁶ "What shall we do?"   ⁷ Then we'll have peace at last.

5. *Adverbs* are words which modify a verb, an adjective, or another adverb: He drives *fast*. He is *well* informed. He writes *extremely* well.

II. The German Adjective: Positive Degree

1. The predicate adjective has no ending: Sie ist schön aber dumm.
2. The attributive adjective has the following endings *if it is preceded by a* der-*word:*

Singular

	Masculine	Feminine	Neuter
NOM.	der gut=e Mann	die gut=e Frau	das gut=e Kind
GEN.	des gut=en Mannes	der gut=en Frau	des gut=en Kindes
DAT.	dem gut=en Mann	der gut=en Frau	dem gut=en Kind
ACC.	den gut=en Mann	die gut=e Frau	das gut=e Kind

Plural (*all genders*)

NOM.	die gut=en Männer (Frauen, Kinder)
GEN.	der gut=en Männer (Frauen, Kinder)
DAT.	den gut=en Männern (Frauen, Kindern)
ACC.	die gut=en Männer (Frauen, Kinder)

3. It is necessary only to learn the phrases der gute Mann, die gute Frau, and das gute Kind, and to remember that the adjective ending is =en for all cases *not* covered by these forms.
4. Another way of fixing the adjective endings in mind is to learn by heart the declension of derselbe (the same) or derjenige (that one) in which selb= and jenig= take the adjective endings given above:

	Masculine	Feminine	Neuter	Plural
NOM.	derselbe	dieselbe	dasselbe	dieselben
GEN.	desselben	derselben	desselben	derselben
DAT.	demselben	derselben	demselben	denselben
ACC.	denselben	dieselbe	dasselbe	dieselben

The German Adjective: Positive Degree — 85

	Masculine	Feminine	Neuter	Plural
NOM.	derjenige	diejenige	dasjenige	diejenigen
GEN.	desjenigen	derjenigen	desjenigen	derjenigen
	etc.	etc.	etc.	etc.

5. If an **ein**=word precedes the adjective, only the nominative masculine and the nominative and accusative neuter vary from the pattern above:

	Masculine	Neuter
NOM.	ein gut=er Mann	ein gut=es Kind
ACC.		ein gut=es Kind

It is necessary to learn only the phrases <u>ein guter Mann</u>, eine gute Frau, ein gutes Kind and to remember that all other cases require the adjective ending =en.

6. Adjectives used as nouns preserve their adjective endings: der Starke (the strong man), die Dicke (the fat woman), ein Deutscher (a German), der Deutsche (the German), unsere Verwandten (our relatives).

7. Adjectives not preceded by an ein= or der=word take the endings of der=words, excepting the genitive singular, masculine and neuter, where =en is used instead of the expected ending =es.

EXAMPLES: süßer Wein (sweet wine); frische Butter (fresh butter); reines Wasser (clean water)

	Masculine	Feminine	Neuter
NOM.	süß=er Wein	frisch=e Butter	rein=es Wasser
GEN.	süß=en Weines	frisch=er Butter	rein=en Wassers
DAT.	süß=em Wein	frisch=er Butter	rein=em Wasser
ACC.	süß=en Wein	frisch=e Butter	rein=es Wasser

Plural (*all genders*)

NOM.	arm=e Leute (people)
GEN.	arm=er Leute
DAT.	arm=en Leuten
ACC.	arm=e Leute

8. After etwas, viel, and nichts the neuter adjective is used as a noun:

   etwas Schönes something beautiful
   viel Gutes   much good
   nichts Interessantes nothing interesting

9. Several adjectives modifying the same noun take the **same** endings:

   die schönen, alten Häuser the beautiful old houses
   ein netter, alter Mann a nice old gentleman

A comma usually separates several adjectives from each other.

Andere (other, *pl.*), einige (a few), mehrere (several), wenige (few), viele (many) are considered as regular attributive adjectives and, therefore, like the adjective or adjectives that may follow such a word, take the der-word endings (see § 7):

   NOM. einige gute Bücher
   GEN. einiger guter Bücher
   DAT. einigen guten Büchern
   ACC. einige gute Bücher

Alle, on the other hand, is a plural der-word and hence the adjective or adjectives following alle require the plural ending -**en** (see § 2 above):

   NOM. alle faulen Leute
   GEN. aller faulen Leute
   DAT. allen faulen Leuten
   ACC. alle faulen Leute

10. Some adjectives change the basic stem form slightly in declension:

   hoch: ein hoher Baum   a tall tree
   edel: ein edler Mann   a noble man
   offen: ein offnes (*also:* offenes) Fenster an open window
   tapfer: ein tapfrer (*also:* tapferer) Mann a brave man

Thus, the e in the last syllable of words ending in =er, =el, =en is often dropped before an inflectional ending. Be sure to supply this dropped e when looking up the basic form.

III. Comparison of Adjectives

11. COMPARATIVE DEGREE:

a) To form the comparative of an adjective, add =er to the positive degree and then the proper adjective ending:

Positive	Comparative
der reich=e Mann	der reich=er=e Mann
ein reich=er Mann	ein reich=er=er Mann

Never try to form a German comparative by using mehr (more)!

Observe how in the nominative masculine the declensional =er must be added to the comparative after ein= words:

Positive	Comparative
ein reicher Mann	ein reicherer Mann
ein weiser Richter (a wise judge)	ein weiserer Richter
ein schöner Tag (a beautiful day)	ein schönerer Tag

b) so ... wie (as ... as) is used with the positive degree; als (than) with the comparative:

  Er ist so alt wie ich. He is as old as I (am).
  Er ist älter als ich. He is older than I.

c) **immer** (*lit.:* always, ever), when used with the comparative, is best rendered by repeating the English comparative:

 immer besser better and better (*or:* ever better)

— Aufgabe neun

d) Comparative forms are sometimes used to express *rather:*

  ein älterer Herr   a rather old (an elderly) gentleman
  eine längere Zeit (for) a rather long time, for quite some time

12. SUPERLATIVE DEGREE:

a) To form the superlative of the adjective, add =ſt to the positive and the proper adjective ending:

  reich: der reich=ſt=e Mann
  ſchön: ſein ſchön=ſt=es Buch

If the adjective, however, ends in d, t, s, ß, z, or tz, add =eſt:

  laut: die lauteſte Muſik
  weiß: das weißeſte Papier

b) The predicate adjective in the superlative, when preceded by an ein= or der=word, adds =ſt plus the adjective ending according to the rules for adjective endings given above (see §§ 5, 2):

  Dies Buch iſt ſein ſchönſtes.
  Von allen war ſie die ſchönſte.

c) If the predicate adjective in the superlative is not preceded by an ein= or der=word, the invariable form **am . . . =ſten** is used:

  Hier iſt das Waſſer **am** wärmſten.
  Here the water is warmest.

  Im Sommer iſt es hier **am** ſchönſten.
  In summer it is most beautiful here.

This **am . . . =ſten** form is never used with the definite article or any other der=word, or an ein=word. *Never* try to use it attributively, i. e., before a noun.

Irregularities in Comparison

13. IRREGULARITIES IN COMPARISON:

a) Adjectives ending in =e (weiſe, wise, *etc.*) drop this e=ending before adding the comparative endings:

weiſe: weiſer
müde: müder (tired)

b) Some adjectives take the umlaut in the comparative and superlative:

arm   ärmer   der (die, das) ärmſte   am ärmſten   poor
alt   älter   der (die, das) älteſte   am älteſten   old

Like arm and alt are compared such common adjectives as:

hart   hard   rot   red
jung   young   ſcharf   sharp
kalt   cold   ſchwach weak
klug   clever   ſchwarz black
krank sick, ill   ſtark   strong
kurz   short   warm   warm
       lang   long

c) The following adjectives are irregular in comparison:

groß (big)   größer   der (die, das) größte
gut (good)   beſſer   der (die, das) beſte
hoch (high, tall) höher   der (die, das) höchſte
nah(e) (near)   näher   der (die, das) nächſte
viel (much)   mehr   der (die, das) meiſte

IV. Adverbs

14. In German, adverbs are indistinguishable from predicate adjectives, i. e., from uninflected adjectives:

Adjective: Sie iſt **ſchön**.
Adverb: Sie ſingt **ſchön**.

— Aufgabe neun

15. To form the comparative of an adverb, add =er to the positive degree; to form the superlative, use the **am . . . =ſten** form:

>Ich fahre **ſchnell.**　　　I drive fast.
>Du fährſt **ſchneller.**　　You drive faster.
>Er fährt **am ſchnellſten.**　He drives fastest.

Emphatic adverbial superlatives are often expressed by **aufs . . . =ſte** (in English: *in the most . . . manner*):

>Er weigerte ſich **aufs heftigſte.**
>He refused in the most violent manner.

16. Irregular is the comparison of the very common **adverb gern(e)** which literally means *gladly*, but together with a verb is best rendered by *to like to;* the comparative **lieber** is accordingly *to prefer to* or *rather;* and the superlative **am liebſten** is *best* (or *most*) *of all:*

>Ich trinke **gern** Waſſer.　　　I like to drink water.
>Er trinkt **lieber** Tee.　　　　He prefers to drink tea.
>Sie trinken **am liebſten** Kaffee.　They like to drink coffee best of all.

Recapitulation of Main Points:

1. Rule of thumb for adjective endings after ein= and der=words:

>ein gut=**er** Mann　　eine gut=**e** Frau　　ein gut=**es** Kind
>der gut=**e** Mann　　die gut=**e** Frau　　das gut=**e** Kind

All cases not corresponding to these forms require the ending =**en**.

2. The comparative is formed by adding =**er** to the uninflected positive adjective. Inflectional adjective endings for this comparative adjective form are the same as for the positive degree and are added to the =**er** of the comparative: der reichere Mann; ein reicherer Mann.

Recognition Grammar — 91

3. The superlative is formed by adding =ſt (or =eſt) to the uninflected positive adjective plus the adjective endings required after ein= or der=words. In the predicate adjective the invariable am ... =ſten is used when no ein= or der=word precedes the superlative form.
4. In the positive and comparative, adverbs have the same form as the uninflected adjective; in the superlative, the form is always am ... =ſten.

Übungen

I. Recognition Grammar

A. Translate:

1. Ein ältlicher Herr. 2. ein weiſer Mann. 3. die Kinder reicherer Familien. 4. Es wird immer kälter. 5. Lieber heute als morgen. 6. Am ſchönſten ſpielt er Chopin. 7. Das ſind dieſelben Leute, die (whom) wir morgen beſuchen. 8. Am liebſten glauben wir demjenigen, der (who) uns ſagt, was wir gerne hören. 9. Die Töchter vornehmer Familien 10. Die Geſundheit (health) amerikaniſcher Kinder. 11. Das Leben berühmter Künſtler. 12. Er war armer Leute Kind. 13. Das Neue iſt ſelten wahr, und das Wahre iſt ſelten neu. 14. Unſer Haus iſt ſo groß wie Ihres, aber es iſt neuer. 15. Von allen Komponiſten (composers) war er der produktivſte. 16. Am glücklichſten war er auf der Univerſität.

B. On the basis of the rule of thumb for adjective endings given in the "Recapitulation of Main Points" above, justify the following endings of the attributive adjectives:

EXAMPLE

Ein berühmter Dichter, a famous poet: corresponds to ein guter Mann; ſeines kleinen Bruders, of his little brother: corresponds to none of the pattern forms, hence the adjective ending is =en.

92 — Aufgabe neun

1. Eine kleine Nachtmusik 2. seine älteren Brüder 3. unser neues Haus 4. jede kleine Stadt 5. mit jedem hübschen Mädchen 6. euer junger Freund 7. das letzte Wort 8. keine moderne Universität 9. sein größtes Werk 10. in einer kleinen Stadt 11. diejenigen Leute 12. für dasselbe Mädchen

C. Give the degree of the adjective in the following phrases and identify the case of the phrase.

EXAMPLE

Das Leben berühmter Künstler, the life of famous artists: positive degree; genitive plural.

1. In kleineren Städten 2. für einen modernen Menschen 3. das kleinste Kind 4. Im Westen nichts Neues. 5. Dieser Weg ist der kürzeste. 6. der Vorteil (advantage) pasteurisierter Milch 7. Sie wird immer dicker. 8. die Verwendung (use) unsterilisierten Trinkwassers 9. ein dummer Junge 10. ein Philosoph ersten Ranges (rank)

II. Active Grammar

A. On the basis of the rule of thumb for **adjectives**, supply the proper endings for the following adjectives:

1. Eine kühl— Nacht 2. sein klein— Bruder 3. ihre arm— Eltern 4. unser reich— Onkel 5. meine alt— Tante (aunt) 6. in seinem neu— Auto 7. für diese unglücklich— Menschen 8. an einem kalt— Tage 9. für jeden groß— Künstler 10. ihr klein— Mädchen

B. Change the following phrases to the comparative:

1. Eine kleine Stadt 2. Dies Zimmer ist groß. 3. ein reicher Mann 4. sein junger Bruder 5. Fahren Sie bitte schnell! 6. Sie hat eine alte Schwester. 7. Dieser Wagen (car) ist gut, aber er kostet auch viel. 8. Gehen Sie gern spazieren? 9. Wo wohnt Ihr alter Bruder? 10. In guten Familien liest man viel.

C. Change the adjectives or adverbs in parenthesis to the superlative; be sure to add the correct adjective endings:

1. Sein (gut) Freund 2. das (klein) Dorf (village) 3. der (hoch) Berg (mountain) 4. die (reich) Leute 5. Dies Gedicht (poem) ist sein (schön). 6. Hier ist das Eis (ice) (dick). 7. Während des Krieges (war) war alles (teuer). 8. Einen guten Roman (novel) lese ich (gern). 9. Wer fährt (schnell)? 10. die (neu) Mode (fashion)

D. Translate:

1. An old man 2. my little brother 3. the largest city 4. a young lady (Dame) 5. his older brother 6. I prefer to drink water. 7. It is getting (= Es wird) colder and colder. 8. He is as old as I but much stronger. 9. Here the trees are greenest (grün). 10. the most interesting story

E. Review exercises:

Translate: 1. Er entschuldigt Sie. 2. Es tut mir leid. 3. Er ärgert sich über sie. 4. Fürchtet ihr euch nicht davor? 5. Wir freuen uns auf Weihnachten. 6. Er entschuldigt sich.

Wortschatz

der Augenblick, –es, –e moment
der Blick, –es, –e glance
der Raucher, –s, – smoker
der Schaffner, –s, – conductor
der Schnellzug, –es, ⸗e express (train)

die Brille, –, –n glasses
die Ecke, –, –n corner
die Schulter, –, –n shoulder

das Abteil, –s, –e compartment
das Gesicht, –es, –er face

die Leute (pl.) people

auf=machen to open
ersticken to suffocate
jammern to wail, complain
rauchen to smoke
scheinen to seem
schwitzen to perspire, sweat
sterben (er stirbt) (an) to die (of)
werfen (er wirft) (auf) to throw (at)
zu=machen to close

ältlich, älter elderly
arm poor
berühmt famous
blaß pale

Aufgabe neun

böse	angry, mad
dick	thick, fat
dritt–	third
erst	first
plötzlich	suddenly
rot	red
schmal	narrow
wahr	true

der Onkel, –s, – uncle
der Philosóph, –en, –en philosopher
das Wasser, –s, – water
der Westen, –s West

hören to hear
trinken to drink

IDIOMS:

Was gibt's? What's the matter?
mir ist kalt I am cold

COGNATES:

die Klasse, –, –n class
die Milch, – milk

frisch fresh
kalt cold
kritisch critical
modérn modern
sterilisiert' sterilized
   unsterilisiert unsterilized
weise wise

Aufgabe zehn

The "Weak" or Regular Verb

Der ehrliche Mann und sein Hemd

Ein König hatte eine wunderschöne Tochter. Er liebte sie über alles in der Welt und schenkte ihr, was ihr kleines Herz begehrte. So lebte er glücklich viele Jahre lang. Aber auf einmal wurde das Mädchen krank. Es war traurig, spielte nicht mehr mit seinen Puppen und weinte viel. Der König fragte alle Weisen im Land, wie seine Tochter wieder gesund werden könnte. Die Weisen antworteten ihm schließlich: „Deine Tochter wird sich erholen, o König, wenn sie das Hemd eines ehrlichen Mannes trägt."

Nun schickte der König Boten in das Land, um einen ehrlichen Mann zu finden und sein Hemd zurückzubringen. Dem ehrlichen Mann selbst wollte er Gold, Silber und alle Ehren seines Reiches schenken. Die Boten wanderten viele Jahre lang von Stadt zu Stadt und von Dorf zu Dorf. Endlich aber kehrten sie ohne Hemd zum Schloß des Königs zurück.

Der König begrüßte sie freundlich, aber er merkte bald, daß sie kein Hemd bei sich hatten. Er wurde nun selbst traurig und fragte: „Was? In meinem ganzen Land gibt es nicht einen ehrlichen Mann?"

„Doch, Majestät, wir haben einen ehrlichen Mann gefunden," erwiderten die Boten, „aber er hatte leider kein Hemd!"

— Aufgabe zehn

Fragen

1. Wie war die Tochter des Königs? 2. Wie liebte er sie? 3. Was schenkte er ihr? 4. Wie lebte der König viele Jahre lang? 5. Warum war die Tochter des Königs auf einmal traurig? 6. Womit spielte sie nicht mehr? 7. Wen fragte der König, wie seine Tochter wieder gesund werden könnte? 8. Was sagten sie? 9. Warum schickte der König Boten ins Land? 10. Was wollte der König dem ehrlichen Mann schenken? 11. Wie lange wanderten die Boten von Stadt zu Stadt? 12. Wie kehrten sie schließlich zurück? 13. Was merkte der König, als er die Boten begrüßte? 14. Was fragte er sie? 15. Was antworteten sie?

I. Grammatical Terms

1. In English, we speak of *regular* and *irregular* verbs. Regular verbs form their past tense and past participle by the addition of *d-* or *-ed* to the infinitive. Irregular verbs form their past tense by a variation in the stem vowel, and their past participle by the addition of *-en*:

	Infinitive	*Past*	*Past Participle*
REGULAR:	live	lived	lived (*in:* I have *lived*)
IRREGULAR:	give	gave	given (*in:* I have *given*)

2. The infinitive, past and past participle are called the *principal parts* of a verb, since from these parts it is possible to form the various tenses.

3. *The tenses* are:

Present:	I live (am living, do live)
Past (Preterite *or* Imperfect):	I lived (was living, did live)
Present perfect:	I have lived
Past perfect:	I had lived
Future:	I shall live
Future perfect:	I shall have lived

4. *Simple tenses* are those consisting of the verb itself (I live, I lived); *compound tenses* are those formed with the help of auxiliary verbs (I have lived, I shall live, *etc.*).
5. The *finite verb* is the (inflected) verb form limited as to person, number, and tense. In simple tenses the finite verb is the verb itself; in compound tenses the finite verb is the auxiliary:

>He *lived* with us for two weeks.
>He *will* live with us for two weeks.

6. *Transitive* verbs take an object; *intransitive* verbs do not:

>*Transitive:*   He *said* nothing (*acc.*).
>*Intransitive:* He *traveled* widely.

Most verbs in English as well as in German are transitive.
7. The *present participle* in English ends in *-ing:*

>Softly *closing* the door, he left the room.

8. The *past participle* is the form of the verb used in combination with auxiliaries in the present perfect and past perfect:

>He has *bought* a book.
>We had *divided* the cake.

II. The Regular or "Weak" Verb in German

1. In German we refer to the regular verb as weak, and to the irregular as strong. Most verbs are weak.
   Weak verbs as well as strong verbs must be learned by experience. The principal parts of weak verbs can be formed according to rule (if one of the three principal parts is known), but the principal parts of strong verbs must be learned by memorization.
2. Weak verbs follow the pattern of the verb leben (to live):

Infinitive	Past	Past Participle
leben	leb=te	ge=leb=t

Aufgabe zehn

3. If the stem of the verb ends in **d** or **t** or a succession of consonants, an **e** is inserted between the stem and the following =**t** of the past and past participle:

antworten (to answer)	antwort=e=te	ge=antwort=e=t
öffnen (to open)	öffn=e=te	ge=öffn=e=t

4. The prefix **ge=** of the past participle, which normally is required, is dropped if the verb

   a) ends in =**ie′ren** (i. e., in verbs with this foreign ending as in telephonie′ren, studie′ren, etc.);
   b) begins with one of the prefixes **be=, emp=, ent=, er=, ge=, ver=, zer=**:

Infinitive	Past	Past Part.
besuchen (to visit)	besuchte	besucht
erzählen (to tell)	erzählte	erzählt, etc.

5. THE TENSES are formed in the following manner:

PRESENT TENSE:

As has been seen in Aufgabe eins, II, §§ 1–2, the following endings are added to the stem:

ich leb=e, I live (am living,	wir leb=en
du leb=st do live), *etc.*	ihr leb=t
er leb=t	sie leb=en
	Sie leb=en

If the verb ends in **d** or **t** or a succession of consonants, add =**e**= before =**st** or =**t**: du antwortest, er antwortet; ihr öffnet.

PAST TENSE:[1]

ich leb=te, I lived (was living,	wir leb=ten
du leb=test did live), *etc.*	ihr leb=tet
er leb=te	sie leb=ten
	Sie leb=ten

[1] Slightly irregular is the past tense of haben:
    ich hatte, I had, *etc.*, du hattest, er hatte, wir hatten, ihr hattet, sie hatten

The Regular or "Weak" Verb in German — 99

PRESENT PERFECT (= present tense of haben plus past participle):

    ich habe gelebt, I have lived,   wir haben gelebt
    du hast gelebt   *etc.*   ihr habt gelebt
    er hat gelebt   sie haben gelebt
                                    Sie haben gelebt

PAST PERFECT (= past tense of haben plus past participle):

    ich hatte gelebt, I had lived,   wir hatten gelebt
    du hattest gelebt   *etc.*   ihr hattet gelebt
    er hatte gelebt   sie hatten gelebt
                                    Sie hatten gelebt

FUTURE (= present tense of werden plus infinitive):

    ich werde leben, I shall live,   wir werden leben
    du wirst leben   *etc.*   ihr werdet leben
    er wird leben   sie werden leben
                                    Sie werden leben

FUTURE PERFECT (= present tense of werden plus past infinitive):[1]

    ich werde gelebt haben, I shall have   wir werden gelebt haben
    du wirst gelebt haben   lived, *etc.*   ihr werdet gelebt haben
    er wird gelebt haben   sie werden gelebt haben
                                    Sie werden gelebt haben

6. *In compound tenses, infinitives and past participles are placed at the end of the sentence or clause:*

Er hat lange in Paris **gelebt.**
He lived for a long time in Paris.

Er wird lange in Paris **leben.**
He will live in Paris for a long time.

Er wird lange in Paris **gelebt haben.**
He probably lived in Paris for a long time (*see* §8.f *below*).

---

[1] The past infinitive consists of the past participle of the main verb (gelebt) plus its proper auxiliary (haben with the verb in question), i. e., gelebt haben. (Some other verbs take sein as their auxiliary; see Section III of this lesson.) The future perfect is rarely used both in English and German.

— Aufgabe zehn

7. THE PRESENT PARTICIPLE is formed by adding =d to the infinitive:

spielen, to play; spielen=d, playing

It is primarily used¹ as an adjective and follows the rules for adjective endings:

spielende Kinder, playing children;
ein spielendes Kind, a playing child;
das spielende Kind, the playing child

8. THE USE OF THE TENSES:

a) *The present:* as in English, except that in German it is often used for the future. In the latter case some adverb or adverbial phrase of time generally suggests the future:

Ich sage es ihm **morgen**. I shall tell him tomorrow.

Note also the use of (schon) seit (since) and wie lange ... (schon) (how long) with the present tense in German where English uses the present perfect:

Ich bin (schon) seit zehn Jahren hier.
I have been here for (the last) ten years.

Wie lange **bist du** (schon) hier?
How long *have you been* here?

b) *The past:* as in English. It is the *literary* tense of description and narration in both languages:

Es war einmal ein König, der hatte eine schöne, junge Frau. ...
Once upon a time, there was a king; he had a beautiful young wife. ...

---

¹ A NOTE OF WARNING: Never use the German present participle to form a progressive tense in German. German has no real progressive tense. *I am living* = ich lebe; *I was living* = ich lebte.

Intransitive Verbs with fein

c) *The present perfect:* most often used
   i) in conversational German:

Auf der grünen Wiese	On the green meadow
hab' ich sie **gefragt:**	I asked her:
„Liebst du mich, Luise?"	"Do you love me, Louise?"
„Ja!" **hat** sie **gesagt.**	"Yes!" she said.

   ii) to emphasize important single events of the past:

   Kolumbus **hat** Amerika **entdeckt.**
   Columbus discovered America.

   Martin Waltzemüller **hat** der Neuen Welt den Namen Amerika **gegeben.**
   Martin Waltzemüller gave the name America to the New World.

d) *The past perfect:* as in English.
e) *The future:* as in English; but used with schon or wohl in the sentence, it expresses *probability in the present:*

   Er wird es schon (*or:* wohl) wissen.   He probably knows it.

f) *The future perfect:* not used very often either in English or German. In German, though, it may express *probability in the past,* especially when used together with schon or wohl:

   Er wird ihr (schon *or* wohl) nichts davon gesagt haben.
   He probably didn't say anything to her about it.

III. Intransitive Verbs with fein

9. All transitive verbs take haben to form the **present perfect** and **past perfect** tenses, and so do most intransitive verbs (like schlafen, to sleep). But a few of the intransitive verbs take sein. They are those intransitive verbs that denote

   a) **a change of position** (like: reisen, to travel; wandern, to hike), or

— Aufgabe zehn

b) a change of condition (like: ein=schlafen, to fall asleep; erwachen, to awaken).¹

PRESENT PERFECT

    ich bin gereist, I have traveled,   wir sind gereist
    du bist gereist   *etc.*   ihr seid gereist
    er ist gereist   sie sind gereist
          Sie sind gereist

PAST PERFECT

    ich war gereist, I had traveled,   wir waren gereist
    du warst gereist   *etc.*   ihr wart gereist
    er war gereist   sie waren gereist
          Sie waren gereist

FUTURE PERFECT

    ich werde gereist sein, I shall have   wir werden gereist sein
    du wirst gereist sein   traveled, *etc.*   ihr werdet gereist sein
    er wird gereist sein   sie werden gereist sein
          Sie werden gereist sein

10. When translating, *always look for a past participle* before translating forms of sein. These forms may have been used as auxiliaries in conjunction with a past participle and hence must be translated by *have* or *had* (unless the English sentence requires the simple past tense instead):

    Er **war** aus einem tiefen Schlaf **erwacht**.
    He *had* awakened from a deep sleep.

¹ Certain verbs can be used with sein or haben depending upon whether they are used transitively or intransitively:

    Ich **habe** ihn (*object!*) gefahren, I drove him (*trans.*).
    Ich **bin** nach New York gefahren, I drove to New York (*intrans.*).

In southern Germany and Austria sein is used with many other intransitive verbs in addition to those mentioned above, e. g.,

    Ich **bin** an der Ecke gestanden (*stood*), while Ich **habe** an der Ecke gestanden is the usual form.

Er ist mir immer nach Hause **gefolgt**.
He always *followed* (has followed) me home.

Ich **bin** lange gewandert.
I *hiked* (have hiked) for a long time.

Recapitulation of Main Points:
1. Weak verbs follow the pattern of leben, lebte, gelebt.
2. The prefix **ge=** of the past participle is dropped in verbs:
    a) ending in =ie′ren (photographie′ren, etc.);
    b) beginning with one of the inseparable prefixes: be=, emp=, ent=, er=, ge=, ver=, zer= (besuchen, to visit, *etc.*).
3. Past participles and infinitives are placed at the end of the sentence or clause.
4. All transitive and most intransitive verbs take haben in the perfect tense. *Some* intransitive verbs take sein instead, those
    a) denoting a change of position (like wandern, folgen, gehen, fahren, reisen, laufen);
    b) denoting a change of condition (like erwachen, wachsen, sterben, ein=schlafen).
5. The present participle is formed by the addition of =d to the infinitive: leben=d, living.

Übungen

I. Recognition Grammar

A. Translate:

1. Es war einmal ein König, der hatte einen guten Finanzminister (minister of finance). 2. Dieser Minister konnte Geld aus den Leuten herausholen wie kein anderer. 3. Er machte nicht nur den König reich, sondern auch sich selbst und alle seine Freunde. 4. Jeder auf dem Schloß hatte alles, was sein Herz begehrte. 5. Nur das Volk (people) hatte nichts. 6. Eines Tages nun wurde die Tochter des Königs krank.

Aufgabe zehn

7. Die Weisen sagten zu dem König: „Deine Tochter wird sich sofort erholen, o König, wenn sie das Hemd eines ehrlichen Mannes trägt." 8. Der König rief (called) seinen Finanzminister und sagte zu ihm: „Gib mir dein Hemd für meine Tochter." 9. Der Finanzminister lächelte sehr höflich und erwiderte: „Gern schenke ich dir alles, was ich habe, o König. Nur erinnere ich mich, daß die Weisen gesagt haben: das Hemd eines ehrlichen Mannes. 10. Ich aber bin leider nur dein Finanzminister." 11. „Ach ja," antwortete der König traurig und schickte dann Boten aus, um das Hemd eines ehrlichen Mannes zu finden. 12. Nach vielen Jahren kehrten die Boten zurück. 13. Als sie wieder vor dem König standen (stood), merkte dieser bald, daß sie ohne ein Hemd zurückgekehrt waren. 14. „Wir haben einen ehrlichen Mann gefunden, Majestät," erklärten sie dem König, „aber er hat gesagt, er hat sein Hemd schon verkauft, um dem Finanzminister die Steuern (taxes) zu bezahlen."

B. Translate and identify the verb forms as to tense:

1. Ich habe mich beeilt. 2. Er ist schnell gegangen (gone). 3. Sie hatte sich schnell erholt. 4. Wir sind weit gereist. 5. Sie besucht uns nie. 6. Er entschuldigte sich nicht einmal. 7. Mein Freund hat mich amüsiert. 8. Er hat gefragt: „Zwitschern (twitter) die Vögel immer so laut?" 9. „Nein," antwortete ich, „nur wenn sie singen." 10. Wir haben lange miteinander geredet und philosophiert. 11. Ich habe behauptet, das Leben wird immer schlechter; er hat geantwortet, es wird immer schöner. 12. Zum Schluß (finally, in the end) hat uns mein Bruder photographiert. 13. Ich fragte ihn, ob unsere philosophische Diskussion auch auf das Bild kommt (gets). 14. Mein Bruder hat nein gesagt; sie ist zu dünn.

C. In column A the auxiliary verbs have been omitted. Supply the correct auxiliary verb form from column B.

A.	B.
1. Ich _____ mich erholt.	a. haben
2. Er _____ lange leben.	b. hat
3. _____ Sie sich erkältet?	c. bin
4. Du _____ nicht geantwortet.	d. sind

Active Grammar — 105

5. Ich ____ spät erwacht. e. seid
6. ____ Sie weit gereist? f. habe
7. Er ____ nicht studiert. g. wird
8. Wem ____ du begegnet? h. habt
9. Wie weit ____ ihr gewandert? i. hast
10. Was ____ sie (they) gesucht? j. bist
11. Was ____ ihr photographiert?

D. Translate:
1. Spielende Mädchen 2. arbeitende Studenten 3. lebende Philosophen 4. die folgende Geschichte

II. Active Grammar

A. To give a synopsis of a verb is to name one personal verb form in all its various tenses:

er sagt (present)
er sagte (past)
er hat gesagt (pres. perf.)
er hatte gesagt (past perf.)
er wird sagen (future)
er wird gesagt haben (fut. perf.)

Give a synopsis of:

1. wir fragen 2. du antwortest 3. sie telephoniert 4. sie wandern
5. ich erzähle

B. Change the following sentences to the past:

1. Er sagt ihr alles. 2. Er reist nach Deutschland. 3. Wir erzählen eine Geschichte. 4. Sie erwacht um acht Uhr. 5. Sie setzt sich. 6. Das freut mich. 7. Wir wandern auf den Berg (mountain). 8. Ich telephoniere gerne. 9. Ich kaufe das Auto. 10. Ich reise nach Boston. 11. Er lebt noch lange. 12. Was machst du? 13. Wo studiert er? 14. Wen fragen Sie? 15. Wir bezahlen zehn Mark. 16. Liebst du mich, Luise?

Aufgabe zehn

C. Change the above to the present perfect.
D. Change the above to the future.
E. Review exercises:

Translate: 1. ein weiser Mann 2. Am liebsten gehe ich ins Kino.
3. Er wurde immer schwächer. 4. Hier ist es am wärmsten. 5. die Bilder berühmter Künstler 6. Intelligentere Studenten gibt es nicht.

Wortschatz

der Bote, —n, —n messenger
der Weise, —n, —n wise man

die Ehre, —, —n honor
die Puppe, —, —n doll
die Welt, —, —en world

das Dorf, —es, ⸚er village
das Hemd, —es, —en shirt
das Herz, —ens, —en heart
das Land, —es, ⸚er country
das Reich, —es, —e kingdom, empire, realm
das Schloß, —sses, ⸚sser castle

begehren to desire
begrüßen to greet
finden (*p.p.* gefunden) to find
konnte (*past of* können) could
könnte (*subj. of* können) could
merken to notice
reisen to travel
stand (*past of* stehen) stood
tragen (er trägt) to wear
wandern to hike; to wander
weinen to weep
er wollte he wanted to

wurde (*past of* werden) grew, became
zurück-bringen to bring back
zurück-kehren to come back, return
  sie kehrten ... zurück they returned
doch! (*when used in answer to a negative question*) oh yes; why, certainly!
ehrlich honest
ganz whole
leider unfortunately
schlecht (*compar.:* schlechter) bad (*compar.:* worse)
traurig sad
wunderschön very beautiful

IDIOMS:

auf einmal all of a sudden
nicht einmal not even
nicht mehr no longer, no more
viele Jahre lang for many years
um ... zu (Note that zu in this construction often appears as a part of the infinitive of a verb with a separable prefix: um ... zurückzukehren = in order to return)

Wortschatz

COGNATES:

die Diskussión, –, –en   discussion
der Minister, –s, –   minister
   der Finánzminister   minister of finance
das Silber, –s   silver
die Tochter, –, ⸚er   daughter

philosóphisch   philosophical

philosophie′ren   to philosophize
photographie′ren   to photograph
telephonie′ren   to telephone
singen   to sing
zwitschern   to twitter

Aufgabe elf

The Strong Verb

Heinrich Heine (1797–1856)

Heinrich Heine war einer der witzigsten¹ Dichter nicht nur Deutschlands sondern auch ganz Europas. Er lebte lange in Paris, wo er dann auch starb und jetzt begraben² liegt. Paris schien ihm anfangs³ die herrlichste Stadt der Welt zu sein, und er schrieb einmal an einen Freund: „Fragt Sie jemand,⁴ wie ich mich hier befinde, so⁵ sagen Sie: Wie ein Fisch im Wasser,' oder vielmehr⁶ sagen Sie den Leuten, daß, wenn im Meere⁷ ein Fisch den anderen nach seinem Befinden⁸ fragt, dieser antwortet: ‚Ich befinde mich wie Heine in Paris.'"

Heine wurde schnell wegen seines Witzes⁹ in Paris bekannt. Einmal las¹⁰ ein dänischer Dramatiker,¹¹ der nicht gut Deutsch sprach, eins seiner Dramen¹² vor. Der Däne sprach sein bestes Deutsch, aber es klang dennoch¹³ sehr dänisch. Heine meinte¹⁴ später: „Ich habe nicht gewußt,¹⁵ daß ich so gut Dänisch verstehen konnte."

Von einem jungen Dichter sagte Heine: „Er ist reizend. Alle Frauen sind in ihn verliebt. Nur nicht die Musen."¹⁶

Von zwei Brüdern war der eine Komponist¹⁷ und der andere ein Gelehrter.¹⁸ Der Gelehrte langweilte¹⁹ oft die Gesellschaft²⁰ mit seinen Theo-

¹ wittiest   ² buried   ³ at first   ⁴ if someone asks you   ⁵ then   ⁶ rather
⁷ sea   ⁸ well-being   ⁹ wit   ¹⁰ las ... vor: read aloud   ¹¹ Danish dramatist
¹² dramas   ¹³ nevertheless   ¹⁴ said   ¹⁵ known   ¹⁶ Muses   ¹⁷ composer
¹⁸ scholar   ¹⁹ bored   ²⁰ company

108 —

rien. Einmal bemerkte²¹ Heine: „Er ist so langweilig,²² als ob²³ ihn sein Bruder komponiert hätte."

Von der Freiheit²⁴ sagte Heine: Der Engländer liebt die Freiheit wie seine Frau: mit Treue,²⁵ aber ohne Feuer.²⁶ Der Franzose liebt die Freiheit wie seine Geliebte:²⁷ mit Feuer, aber nicht immer mit Treue. Der Deutsche liebt die Freiheit wie seine Großmutter: es ist immer ein Plätzchen²⁸ für sie da — hinter dem Ofen.

Fragen

1. Wer war Heine? 2. Wo lebte er lange? 3. Wo ist Heine gestorben? 4. Was schien ihm Paris anfangs zu sein? 5. Wie befand er sich in Paris? 6. Wie befinden sich die Fische im Meer? 7. Wie klang das Deutsch des dänischen Dramatikers? 8. Was sagte Heine darüber? 9. Wer war nach Heine nicht in den reizenden, jungen Dichter verliebt? 10. Womit langweilte der Gelehrte die Gesellschaft? 11. Was war sein Bruder? 12. Warum glaubte Heine, daß der Komponist seinen Bruder, den Gelehrten, komponiert hätte? 13. Wie liebt der Engländer die Freiheit? 14. Wie liebt der Franzose die Freiheit? 15. Wo sitzt die Freiheit in Deutschland?

I. Grammatical Terms

(For grammatical terms, see the preceding chapter.)

II. The Strong Verb in German

1. CHARACTERISTICS OF STRONG VERBS:

   a) Strong verbs are verbs which change the stem vowel to form the past tense and the past participle:

   singen   sang   gesungen   to sing;

   b) the first and third person singular of the past has no ending:

   ich sang, er sang (I, he sang);

---

²¹ remarked ²² boring ²³ as if ²⁴ freedom ²⁵ fidelity ²⁶ fire, ardor
²⁷ sweetheart ²⁸ little place

c) the past participle ends in =en. (Strong verbs, like the weak verbs, require the prefix ge= for the past participle):

ge=fung=en.

2. On the basis of this change of the stem vowel (called *ablaut*), which indicates a change of tense, it is possible to distinguish seven classes of strong verbs:

	Inf.	Past	P.P.	Inf.	Past	Past Part.	
I.	ei	ie	ie:	scheinen	schien	geschienen	to shine; to seem
	ei	i	i:	schneiden	schnitt	geschnitten	to cut
II.	ie, i	o	o:	frieren	fror	gefroren	to freeze
	e	o	o:	heben	hob	gehoben	to lift
	ä, ö, ü	o	o:	betrügen	betrog	betrogen	to deceive
	a, au	o	o:	saugen	sog	gesogen	to suck
III.	i	a	u:	singen	sang	gesungen	to sing
	i	a	o:	schwimmen	schwamm	geschwommen	to swim
IV.	e	a	o:	sprechen	sprach	gesprochen	to speak
V.	e	a	e:	geben	gab	gegeben	to give
	i	a	e:	bitten	bat	gebeten	to ask, request
VI.	a	u	a:	schlagen	schlug	geschlagen	to hit
VII.	a	ie	a:	schlafen	schlief	geschlafen	to sleep
	a	i	a:	fangen	fing	gefangen	to catch
	au	ie	au:	laufen	lief	gelaufen	to run
	ei	ie	ei:	heißen	hieß	geheißen	to be called
	u	ie	u:	rufen	rief	gerufen	to call
	o	ie	o:	stoßen	stieß	gestoßen	to push

Note in Class VII that the vowel of the infinitive recurs in the past participle, and that the past is always **ie** or **i**.

3. Given the infinitive alone, it is not possible to tell whether a verb is weak or strong, and if strong, which ablaut-series it has. It is, therefore, best to learn each strong verb as you come to it. Most strong verbs are of extremely common occurrence.

4. Like weak verbs, strong verbs that are intransitive and denote a change of place or condition require fein in the perfect:

fahren	fuhr	ift gefahren	to travel, ride
gehen	ging	ift gegangen	to go, walk
kommen	kam	ift gekommen	to come
laufen	lief	ift gelaufen	to run
reiten	ritt	ift geritten	to ride (*horseback*)
ſchwimmen	ſchwamm	ift geſchwommen	to swim
ſpringen	ſprang	ift geſprungen	to jump
ſterben	ſtarb	ift geſtorben	to die
treten	trat	ift getreten	to step
werden	wurde	ift geworden	to become

In addition, the verbs fein (to be) and bleiben (to remain) also take fein:

fein	war	ift geweſen	to be
bleiben	blieb	ift geblieben	to remain

5. Like weak verbs, strong verbs with the inseparable prefixes be=, emp=, ent=, er=, ge=, ver=, and zer= drop the ge= prefix of the past participle:

bekommen	bekam	bekommen	to get, receive

6. IRREGULARITIES IN THE PRESENT TENSE:

a) Most strong verbs with the stem vowel **a** take an umlaut in the second and third persons singular:

ich trage, I carry, wear,	wir tragen
du trägſt *etc.*	ihr tragt
er trägt	ſie tragen
ich laufe, I am running,	wir laufen
du läufſt *etc.*	ihr lauft
er läuft	ſie laufen

Similarly the **o** changes to **ö** in ſtoßen (to push):

ich ſtoße, du ſtößt, er ſtößt, etc.

b) Strong verbs with the stem vowel **e** and belonging to class IV or class V change this **e** to **i** or **ie** in the second and third persons singular:

    ich gebe, I give, wir geben
    du gibst *etc.* ihr gebt
    er gibt   sie geben

    ich lese, I read, wir lesen
    du liest *etc.* ihr lest
    er liest   sie lesen

In general, short **e** changes to short **i**, long **e** to long **ie**:

    essen (to eat): du ißt, er ißt
    lesen (to read): du liest, er liest,

but there are exceptions:

    nehmen (to take): du nimmst, er nimmt.

7. IRREGULARITIES IN THE IMPERATIVE:

Strong verbs with the stem vowel **e** and belonging to classes IV and V change their stem vowel **e** to **i** or **ie** also in the singular familiar imperative and *omit the ending* ‑**e**. All other imperative forms are regular:

  essen, to eat   iß!, *but:* eßt!, essen Sie!
  geben, to give   gib!, *but:* gebt!, geben Sie!
  helfen, to help   hilf!, *but:* helft!, helfen Sie!
  lesen, to read   lies! *etc.*

Similarly: nehmen, to take (nimm! *Note spelling!*); sehen, to see (sieh!); sprechen, to speak, talk (sprich!); treten, to step, kick (tritt! *Note spelling!*)

But: werden, to become werde!, werdet!, werden Sie!

This irregularity in the singular familiar imperative does not apply to strong verbs with the stem vowel **a** nor to the verb stoßen:

  tragen, to carry: trage!, tragt!, tragen Sie!
  stoßen, to push: stoße!, stoßt!, stoßen Sie!

The Strong Verb in German

8. **THE PAST TENSE OF STRONG VERBS** is formed by adding the endings

—	en
ſt	t
—	en

to the past stem:

ich ſang, I sang	wir ſangen
du ſangſt	ihr ſangt
er ſang	ſie ſangen
	Sie ſangen

Note that the strong verb forms of the first and third persons singular have no endings in the past tense. Irregular is the past tense of werden, to become (*expressing any change of state or condition*):

ich wurde (or: ward)	wir wurden
du wurdeſt (or: wardſt)	ihr wurdet
er wurde (or: ward)	ſie wurden
	Sie wurden

9. The remaining tenses are formed like those of weak verbs:

Present perfect:	ich habe geſungen	ich bin gekommen
Past perfect:	ich hatte geſungen	ich war gekommen
Future:	ich werde ſingen	ich werde kommen
Future perfect:	ich werde geſungen haben	ich werde gekommen ſein

10. Glossaries and dictionaries often indicate strong verbs simply by giving the vowel-series of their ablaut and by adding (ſ.) if the verb takes **ſein** in the perfect:[1]

fliehen, o, o, (ſ.) to flee = fliehen, floh, iſt geflohen

---

[1] One of the main difficulties in learning to read German texts is that of being able to recognize past tense forms or past participles of strong verbs. Remember: It is necessary to find the infinitive before you can look up a verb in a dictionary. If you do not recognize the given verb form, consult the alphabetical list of strong verbs either in a dictionary or in the Appendix of this grammar.

If there are any other irregularities, they are clearly indicated:

essen, ißt, aß, gegessen to eat

11. As with weak verbs, the present participle of strong verbs is formed by adding ≈d to the infinitive:

Singend kam sie ins Zimmer.
Singing, she came into the room.

Recapitulation of Main Points:

1. The characteristic features of strong verbs are:
   a) the change in the stem vowel, called *ablaut*, to indicate tense;
   b) the absence of personal endings in the first and third person singular of the past tense (ich sang, er sang);
   c) the past participle ends in ≈en.
2. There are seven classes of strong verbs based on the ablaut-series.
3. Irregularities in the present tense are:
   a) Most strong verbs with the stem vowel **a** take the umlaut in the second and third person singular: du trägst, er trägt;
   b) most strong verbs with the stem vowel **e** change this **e** to **i** or **ie** in the second and third person singular: du gibst, er gibt; du liest, er liest, *but:* du gehst, er geht; du stehst, er steht.
4. Those strong verbs that change the stem vowel **e** to **i** or **ie** have this irregularity also in the singular familiar imperative: gib!, iß!, nimm! (no ending ≈e); *but* steh(e)!, geh(e)!, werde!
5. In addition to the intransitive verbs denoting a change of position or condition, the verbs sein and bleiben take the appropriate form of the auxiliary sein to express the perfect tenses: ich bin gewesen, ich bin geblieben; ich war gewesen, ich war geblieben.
6. Strong (and weak) verbs with the prefixes be≈, emp≈, ent≈, er≈, ge≈, ver≈, and zer≈ omit the ge≈ in the past participle: bekommen, bekam, bekommen.

Übungen

I. Recognition Grammar

A. Translate:

1. Schopenhauer, der Philosoph des Pessimismus (pessimism), ging einmal in ein Restaurant. 2. Er hatte schon oft hier gegessen und saß immer an demselben Tisch. 3. An einem Nebentisch (neighboring table) saßen einige Engländer (Englishmen). 4. Sie sprachen immer nur über Frauen, Pferde und Hunde. 5. Schopenhauer verstand Englisch sehr gut. 6. Vor jeder Mahlzeit (meal) legte er Geld neben seinen Teller (plate) und steckte (to put) es nach dem Essen wieder in die Tasche (pocket). 7. Ein anderer Gast (guest) bemerkte (to notice) das eines Tages, wunderte sich darüber und fragte den großen Pessimisten, warum er das tat. 8. Schopenhauer antwortete: „Ich mache mit mir selber eine kleine Wette (bet). 9. Wenn die Engländer einmal von etwas anderem sprechen als Frauen, Pferden und Hunden, habe ich verloren. 10. Bis jetzt habe ich noch immer gewonnen."

B. Give the infinitive of the following verbs:

1. Wer trägt das Kleid? 2. Du vergißt alles. 3. Er spricht zuviel. 4. Die Uhr schlägt zehn. 5. Was liest du? 6. Er läuft nach Hause. 7. Er schläft in der Klasse. 8. Was gibst du ihr? 9. Iß nicht so schnell! 10. Nimm meine Hand!

C. Translate. Be careful to observe the tense:

1. Er ist früh gestorben. 2. Es war kalt geworden. 3. Wir sind zu früh gekommen. 4. Bist du krank gewesen? 5. Die Preise sind gefallen. 6. Wir sind noch eine Weile geblieben. 7. Wir sind gelaufen, aber doch zu spät gekommen. 8. Er war weit geschwommen. 9. Wer ist ins Zimmer getreten? 10. Sie sind um die Welt gefahren. 11. Er war gefallen. 12. Er war vor zwei Jahren mit einigen Freunden in einem alten Auto von Boston nach Kalifornien und dann noch nach Mexiko gefahren. 13. Er war vor dem Kriege (war) in England und während des Krieges zwei Jahre lang in Holland. 14. Er wird gestern sicher dagewesen sein.

Aufgabe elf

D. Translate:
1. Gemütlich essend und trinkend las er die Zeitung. 2. Das schlafende Kind fiel aus dem Bett. 3. Ein fahrendes Schiff 4. Der Sterbende sprach nichts mehr. 5. Ein modernes Schiff ist ein schwimmendes Hotel.

II. Active Grammar

A. Give the principal parts of the following verbs, using the list of strong verbs in the Appendix for reference:
1. bleiben 2. helfen 3. fliehen 4. springen 5. schweigen 6. waschen 7. heißen 8. lassen 9. stehen 10. vergessen

B. Change the following sentences to the past:
1. Die Sonne scheint den ganzen Tag. 2. In der Nacht friert es. 3. Was trinkt ihr? 4. Worüber spricht er? 5. Gibst du ihr nichts? 6. Schlägt es zehn? 7. Schlafen Sie gut? 8. Wir rufen dich. 9. Es wird kälter. 10. Sind Sie da?

C. Change the above sentences to the present perfect.

D. Give the correct form of the verbs in parenthesis, using the present tense:
1. Er ___ (laufen) nach Hause. 2. Wie lange ___ (schlafen) du? 3. Was ___ (essen) du? 4. Was gibt (geben) er ihr? 5. ___ (leben) er noch? 6. Warum schl___ (schlagen) er den Hund? 7. Warum sagst (sagen) du das? 8. Wer trägt (tragen) den Mantel? 9. Er ___ (gehen) mit uns.

E. Give a synopsis of:

EXAMPLE

Ich sehe es. — Ich sah es. Ich habe es gesehen. Ich hatte es gesehen. Ich werde es sehen. Ich werde es gesehen haben.

1. Ich esse alles. 2. Lesen Sie die Zeitung? 3. Wer gibt dir das? 4. Ich sehe jeden neuen Film. 5. Er nimmt ihre Hand.

F. Change the following polite imperatives to the familiar singular imperative:

1. Nehmen Sie das! 2. Laufen Sie nicht so schnell! 3. Geben Sie mir Ihren Hut! 4. Lesen Sie meinen Artikel! 5. Essen Sie mehr! 6. Sprechen Sie lauter!

G. Review exercises:

1. Give a synopsis of: Er sagt es nicht.
2. State in the present perfect: (a) ich reise (b) wir wandern
3. Give the principal parts of: (a) studieren (b) erwachen

Wortschatz

Memorize the principal parts and meanings of the following strong verbs:

Infinitive	3rd Pers.[1] Sing. Pres.	Past	Past Part.	
CLASS I:		(ei — ie — ie)		
bleiben		blieb	ist geblieben	to remain
scheinen		schien	geschienen	to shine; to seem
schreiben		schrieb	geschrieben	to write
CLASS II:		(ie — o — o)		
frieren		fror	gefroren	to freeze; to be cold
verlieren		verlor	verloren	to lose
CLASS III:		(i — a — u)		
klingen		klang	geklungen	to sound
trinken		trank	getrunken	to drink
		(i — a — o)		
gewinnen		gewann	gewonnen	to win
schwimmen		schwamm	ist geschwommen	to swim

[1] Only the *third* person singular of the present tense is given here, although the *second* person singular of the present tense has the identical vowel change, i. e., er nimmt and du nimmst, etc.

Aufgabe elf

Infinitive	3rd Pers. Sing. Pres.	Past	Past Part.	
CLASS IV:	(e — a — o)			
helfen[1]	er hilft	half	geholfen	to help
nehmen	er nimmt	nahm	genommen	to take
sprechen	er spricht	sprach	gesprochen	to talk, speak
sterben	er stirbt	starb	ist gestorben	to die
werden	er wird	wurde (ward)	ist geworden	to become
kommen		kam	ist gekommen	to come
CLASS V:	(e/i — a — e)			
essen	er ißt	aß	gegessen	to eat
geben[1]	er gibt	gab	gegeben	to give
lesen	er liest	las	gelesen	to read
liegen	er liegt	lag	gelegen	to lie, be lying
sehen	er sieht	sah	gesehen	to see
sitzen		saß	gesessen	to sit
treten	er tritt	trat	ist getreten	to step (uses haben when transitive, meaning to kick)
CLASS VI:	(a — u — a)			
fahren	er fährt	fuhr	ist gefahren	to drive
graben	er gräbt	grub	gegraben	to dig
schlagen	er schlägt	schlug	geschlagen	to hit, strike
tragen	er trägt	trug	getragen	to carry; to wear
waschen	er wäscht	wusch	gewaschen	to wash
CLASS VII:	(— ie —)			
fallen	er fällt	fiel	ist gefallen	to fall
schlafen	er schläft	schlief	geschlafen	to sleep
laufen	er läuft	lief	ist gelaufen	to run
rufen		rief	gerufen	to call
IRREGULAR:				
gehen		ging	ist gegangen	to go, walk
verstehen		verstand	verstanden	to understand

[1] *takes the dative*

Aufgabe zwölf

Separable and Inseparable Prefixes

Voltaire und der Pfarrer

Friedrich der Große von Preußen[1] war schon in seiner Jugend ein Verehrer[2] der französischen Kunst und Kultur gewesen. Er las gerne die Werke französischer Dichter und zog sogar die französische Sprache der deutschen vor. Als er König geworden war, lud er den französischen Dichter und Philosophen Voltaire ein, ihn in Sanssouci[3] zu besuchen. Voltaire nahm die Einladung an und verbrachte drei Jahre am Hofe des Königs. Der geistreiche[4] König und der witzige[5] Franzose unterhielten sich viel über Dichtung, Philosophie und Religion. Nicht allen gefiel der beißende Spott[6] Voltaires, und nicht immer blieb dieser Spott ungestraft,[7] wie die folgende Geschichte zeigt.

Friedrich und Voltaire ritten einmal aufs Land. Sie begegneten einem Pfarrer auf einem schönen, stolzen Pferd. Voltaire sagte zum König: „Soll ich dem Pfarrer eine gute Lehre geben?"[8] „Meinetwegen," antwortete Friedrich, „aber du mußt einstecken, was er austeilt."[9]

Voltaire hielt also den Pfarrer an und fragte: „Wie kommt es, Herr Pfarrer, daß Sie auf einem so schönen Pferde reiten, während Ihr Herr und Heiland[10] auf einem bescheidenen Esel nach Jerusalem geritten ist?"

[1] Prussia [2] admirer [3] "Without Care," the name of Frederick's palace near Potsdam [4] brilliant, witty [5] witty [6] mockery, sarcasm [7] unpunished [8] teach a good lesson [9] you must take what he dishes out [10] Lord and Savior

— Aufgabe zwölf

Der Pfarrer sah Voltaire zuerst erstaunt und nichtverstehend an, aber dann antwortete er: „Mein lieber Herr Voltaire, wissen Sie denn nicht, daß die Esel in Preußen sehr selten geworden sind, seitdem der König sie alle an seinem Hofe hält?"[11]

Fragen

1. Was war Friedrich der Große in seiner Jugend gewesen? 2. Was las er gerne? 3. Welche Sprache sprach er lieber? 4. Wen lud er ein? 5. Was ist Sanssouci? 6. Wie viele Jahre verbrachte Voltaire am Hofe des Königs? 7. Worüber unterhielten sie sich am liebsten? 8. Was gefiel den Leuten nicht? 9. Wohin ritten der König und Voltaire eines Tages? 10. Wem begegneten sie? 11. Worauf saß der Pfarrer? 12. Was wollte Voltaire ihm geben? 13. Was fragte ihn Voltaire? 14. Was antwortete der Pfarrer? 15. Was ist ein Esel?

Separable and Inseparable Prefixes in German

1. Characteristic of the German verb are the prefixes which either modify its meaning or change its meaning entirely. Thus, stehen means *to stand*, auf'=stehen *to get up*, and verstéhen *to understand*.

2. These prefixes are known as *separable* or *inseparable* prefixes depending on whether or not they separate from the verb. If they do, separation occurs in the present and the past in independent clauses, and in the imperative. The separable prefix is placed at the end of the independent clause. Separable prefixes are *always* stressed.

Separable: auf'=stehen: ich stehe auf'
                            ich stand auf'
                            stehe auf'!, steht auf'!, stehen Sie auf'!

Inseparable: verstéhen: ich verstéhe
                              ich verstánd
                            verstéhe!, verstéht!, verstéhen Sie!

[11] keeps, maintains

Separable and Inseparable Prefixes in German

3. A synopsis of these two verbs will show how the separable and inseparable prefixes are used in the various tenses:

	Separable	Inseparable
Present:	Ich stehe früh auf.	Ich verstehe alles.
Past:	Ich stand früh auf.	Ich verstand alles.
Pres. perf.:	Ich bin früh aufgestanden.	Ich habe alles verstanden.
Past perf.:	Ich war früh aufgestanden.	Ich hatte alles verstanden.
Future:	Ich werde früh aufstehen.	Ich werde alles verstehen.
Fut. perf.:	Ich werde früh aufgestanden sein.	Ich werde alles verstanden haben.

Note how in the present and past *the separable prefix is placed at the end of the sentence (or independent clause).*

4. THE INSEPARABLE PREFIXES:

The inseparable prefixes are the syllables: be-, emp-, ent-, er-, ge-, ver-, and zer-.

a) They *never* take the word-accent; it falls on the stem syllable of the verb:

bekómmen, to get   verstéhen, to understand, *etc.*

b) They cause the ge- of the past participle to be omitted:

Ich habe es bekommen (verstanden, etc.).

5. The inseparable prefix ge- is somewhat troublesome because the *past participle* of an infinitive *with* the prefix ge- and the *past participle* of a simple infinitive *without* the prefix ge- are identical in their forms where both participles have the prefix ge-. The context will determine the meaning of such a past participle:

fallen	fiel	ist gefallen	to fall
gefallen	gefiel	gefallen	to please
hören	hörte	gehört	to hear
gehören	gehörte	gehört	to belong

6. Since it is impossible to give any useful rule as to just how the inseparable prefixes will affect the meaning of a given verb, it is best to learn the meaning of the verbs with these prefixes as you come to them. Only zer= has a rather consistent tendency to impart a negative or destructive meaning to the basic verb:

    stören, to disturb   zerstören, to destroy
    brechen, to break   zerbrechen, to break to pieces

7. THE SEPARABLE PREFIX

   a) *always* has the word-accent: án=kommen
   b) separates from the verb in the present and past in a principal clause, and in the imperative, and stands at the end of such an independent clause or sentence:

      Ich **komme** morgen um zehn Uhr **an**.
      I shall arrive tomorrow at ten o'clock.

      Ich **kam** gestern um zehn Uhr **an**.
      I arrived at ten o'clock yesterday.

      Komm
      Kommt   } bitte nicht zu spät **an**!
      Kommen Sie
      Please, don't arrive (too) late.

   c) precedes the ge= prefix of the past participle and the zu of the infinitive when zu is used:

      Ich bin spät angekommen.   I arrived late.
      Ich hoffe, früh anzukommen. I hope to arrive early.

   d) is written together with the verb in the present and past in *dependent* clauses:

      Wenn ich früh genug **ankomme**, ...
      If I arrive early enough, ...

      Als ich **ankam**, ...
      When I arrived, ...

Separable and Inseparable Prefixes in German — *123*

8. *Separable prefixes* are words in their own right (generally adverbs or prepositions) and are extremely numerous. In most cases the separable prefix modifies the meaning of a verb in a predictable manner:

    zurück, back; geben, to give: zurück=geben, to give back

9. Be on the lookout for prefixes at the end of a clause. They must be translated as an integral part of the verb. This practice is especially important when dealing with long clauses: [1]

    Wir kommen wahrscheinlich morgen vormittag um 7 Uhr auf dem Hauptbahnhof an (verb: an=kommen).
    We shall probably arrive tomorrow morning at seven o'clock at the main station.

10. Common are the prefixes hin and her, hin meaning away from the speaker; her, toward the speaker:

    Geh hin! Go there!   Komm her! Come here!

    These prefixes are often combined with prepositions:

    Geh hinaus!   Go out (the speaker being inside).
    Komm heraus!   Come out (the speaker being outside).
        Hinaus! Get out!   Herein! Come in!

    Together, these two prefixes [2] mean *back and forth:*

    Wir sind hin= und hergelaufen.
    We ran back and forth (to where we had started out from).

---

[1] In a few instances, the separable prefixes may not be found at the very end of a sentence or an independent clause, particularly when an infinitive with zu is made dependent on the main verb:

   Sie zieht es vor zu sprechen.   She prefers to speak.

Similarly, separable prefixes may precede prepositional objects:

   Er kam ohne seine Mutter zurück. ⎫
   or: Er kam zurück ohne seine Mutter. ⎭ He returned without his mother.

[2] hin und her, *back and forth*, may also be used as an adverbial phrase:

   Die Leute laufen hin und her.   The people are running back and forth (*without any apparent goal in mind*).

11. Occasionally, you will find the following combination of prepositions with prefixes which emphasizes the idea expressed by the preposition:

aus . . . heraus	Er kommt **aus** dem Haus **heraus**.	He comes out of the house.
in . . . hinein	Er geht **ins** Haus **hinein**.	He goes into the house.
zu . . . hinaus	Er geht **zum** Haus **hinaus**.	He goes out of the house.
von . . . aus	Ich schreibe **von** Berlin **aus**.	I'll write from Berlin.
um . . . herum	Ich gehe **um** den Teich **herum**.	I walk around the pond.

12. **VARIABLE PREFIXES**:

There are some prefixes which are used, depending on the meaning, as separable *or* inseparable prefixes. The most frequent variable prefixes are:

durch=, hinter=, über=, um=, unter=, voll=, wieder=

When these prefixes are used in a literal sense (durch: *through;* hinter: *behind;* über: *above;* um: *around;* unter: *under, below;* voll: *full;* wieder: *again*), their meaning is simply added to the verb and the prefix then is separable. When, however, they are used in a figurative sense — which is frequently the case — they are inseparable.

Er hat mein Buch noch immer. Morgen **hole** ich es **wie′der** (*literal*). He still has my book. Tomorrow I shall go and get it again (*i. e.,* back).

Wiederhölen Sie diese Aufgabe (*figurative*)! Review this lesson.

Remember: *The separable prefix is always accented, the inseparable never.*

13. In dictionaries and glossaries the separable prefixes are often indicated by being separated from the verb by a hyphen or by an accent mark after the prefix, and the inseparable by an accent on the stem of the verb:

> vorbei=gehen (or: vorbei′gehen), to go past
> überrá́schen, to surprise

Recapitulation of Main Points:

1. Inseparable prefixes are: be=, emp=, ent=, er=, ge=, ver=, zer=. Aside from modifying the meaning of the verb, they cause the ge=prefix of the past participle to be omitted.
2. Separable prefixes are words in their own right. In general, they modify the meaning of a verb in a predictable manner. They separate from the verb in the present and past of a principal clause or sentence, and in the imperative, and stand at the end of the clause or sentence. They precede the ge= of the past participle and the zu of the infinitive.
3. Some of the prefixes may be used separably or inseparably according to the meaning to be expressed. In reading, the context must decide the meaning of such a prefix. If the prefix has a *literal* meaning, it is *separable* and takes the word-accent. If the prefix has a *figurative* meaning, it is *inseparable*, and the word-accent rests upon the verbal stem:

> wie′der=holen (holte wie′der, wie′dergeholt), to fetch back (*literal*); wiederhólen (wiederhólte, wiederhólt), to review, repeat (*figurative*).

Übungen

I. Recognition Grammar

A. Translate:
1. Ich bin früh aufgewacht. 2. Ich bin sofort aufgestanden, habe mich gewaschen, rasiert und angezogen. 3. Dann bin ich ins Eßzimmer hinuntergegangen und habe beim Frühstück die Zeitung gelesen. 4. Ich habe

mich mit der Wirtin über Politik unterhalten. 5. Ich muß gestehen, daß ich von Politik sehr wenig verstehe. 6. Glücklicherweise (fortunately) versteht meine Wirtin noch weniger davon. 7. Dann bin ich zur Universität gegangen und habe in meinen Klassen alle Fragen beantwortet und alles fehlerlos (without error) übersetzt. 8. Meine Freunde waren überrascht und ein bißchen besorgt (worried). 9. Am Abend bin ich dann wieder nach Hause gefahren. 10. Ich habe ein bißchen Deutsch übersetzt und Mathematik wiederholt. 11. Schließlich bin ich zu Bett gegangen und bin sofort eingeschlafen. 12. Aber ich habe trotzdem schlecht geschlafen, denn ich hatte vergessen, das Fenster aufzumachen. 13. Am Morgen bin ich zu spät aufgewacht, bin ungewaschen und unrasiert ins Eßzimmer hinuntergegangen und habe mich nicht mit der Wirtin über Politik unterhalten. 14. Natürlich bin ich zu spät in der ersten Klasse erschienen, habe keine Frage beantwortet und schlecht übersetzt. 15. „Ah," haben meine Freunde gesagt, „er hat sich wieder erholt. Er ist wieder normal!"

B. Give the infinitives of the verbs in the following section:

1. Ich habe es nicht verstanden. 2. Glauben Sie, daß seine Katze zurückkommt? 3. Katzen kommen immer wieder! 4. Er kehrte nach zwei Jahren, die er in Japan verbracht hatte, wieder nach Hause zurück. 5. Höre endlich mit diesem dummen Lied auf! 6. Ich habe ihn nur einmal in Chicago gehört. 7. Ich habe nie zu dieser Partei' gehört. 8. Wir haben dieses Experiment dreimal wiederholt. 9. Er ist hingegangen und hat das Buch wiedergeholt. 10. Ich bin beinahe vom Stuhl gefallen. 11. Wie hat dir unsere neue Zeitung gefallen? 12. Das Haus hat noch Jahre lang gestanden. 13. Sie hat es ihm erst (only) nach drei Jahren gestanden. 14. Ich erwache jeden Morgen ohne Wecker. 15. Wann wachst du morgens auf?

II. Active Grammar

A. Give the present tense forms of the verbs in parenthesis:

1. Wann (ankommen) du? 2. Ich (verstehen) dich nicht. 3. Was (bekommen) Sie? 4. Es (gehören) mir. 5. Er (zurückkommen) wieder. 6. Wir (hin- und herlaufen). 7. Wir (überraschen) sie. 8. Er (wiederholen) das Experiment. 9. Wir (übersetzen) aus dem Deutschen

Active Grammar 127

ins Englische. 10. Sie (she) (vorbeigehen). 11. Er (einschlafen) sofort. 12. Er (aufhören) nicht. 13. Ich (beantworten) die Frage. 14. Er (aufmachen) das Fenster, und ich (zumachen) es wieder. 15. Wir (unterhalten) uns über Politik. 16. Er (hinuntergehen) ins Eßzimmer.

B. Change the above to the past.
C. Change the above to the present perfect.
D. Change the above to the future.
E. Translate:

1. When is he arriving? 2. When do you wake up in the morning? 3. I fell asleep immediately. 4. We invited them but they did not accept the invitation. 5. I do not understand this man. 6. We opened the windows, and they closed them. 7. Who has translated this exercise? 8. Repeat that, please! 9. To whom does this book belong? 10. He dressed, shaved, and went down into the dining room. 11. When did he return? 12. Stop now!

F. Review exercises:

1. Give the principal parts and the meanings of the following strong verbs:

           Class I: schreiben, schweigen, bleiben
           Class II: riechen, verlieren
           Class III: singen, trinken, schwimmen
           Class IV: sprechen, brechen, sterben
           Class V: geben, essen, treten
           Class VI: schlagen, tragen
           Class VII: rufen, schlafen

Wortschatz

der Abend, -s, -e   evening   die Dichtung, -, -en   work of literature
der Dichter, -s,   poet, writer   die Einladung, -, -en invitation
der Hof, -es, -e   court   die Jugend, -   youth
der Pfarrer, -s,   pastor, (priest)   die Kunst, -, -e   art
                                         die Sprache, -, -n   language

Aufgabe zwölf

das Eßzimmer, –s, — dining room
das Frühstück, –s, -e breakfast
das Lied, –es, -er song, "lied"
das Werk, –es, -e work

Present   Past ind   Past Part

an-halten, hielt an, angehalten; hält an to stop
an-kommen, kam an, ist angekommen to arrive
an-nehmen, nahm an, angenommen; nimmt an to accept
an-sehen, sah an, angesehen; sieht an to look at
an-ziehen, zog an, angezogen to dress
auf-hören, hörte auf, aufgehört (*often with* mit) to stop
auf-stehen, stand auf, ist aufgestanden to get up
auf-wachen, wachte auf, ist aufgewacht to wake up, awaken
ein-laden, lud ein, eingeladen; lädt ein to invite
ein-schlafen, schlief ein, ist eingeschlafen; schläft ein to go to sleep
erscheinen, erschien, ist erschienen to appear
erwachen, erwachte, ist erwacht to wake up
gestehen, gestand, gestanden to admit, confess
hin- und herlaufen, lief hin und her, ist hin- und hergelaufen; läuft hin und her to run back and forth
hinunter-gehen, ging hinunter, ist hinuntergegangen to go down (downstairs)
sich rasie′ren to shave

überraschen, überraschte, überrascht to surprise
übersetzen, übersetzte, übersetzt to translate
unterhalten (sich), unterhielt, unterhalten; unterhält to talk about, converse
verbringen, verbrachte, verbracht to spend
vorbei-gehen, ging vorbei, ist vorbeigegangen to pass by
vor-ziehen, zog vor, vorgezogen to prefer
wiederholen, wiederholte, wiederholt to repeat
wieder-holen, holte wieder, wiedergeholt to fetch back
wieder-kommen, kam wieder, ist wiedergekommen to come back, return

beinahe almost
bescheiden modest
französisch French (*adj.*)
früh early
lieb dear
morgens in the morning
seitdem since
stolz proud
trotzdem nevertheless
während (*conjunction*) while

IDIOMS:

am Abend (Morgen) in the evening (morning)
ein bißchen a little
einmal, zweimal, dreimal, *etc.* once, twice, three times
mir (dir, ihm, *etc.*) gefällt, gefiel, hat gefallen I (you) like (he likes)

COGNATES:

das Englische, –n English (*language*)
das Experimént, –es, –e experiment
die Kultúr, –, –en culture; civilization
die Mathematík, – mathematics
die Partéi', –, –en party
die Philosophíe', –, –n philosophy
die Politík, – politics
die Religión, –, –en religion

beißen, biß, gebissen to bite

alle all

DISTINGUISH BETWEEN:

bekommen = to get, receive
to become = werden
wo? = where?
wer? = who?

Aufgabe dreizehn

Irregular Weak Verbs

Till Eulenspiegels lustige Streiche[1]

Beinahe jeder kennt Richard Strauß' Tondichtung[2] „Till Eulenspiegels lustige Streiche", aber nicht jeder weiß, wer dieser Till eigentlich[3] war. Till Eulenspiegel war ein Bauernsohn aus Braunschweig[4] und lebte im sechzehnten Jahrhundert. In Mölln bei Lübeck zeigt man noch heute sein Grab, wo er auf dem Bauch begraben liegen soll,[5] denn dieser Erzschelm[6] konnte sogar im Tode nicht anständig auf dem Rücken liegen wie andere ehrbare Bürger.

Die vielen Geschichten, die sich um den Namen Till Eulenspiegel gesammelt haben, erzählen heute in Buchform von den Streichen, die er den ehrbaren Bürgern gespielt hat. Der Humor darin ist derb,[7] und die „lustigen" Streiche sind oft alles andere als lustig.[8] Trotzdem war das Buch sehr beliebt. Es wurde in viele Sprachen übersetzt,[9] auch ins Englische, wo Eulenspiegel mit Owlglass übersetzt wurde, weil „Eule" owl bedeutet und „Spiegel" looking glass. In diesem Buch befindet sich auch ein Bild von Till Eulenspiegel. Er hat darauf einen Schnurrbart und sitzt auf einem Pferd. In der einen Hand hält er einen Spiegel und in der anderen eine Eule.

[1] Till Eulenspiegel's Merry Pranks [2] tone poem [3] really [4] Brunswick
[5] is said to [6] arch rogue [7] coarse [8] often anything but gay [9] wurde
... übersetzt = was translated

Die folgende Geschichte erzählt einen seiner lustigen Streiche.

Auf einem Markt sah Till einmal einen Bauer mit einem schönen, grünen Tuch. Er fragte den Bauer, wo er wohnte, und Till erklärte darauf, aus demselben Dorf zu sein. Dann ging Till zu zwei Freunden, von denen[10] der eine ein Advokat war. Till verabredete mit ihnen, den Bauer um sein Tuch zu betrügen. Dann ging Till wieder zu dem Bauer zurück, und die beiden Freunde machten sich auf den Weg[11] nach Hause. Auf dem Weg wollte Till wissen, wieviel der Bauer für das schöne blaue Tuch bezahlt hatte. Der Bauer antwortete: „Zwei Taler, und das Tuch ist nicht blau sondern grün, wie jeder Esel sehen kann." „Ich bin nun leider kein Esel," erwiderte Till, „und ich muß dir sagen, daß das Tuch blau ist." „Hast du keine Augen im Kopf," schrie der Bauer, „das Tuch ist grün!" „Wenn das Tuch grün ist," sagte Till, „dann gebe ich dir fünf Taler; aber wenn es blau ist, mußt du mir das Tuch geben." — „Gut," meinte der Bauer, „wenn das Tuch nicht grün ist wie Gras, gebe ich es dir."

Nun trafen sie den ersten Freund Tills und sie fragten ihn, ob das Tuch blau oder grün ist. Tills Freund sagte natürlich „blau," aber der Bauer wollte das Tuch nicht hergeben. „Ihr steckt beide unter einer Decke,"[12] behauptete er. „Hier kommt ein Advokat," entgegnete Till, „wir fragen den." „Geehrter Herr Advokat," redete der Bauer ihn an, „entschuldigen Sie, daß ich frage. Ich weiß, daß dieses Tuch grün ist, aber diese beiden behaupten, es ist blau. Würden Sie so gut sein[13] und uns sagen, ob es grün oder blau ist!" „Ich habe Besseres zu tun, als dumme Fragen zu beantworten," erklärte der Advokat, „aber um euren Streit zu schlichten,[14] sage ich euch, daß das Tuch natürlich blau ist, wie jeder Esel sehen kann."

Der Bauer kratzte sich am Kopf,[15] wandte sich an Till und sagte: „Wenn das kein Advokat wäre, würde ich glauben,[16] daß auch er mit euch unter einer Decke steckt." Und Till bekam das Tuch.

[10] of whom [11] started on the way [12] *literally:* you are both under one cover; *i. e.*, you are in cahoots [13] Would you be so kind [14] to settle your quarrel [15] scratched his head [16] If he were not a lawyer, I'd believe . . .

Fragen

1. Wer hat die Tondichtung „Till Eulenspiegels lustige Streiche" komponiert (composed)? 2. Wer war Till? 3. Wo liegt er begraben? 4. Wie liegt er begraben? 5. Wie liegen ehrbare Bürger begraben? 6. Warum nennt man Till auf englisch Owlglass? 7. Was hat Till auf dem Bild in den Händen? 8. Wen sah Till auf dem Markt? 9. Was hatte der Bauer? 10. Zu wem ging Till? 11. Was war der eine Freund Tills? 12. Was verabredete Till mit seinen Freunden? 13. Was fragte Till den Bauer auf dem Wege nach Hause? 14. Was sagte der Bauer? 15. Wen fragten sie zuerst, ob das Tuch blau oder grün ist? 16. Was antwortete dieser Freund Tills? 17. Was sagte der Bauer zum Advokaten? 18. Was antwortete der Advokat? 19. Wer bekam das Tuch?

The Irregular Weak Verb in German

1. A few verbs, known as irregular weak verbs, change the stem vowel to form the past and past participle, but are otherwise conjugated like weak verbs:

brennen, to burn	brannte	gebrannt
kennen, to know	kannte	gekannt
nennen, to name, call	nannte	genannt
rennen, to run	rannte	ist gerannt
senden, to send	sandte	gesandt
wenden, to turn	wandte	gewandt
bringen, to bring, take	brachte	gebracht
denken, to think	dachte	gedacht
wissen, to know	wußte	gewußt

2. The verbs **senden** and **wenden** also have regular weak past tense forms and past participles:

senden	sendete (or: sandte)	gesendet (or: gesandt)
wenden	wendete (or: wandte)	gewendet (or: gewandt)

3. The present tense of these verbs is regular, except for wiſſen which has no ending in the first and third person singular, and has ei in the singular, i in the plural:

>   ich weiß   wir wiſſen
>   du weißt   ihr wißt
>   er weiß   ſie wiſſen

4. You will observe that there are two verbs for English *to know:* kennen and wiſſen. Wiſſen is used in the meaning of *to know* (as a fact), kennen in the sense of *to be acquainted* or *familiar with:*

> Kennſt du ihn?
> Do you know him?
>
> Ja, aber ich weiß nicht, wo er wohnt.
> Yes, but I do not know where he lives.
>
> Nur wer die Sehnſucht kennt, weiß, was ich leide.
> Only he who knows longing, knows what I suffer.

5. In general, wiſſen must be used when a dependent clause follows:

> Ich weiß, was er geſagt hat.   I know what he has said.
> Ich weiß, wer er iſt.   I know who he is.

6. The "emphatic" es:

For emphasis, es may frequently be found to introduce an ordinary main clause. This es is redundant and must be omitted in translation:

Es war mir die Geſchichte bekannt = Die Geſchichte war mir bekannt.
The story was known to me.

Es irrt der Menſch, ſolang er ſtrebt. (Goethe, in Fauſt)
Man errs as long as he strives.

Similarly, es is used with a subject and verb in the plural:

Es ſind viele Beſucher eingetroffen = Viele Beſucher ſind eingetroffen.
Many visitors have arrived.

Übungen

I. Recognition Grammar

A. Translate:

1. Das ganze Dorf hat gebrannt. 2. Hat dir der Weihnachtsmann etwas gebracht? 3. Kennst du diese Dichtung? 4. Weißt du, wer sie geschrieben hat? 5. Können Sie mir alle Werke dieses Dichters nennen? 6. Er rennt mit dem Kopf durch die Wand. 7. Ich habe ein Paket nach Deutschland gesandt. 8. Ich bringe ihn um, wenn er mir meinen Hut nicht wiederbringt! 9. Die Kragen (collars) an meinen Hemden sind alle schon einmal gewendet. 10. Er wandte sich um, und da stand sie. 11. Der Mensch denkt, und Gott lenkt (guides). 12. Hast du dir das Ende der Geschichte anders gedacht? 13. Meine Verwandten befinden sich in großer Not (distress). 14. Ich habe eine ganze Woche mit der Lektüre (reading) dieses Buches zugebracht. 15. In Goethes Faust befinden sich diese schönen Verse: „Wer darf (may) ihn nennen? Und wer bekennen: Ich glaub' ihn (in him, *i. e.*, God)?"

B. a) Note how the prefixes change the meanings of the irregular weak verbs.

brennen:	ab=brennen, to burn down
	verbrennen, to burn (up)
kennen:	verkennen, to misunderstand, misjudge
	bekennen, to confess
	erkennen, to recognize
nennen:	ernennen, to nominate
rennen:	hin= und herrennen, to run back and forth
wenden:	an=wenden (auf), to apply (to)
	verwenden, to use
	sich um=wenden, to turn around
bringen:	um=bringen, to kill
	verbringen and zu=bringen, to spend (*time*)
denken:	bedenken, to consider
	nach=denken (über), to think about
	verdenken, to blame for

Active Grammar — 135

b) Translate:
1. Seine ersten Gedichte hat er verbrannt. 2. Man hat diesen Dichter jahrhundertelang verkannt. 3. Er hat seine Fehler schließlich bekannt. 4. Sie ernannten ihn zum Präsidenten. 5. Er brachte jeden Abend in einem anderen Kino zu. 6. Erkennen Sie mich nicht mehr? Wir haben unsere Jugend in derselben Stadt verbracht. 7. Wenn man bedenkt, wie jung er noch ist! 8. Die Romantiker (romanticists) wandten ihre ästhetischen Prinzipien (principles) auf die Naturwissenschaft (natural sciences) an. 9. Einen solchen Mann kann man überall verwenden. 10. Denken Sie nicht soviel über Ihre Träume (dreams) nach! 11. Ein Selbstmörder ist jemand, der sich selbst umbringt. 12. Haben Sie jemals (ever) über dieses Problem nachgedacht? 13. Er wandte sich um und erkannte sie. 14. Sie können ihn gar nicht kennen! 15. Unser Jahrhundert wird man einmal das Jahrhundert der Weltkriege (world wars) nennen.

C. Give the infinitives of the verbs used in the following sentences. Be sure to give the prefix if there is one.
1. Hast du das schon gewußt? 2. Er brachte viele Jahre im Orient zu. 3. Er wandte sich um, aber er hat mich nicht erkannt. 4. Hast du nicht an mich gedacht? 5. Darüber werden wir später nachdenken. 6. Er nannte mir einen Namen, aber ich kannte ihn nicht. 7. Die Lampe hat noch lange gebrannt. 8. Er sandte ein Paket an seinen Sohn. 9. Sie wendete den Kragen an meinem alten Hemd. 10. Das viele Nachdenken hat ihn umgebracht.

II. Active Grammar

A. Give the principal parts of:
1. brennen 2. kennen 3. senden 4. denken 5. wissen

B. Change to the present perfect:
1. Es brennt. 2. Kennst du sie? 3. Sie rennt aus dem Zimmer. 4. Weiß er das? 5. Wer bringt mir den Kaffee? 6. Denkst du nicht mehr an mich? 7. Er nennt keine Namen. 8. Sie wendet sich um. 9. Er sendet ihr einen Brief. 10. Das viele Arbeiten bringt ihn um.

Aufgabe dreizehn

C. wissen or kennen?

1. ____ Sie, wo er wohnt? 2. ____ du ihn? 3. ____ du das Land, wo die Zitronen (lemons) blühn (bloom)? 4. Nur wer die Sehnsucht ____, ____, was ich leide. 5. Ich ____ sie, aber ich ____ ihre Telephonnummer nicht. 6. Ich ____ das Gedicht, aber ich ____ nicht, wer es geschrieben hat. 7. Ich ____ das Gedicht auswendig (by heart).

D. Translate:

1. The entire village is burning. 2. Do you know her, Hans? 3. We don't know who she is. 4. He has bought a new suitcase. 5. I didn't know that. 6. Mention my name. 7. She turned around but no one (niemand) was there. 8. He sent me his picture. 9. She ran out of the house. 10. I knew him very well. 11. Of what were you thinking (*use the present perfect*)?

E. Review exercises:

  a) Give the principal parts of:

   Class I: erscheinen
   Class II: verbieten
   Class III: an-binden (to tie up *or* fast)
   Class IV: zerbrechen
   Class V: zurück-geben
   Class VI: zerschlagen
   Class VII: zu-rufen (to call to)
              ein-schlafen
       Weak: auf-hören
              wiederholen
              überraschen

  b) Translate:

1. He bit. 2. They have died. 3. It disappeared. 4. He is passing by. 5. They washed. 6. She washes. 7. She has gone. 8. You (du) understand me. 9. I helped her. 10. She ran to them. 11. She gave it to me. 12. Do you see them?

Wortschatz

der Bauch, –es, ⸚e belly, stomach
der Bürger, –s, – citizen
der Humor, –s sense of humor
der Markt, –es, ⸚e market, market square
der Rücken, –s, – back
der Schnurrbart, –es, ⸚e mustache

die Sehnsucht, – longing

das Gedicht, –es, –e poem
das Grab, –es, ⸚er grave
das Jahrhundert, –s, –e century
das Tuch, –es, ⸚er cloth

    an=reden to address
    bedeuten to mean
    befinden, sich (a, u) to be
    betrügen (o, o) (um) to cheat (out of)
    entgegnen to answer
    sammeln (sich) to gather, collect
    verabreden to agree, plan; sich verabreden to make a date *or* an appointment

    bekennen to confess, admit
    brennen to burn
    kennen to know
    nennen to name, call, mention
    rennen to run, dash
    senden to send
    um=wenden to turn around
    wenden to turn

bringen to bring, take (something to someone)
um=bringen to kill, do away with
denken (an) to think (of)
    sich denken to imagine
    nach=denken to reflect, think about
wissen to know

anders otherwise, different
anständig decent
beliebt popular
blau blue
grün green
jemand someone
niemand no one
sechzehnt– sixteenth

COGNATES:

das Bad, –es, ⸚er bath
das Ende, –s, –n end
das Gras, –es, ⸚er grass
der Kaffee, –s coffee
der Orient, –s orient
das Prinzip, –s, –ien principle

ästhetisch aesthetic

das Problem, –s, –e problem
der Romantiker, –s, – romanticist
die Telephonnummer, –, –n telephone number
der Traum, –es, ⸚e dream
der Vers, –es, –e verse

NOTICE THE DIFFERENCE BETWEEN:

    die Lektüre, – reading (*not:* lecture); können "can," to be able to; kennen to know, be acquainted *or* familiar with

Modal Auxiliaries

Georg Friedrich Händel (1685–1759)

Die deutsche Musik ist weltberühmt. Jeder kennt Bach, Beethoven, Brahms, Mozart, Schubert, Wagner und viele andere große deutsche Komponisten. Auch Händel, der eigentlich zur englischen Musikgeschichte gehört, war ein Deutscher. Er wurde in Halle an der Saale[1] geboren, ging aber schon als junger Mann nach London, wo er sehr alt starb und in der Westminster Abbey begraben wurde. Trotzdem sprach er nie gut englisch, und wenn er wütend wurde, soll er in vier oder fünf Sprachen geschimpft haben.

Sein großes Oratorium „Messias" komponierte Händel in drei Wochen. Er führte es zuerst in Dublin auf als Wohltätigkeitskonzert[2] für Krankenhäuser und — sonderbarerweise — für Sträflinge.[3] Wie groß das Interesse an diesem Konzert war, kann man daraus sehen, daß die Damen keine Reifröcke[4] tragen durften, damit so viele Leute wie möglich Platz finden[5] konnten.

Später führte Händel den „Messias" in London auf, wo der König, Georg der Zweite, beim Halleluja=Chor aufstand. Seitdem ist es Sitte, beim Singen dieses Chors zu stehen.

Händel war eine imposante Figur. Er konnte sehr freundlich sein, wurde aber auch oft äußerst heftig. Er soll einmal so wütend geworden sein, daß er eine Pauke[6] nahm und sie nach dem Kapellmeister[7] warf.

[1] Halle, near Leipzig, on the river Saale [2] benefit performance [3] prisoners [4] hoop skirts [5] find a seat [6] drum [7] conductor

Ein anderes Mal wollte eine italienische[8] Sängerin eine Arie nicht singen, die Händel für sie geschrieben hatte. Da sagte er zu ihr: „Madam, ich weiß, Sie sind ein wahrer Teufel, aber ich bin Beelzebub, der oberste Teufel," und wollte sie aus dem Fenster werfen. Wieder ein anderes Mal war ein englischer Sänger mit Händels Begleitung[9] nicht zufrieden und drohte, auf das Klavier zu springen. „Tun Sie das," sagte Händel, „ich werde es in den Zeitungen bekannt machen. Sicher kommen mehr Leute, Sie springen zu sehen als singen zu hören!"

Trotzdem war Händel sehr beliebt und ganz sicher ein großer Künstler. Beethoven hielt ihn sogar für den größten Musiker aller Zeiten.

Fragen

1. Welche großen deutschen Komponisten kennen Sie? 2. Kennen Sie einige ihrer Werke? 3. Wann ist Händel nach London gegangen? 4. Wie alt war er bei seinem Tode? 5. Was ist das bekannteste Werk Händels? 6. Wie lange brauchte er, um es zu komponieren? 7. Wo und wofür führte er den „Messias" zuerst auf? 8. Was tat der englische König bei der Aufführung des „Messias" in London? 9. Warum wollte Händel die italienische Sängerin zum Fenster hinauswerfen? 10. Was sagte er zu ihr? 11. Was wollte er in den Zeitungen bekannt machen? 12. Kannte Beethoven Händels Musik?

I. Grammatical Terms

1. Verbs which express permission, ability, obligation, desire, and the like, are called modal auxiliaries:

   I *should* go, but I don't *want* to.

   Here the *modes* of obligation and desire are added to the idea of *go*.
2. Most modal auxiliaries are defective in English; that is, one can say: I *may*, I *can*, I *must*, I *should*, but to give the infinitive

---

[8] Italian   [9] accompaniment

or to form the present perfect, for example, it is necessary to resort to phrases like *to be able, to be permitted, I have had to,* etc.

II. The Modal Auxiliaries in German

1. There are six modals in German. In structure they are, with slight variations, weak verbs. They are not defective like the English modals and can be conjugated in all the tenses like any other weak verb. The auxiliary in the perfect tenses is haben.
2. In learning the meanings of the modals it is best to stress the English equivalent of the present tense because the meaning can here be reduced to a single word:

			Present
dürfen, to be permitted	durfte, gedurft	ich darf	I may, am permitted to
können, to be able to	konnte, gekonnt	ich kann	I can, am able to
mögen, to like to	mochte, gemocht	ich mag	I like (*sometimes:* may)
müssen, to have to	mußte, gemußt	ich muß	I must, have to
sollen, to be obliged to	sollte, gesollt	ich soll	I am to, am expected to
wollen, to want to	wollte, gewollt	ich will	I want to

Be careful to distinguish between:

ich muß = I must, *but:* ich mußte = I had to
ich soll = I am to, am supposed *or* expected to, *but:* ich sollte = I ought to, was to, was supposed *or* expected to

3. *The present tense of the modals is irregular in the singular:*

ich darf	ich kann	ich mag	ich muß	ich soll	ich will
du darfst	du kannst	du magst	du mußt	du sollst	du willst
er darf	er kann	er mag	er muß	er soll	er will
wir dürfen	wir können	wir mögen	wir müssen	wir sollen	wir wollen
ihr dürft	ihr könnt	ihr mögt	ihr müßt	ihr sollt	ihr wollt
sie dürfen	sie können	sie mögen	sie müssen	sie sollen	sie wollen
Sie dürfen	Sie können	Sie mögen	Sie müssen	Sie sollen	Sie wollen

4. Modals, though often used with dependent infinitives, are frequently employed as transitive verbs:

With dependent infinitive:

   Ich will jetzt **gehen.**   I want to go now.

As a transitive verb:

   Ich will **das** nicht.   I don't want that.

5. Verbs of motion like *to come, to go, to travel, to drive,* etc., and the verb *to do* are often omitted with modals. Sometimes only the separable prefixes of these omitted verbs are used:

Er will nach Boston.	He wants (to go, travel, drive) to Boston.
Er will hinaus.	He wants (to go) outside.
Willst du mit?	Do you want (to come) along?
Ich kann das auch.	I can (do) that too.

6. Characteristic of the modals is the so-called *double infinitive* construction in the perfect tenses. If there is a dependent infinitive with the modal, not the regular past participle (gedurft, gekonnt, gemocht, etc.) is used but another past participle which is identical with the infinitive form of the modal. This *double infinitive always stands last* in any clause.

 Study the following examples:

WITHOUT DEPENDENT INFINITIVE	WITH DEPENDENT INFINITIVE
Ich habe das nie **gekonnt.**	Ich habe das nie **tun können** (*instead of:* gekonnt).
I have never been able to do that.	I have never been able to do that.
Sie hat es nicht **gewollt.**	Sie hat es nicht **sagen wollen** (*instead of:* gewollt).
She didn't want it.	She didn't want to say it.
Das haben wir nie **gedurft.**	Das haben wir nie **tun dürfen** (*instead of:* gedurft).
We were never permitted to do that.	We were never permitted to do that.

7. Usually, this double infinitive construction is also shared by the following verbs:

helfen, to help:
Ich habe ihm den Brief schreiben helfen (*instead of:* geholfen).
I helped him write the letter.

hören, to hear:
Hast du ihn nicht kommen hören (*instead of:* gehört)?
Didn't you hear him coming?

lassen, to let, have:
Ich habe mir das Haar schneiden lassen (*instead of:* gelassen).
I had my hair cut.

sehen, to see:
Hast du ihn je arbeiten sehen (*instead of:* gesehen)?
Did you ever see him working?

Occasionally the regular past participles of the verbs listed immediately above will be found instead of the participles which are identical with the infinitives.

Wir haben ihn kommen **gehört**.
We heard him coming.

Note that kommen in the sentence: Hast du ihn nicht kommen hören? is to be translated by *coming*. This is the usual translation for the dependent infinitive with the verbs hören and sehen.

8. German modals as well as the verbs listed in § 7 above never use zu with the dependent infinitive. In translating from English to German be careful to omit the German equivalent of English *to*: I ought *to work* = Ich sollte **arbeiten**.

9. Besides the basic meanings of the modals given, there are idiomatic uses of which the most common are:

dürfen: Darf ich um das Salz bitten?
May I ask for the salt?, *i. e.*, Please, pass the salt.

Du **darfst** das **nicht** tun!
You *must not* do that (*i. e.*, dürfen with a negative usually means *must not*).

können: Ich kann Deutsch.
I know German (*i. e.*, I know how to read, speak, and write German).

Ich kann das Lied.
I know this song (*i. e.*, I know the text and its melody).

mögen: Das mag sein.   That may be.

sollen: Er soll furchtbar reich sein.
He *is said to* be terribly rich.

Es soll geregnet haben.
They say it rained *or* It *is said to* have rained.

wollen: Er will es selbst gesehen haben.
He *claims* he saw it himself.

Recapitulation of Main Points:

1. There are six modals in German: dürfen, können, mögen, müssen, sollen, and wollen.
2. The modals are irregular only in the singular of the present tense: ich (er) darf, ich (er) kann, ich (er) mag, ich (er) muß, ich (er) soll, ich (er) will.

    Mögen changes the g to ch in the past and past participle: mochte, gemocht.
3. Characteristic of the modals is the double infinitive construction. When a modal is used with a dependent infinitive in the perfect tenses, not the regular past participle (gedurft, gekonnt, gemußt, etc.) is used but another past participle which is identical with its infinitive (dürfen, können, etc.).
4. Usually, helfen, hören, lassen, sehen use the double infinitive in the perfect tenses when an infinitive is used with these verbs.
5. The modals are often used idiomatically. Remember especially that sollen (to be to, to be expected to) frequently means also *to be said to*, and wollen (to want to), *to claim to*.

Aufgabe vierzehn

6. Modals as well as the verbs helfen, hören, lassen, sehen do not use zu with the dependent infinitive: Er will kommen, He wants to come.
7. The double infinitive always stands last in any clause; the dependent infinitive precedes the past participle which is identical with the infinitive:

Er hat gestern kommen wollen. (*principal clause*)
He wanted to come yesterday.

Ich weiß nichts davon, daß er nach New York hat kommen wollen.

(*dependent clause*)
I don't know anything about the fact that he wanted to come to New York.

Übungen

I. Recognition Grammar

A. Translate:

1. Sie darf alles, was sie will. 2. Ich muß jetzt nach Hause. 3. Sie mußte sofort ins Krankenhaus (hospital). 4. Er mag keinen Tee. 5. Er wollte es ihr sagen, aber er konnte es nicht. 6. Der Hans im Schnakenloch (*Alsatian popular character*) hat alles, was er will; und was er will, das hat er nicht, und was er hat, das will er nicht. 7. Er soll eine große Fabrik (factory) in Amerika besitzen. 8. Können Sie mir sagen, wo ich meinen Wagen reparieren lassen kann? 9. Er wollte mit, aber er durfte nicht. 10. Die Liebe soll eine Torheit sein, aber wer will sein ganzes Leben lang gescheit sein? 11. Du sollst nicht stehlen. 12. Ich habe mir eine Dauerwelle (permanent wave) machen lassen. 13. In seinem Büro darf man die Füße nicht auf den Tisch legen. 14. Ich darf das zu Hause auch nicht. 15. Der Einfluß des Radios auf das Volk soll kolossal (tremendous) sein. 16. Ein Araber (Arab) kommt einmal zu seinem Nachbar (neighbor) und will sein Seil (rope) borgen (borrow). 17. Der Nachbar sagt: „Leider brauche ich es selber. Ich muß damit die Wüste (desert) anbinden." 18. „Du mußt

die Wüste anbinden? Warum?" 19. „Allah ist groß und läßt uns wunderbare Dinge mit einem Seil tun, wenn wir es nicht verleihen (lend) wollen."

B. Give the translation of the words in heavy print and describe their grammatical forms.

EXAMPLE

Er **konnte** nicht **hinein**. He couldn't get in. — **konnte** is past of können; **hinein** is the prefix of the omitted verb of motion.

1. Wir **mußten** zu Hause bleiben. 2. Ich **will** arbeiten. 3. Seine Frau **mochte** das nicht. 4. Sie haben uns nicht **kommen sehen**. 5. Es **soll** morgen regnen. 6. **Kannst** du das jeden Tag essen? 7. **Darf** ich fragen, wer Sie sind? 8. **Können** Sie mir sagen, wo das Kino ist? 9. **Darf** sie **mit**? 10. **Sollen** wir jetzt nicht lieber gehen? 11. Was **mußte** er noch in der Bibliothek? 12. Er **sollte** ein Buch holen. 13. Sie hat ihr Haar ganz kurz **schneiden lassen**. 14. Hast du ihn nicht **kommen sehen**? 15. Ich habe das nie **gedurft**. 16. Warum hat sie mit mir nicht **spazierengehen wollen**? 17. **Kannst** du Französisch? 18. Die Gesellschaft **darf** das, der einzelne nicht.

II. Active Grammar

A. Conjugate in the present tense:

1. sollen 2. wollen 3. dürfen 4. können 5. müssen 6. mögen

B. Give the proper form of the modal required:

1. Er (wants) nach Hause gehen. 2. Ich (know) Deutsch. 3. Er (likes) keinen Tee. 4. Du (must) deinen Eltern schreiben. 5. Ich (am permitted) heute nicht ins Kino. 6. Wer (can) das verstehen? 7. Er (is said to) sehr gescheit sein. 8. Ich (must) jetzt arbeiten. 9. Ich (had to) sehr früh aufstehen. 10. Er (could) alles, was er (wanted). 11. Wir (were permitted) mit einmal die Woche ins Theater gehen. 12. Er (was to) gestern schon hier sein, aber er (could) wahrscheinlich nicht.

146 — Aufgabe vierzehn

C. Infinitive form or past participle?

1. Wir haben arbeiten (müssen). 2. Wir haben das nicht (dürfen). 3. Er hat mitkommen (wollen). 4. Sie hat ihn heiraten (sollen). 5. Hast du mich nicht rufen (hören)? 6. Wo hast du dein Haar schneiden (lassen)? 7. Meine Mutter hat es (wollen). 8. Ich habe nicht schlafen (können). 9. Hast du es (können)?

D. Translate:

1. I have to go home now. 2. He had to stay at home. 3. I want to know one thing (eins). 4. I didn't want to see him (present perfect). 5. We heard her sing (present perfect). 6. He is said to be very stupid. 7. Can you tell me who she is? 8. We must go now. 9. Did she have to sing? 10. Didn't you see me coming (present perfect)? 11. I wanted (present perfect) to read that book but I was (present perfect) never able to get it.

E. Review exercises:

1. Give the principal parts of:

    Class I: schneiden, scheinen
    Class II: frieren, verlieren
    Class III: an=binden, sich befinden
    Class IV: mit=nehmen, bekommen
    Class V: geben, lesen
    Class VI: tragen, auf=schlagen (to open, *a book*, etc.)
    Class VII: heißen, rufen

2. Supply the past participles: (a) Ich habe es (mit=bringen). (b) Ich habe (nach=denken). (c) Wo hat es (brennen)? (d) Hast du das (wissen)? (e) Hast du ihn (kennen)?

Wortschatz

der Einfluß, –sses, –sse influence
der Wagen, –s, – wagon; coach; car
die Bibliothek, –, –en library
die Musikgeschichte, – history of music
die Sitte, –, –n custom
das Klavier', –s, –e piano
das Krankenhaus, –es, ⸚er hospital
das Volk, –es, ⸚er people

an=binden (a, u)   to tie (to)
auf=führen   to perform, produce
drohen   to threaten
geboren werden   to be born
heiraten   to marry, get married

äußerst   extremely
eigentlich   really
gescheit   clever, smart
gestern   yesterday
heftig   violent
möglich   possible
der oberste   the uppermost, top
sonderbarerweise   strangely (enough)

das Interésse, -s, -n   interest
der Komponíst, -en, -en   composer
das Konzért, -s, -e   concert
der Músiker, -s, -   musician
das Radio, -s, -s   radio
der Sänger, -s, -   singer (*male*)
die Sängerin, -, -nen   singer (*female*)
der Tee, -s   tea

imposánt   imposing
oft   often

komponie'ren   to compose
reparie'ren   to repair
stehlen (ie, a, o)   to steal

IDIOMS:

ein anderes Mal   some (an-) other time
einmal die Woche   once a week
sich etwas machen lassen   to have something done
mit= (*prefix*)   along
   mit=bringen   to bring (take) along
   mit=gehen   to go along
   mit=kommen   to come along

DISTINGUISH BETWEEN:

eigen   own
einige   a few
einzeln   single, individual
einzig   only, unique

das Ding, -es, -e   thing (*usually a concrete object*)
die Sache, -, -n   thing (*usually general*); *also:* matter
Note: *In translating from English to German, beware of using* Ding *or* Sache *every time "thing" is used; German often uses a pronoun:* one thing is certain   eins ist sicher

COGNATES:

die Arie, -, -n   aria
der Chor, -s, ⸚e   chorus; choir
die Figúr, -, -en   figure
der Fuß, -es, ⸚e   foot
das Haar, -es, -e   hair

Aufgabe fünfzehn

The Passive Voice

Der Freiherr von Münchhausen

Hieronymus Karl Friedrich, Freiherr[1] von Münchhausen, gilt heute als einer der größten Lügner aller Zeiten. Und doch war er, dieser lustige Jäger[2] und tapfere Soldat, alles andere als[3] ein Schwindler;[4] denn wenn wirklich gut gelogen wird,[5] wird das Lügen zur Kunst. Nun hatte Münchhausen an dem Russisch-Türkischen Kriege[6] teilgenommen, und als er nach Deutschland zurückgekehrt war, erzählte er seinen Freunden die unglaublichsten Geschichten von seinen Abenteuern in Rußland und in der Türkei'.[7] Natürlich wußten seine Gäste recht gut, daß diese Geschichten mehr Dichtung als Wahrheit waren, aber das machte nichts; denn die Hauptsache[8] war, daß man sich bei einer Flasche Wein gut unterhalten konnte. Münchhausens Geschichten erschienen mit anderen zusammen in einer Sammlung unter dem Titel: „Vademecum[9] für lustige Leute".

Aber wirklich berühmt wurde der Freiherr erst in England. Dort erschien ein Buch mit dem Titel: The Original Adventures of Baron Münchhausen. Es war von einem deutschen Professor aus Kassel[10] herausgegeben worden.[11] Der Herr Professor Raspe — das war sein Name

[1] baron. — Münchhausen lived from 1720 to 1797. [2] hunter [3] anything but [4] liar, swindler [5] for if lying is well done [6] Russo-Turkish War (1768–74) [7] Turkey [8] main thing [9] handbook [10] name of a German city [11] edited

148—

— brauchte nämlich[12] Geld. Daß ein Professor Geld brauchte, war natürlich nichts Neues, aber dieser Professor hatte eine etwas originelle Art,[13] sich Geld zu verschaffen.[14] So originell war seine Methode, daß die Polizei sich sehr für ihn interessierte und er Deutschland verlassen mußte. Übrigens mußte er auch später England wieder verlassen; er zog nach Irland, wo er dann gestorben ist.

Raspes Buch kam nun nach Deutschland und wurde dort von dem Dichter Gottfried August Bürger, einem Zeitgenossen[15] Goethes und Schillers, dieser größten deutschen Dichter, frei übersetzt. Das Buch wurde sehr beliebt, trotz seines langen Titels: „Wunderbare Reisen zu Wasser und zu Lande, Feldzüge[16] und lustige Abenteuer des Freiherrn von Münchhausen, wie er dieselben bei einer Flasche im Zirkel[17] seiner Freunde zu erzählen pflegt."

Aus Bürgers freier Übersetzung soll hier nun ein Abenteuer Münchhausens noch freier nacherzählt[18] werden.

Der Freiherr wurde einmal von den Türken[19] gefangengenommen und an den Sultan als Sklave verkauft. Er mußte jeden Tag die Bienen des Sultans auf die Weide treiben.[20] Einmal aber wurde eine Biene von zwei Bären überfallen. Münchhausen warf seine Axt nach den Bären, aber sie flog auf den Mond. Er pflanzte nun eine türkische Bohne, und die Bohne wuchs zum Mond hinauf. Darauf kletterte er auf der Pflanze zum Mond hinauf und holte sich seine Axt wieder. Inzwischen aber war die Pflanze verdorrt,[21] und er konnte nicht wieder herunter. Er nahm also Stroh und flocht[22] daraus einen Strick. Diesen band er an einem Horn des Mondes fest. Der Strick war aber nicht lang genug, und so schnitt Münchhausen jedesmal, wenn er unten ans Ende des Strickes kam, den Strick oben ab und band ihn unten wieder an. So kam er beinahe zur Erde. Beinahe — denn als er noch in den Wolken war, zerriß der Strick, und Münchhausen fiel tief in die Erde hinein. Das Loch, das er machte, war so tief, daß er nicht herausklettern konnte. Glücklicherweise

[12] you know [13] manner [14] procure [15] contemporary [16] campaigns
[17] circle [18] re-told [19] Turks [20] drive to pasture [21] dried up
[22] from: flechten (o, o), to braid

— Aufgabe fünfzehn

aber waren ihm die Fingernägel[23] inzwischen so lang gewachsen, daß er sich damit eine Treppe graben konnte und so wieder auf die Erde zurückkam.

Fragen

1. Wer war der Freiherr von Münchhausen? 2. An welchem Kriege hatte er teilgenommen? 3. Was erzählte er seinen Freunden? 4. Wo wurde der Freiherr erst wirklich berühmt? 5. Wer hatte das Buch herausgegeben? 6. Warum mußte der Professor Deutschland verlassen? 7. Was ist der Unterschied (difference) zwischen einem deutschen Professor und einem Professor des Deutschen? 8. Wer hat das englische Buch ins Deutsche übersetzt? 9. Wer waren Goethe und Schiller? 10. Von wem wurde der Freiherr gefangengenommen? 11. Was mußte er für den Sultan tun? 12. Werden die Bienen auf die Weide getrieben? 13. Von wem wurde die Biene überfallen? 14. Was warf Münchhausen nach den Bären? 15. Wohin flog die Axt? 16. Wie kam Münchhausen auf den Mond? 17. Wachsen die Bohnen in Boston auch so hoch? 18. Was band er an dem Horn des Mondes fest? 19. Wo war er, als der Strick zerriß? 20. Wie kam er aus dem Loch in der Erde?

I. Grammatical Terms

1. In the *active voice* the subject *performs* the action:

    The people *elect* a president.

2. In the *passive voice* the subject *receives* the action:

    A president *is elected* by the people.

3. Note how the object in the active sentence becomes the **subject** in the passive.

4. The *agent* or *instrument* is expressed by the preposition *by:*

    by the people

5. In English, the passive is formed by using the auxiliary *to be* with the past participle of the main verb:

    is elected

[23] fingernails

II. The Passive Voice in German

1. In German the passive voice is expressed by **werden** with the past participle of the main verb:

> Die Geschichte **wird** von vielen geglaubt.
> The story is believed by many.

2. Agency (*by whom* something is done) is expressed by **von** (with the dative); instrumentality (*by means of which* something is done) is expressed by **durch** (with the accusative):

> Das Lied wurde viel **von** den Soldaten gesungen.
> The song was sung much by the soldiers.
>
> Der Krieg wurde **durch** Luftangriffe gewonnen.
> The war was won by air raids.

Whenever the idea of instrumentality is not specially emphasized, von or durch may be used:

> Das Unternehmen ist **von seiner Bank** (*or:* **durch seine Bank**) finanziert worden.
> The enterprise was financed by (*or:* through) his bank.

3. **Werden** is the auxiliary of the passive voice. Accordingly, **werden** *is the verb that is conjugated.* The past participle of the main verb (i. e., **geglaubt** in the examples below) remains unchanged:

Present:	Es **wird** von vielen geglaubt.
	It is believed by many.
Past:	Es **wurde** von vielen geglaubt.
	It was believed by many.
Pres. perfect:	Es **ist** von vielen geglaubt **worden**.
	It has been believed by many.
Past perfect:	Es **war** von vielen geglaubt **worden**.
	It had been believed by many.

Aufgabe fünfzehn

Future: Es **wird** von vielen geglaubt **werden**.
It will be believed by many.

Fut. perfect: Es **wird** von vielen geglaubt **worden sein**.
It will have been believed by many.

Note that the perfect tenses require **worden** *and not* geworden.

4. When in the active sentence the object is in the dative, the dative is retained in the passive:

Das dient **dem Staate** nicht.
That does not serve the state.

Dem Staat wird dadurch nicht gedient.
The state is not served by that.

Das hilft **mir** nicht.
That doesn't help me.

Mir wird dadurch nicht geholfen.
I am not helped by that.

5. When **man** is the subject in an active sentence, **man** is omitted in the passive:

ACTIVE: **Man** fragt ihn selten.
PASSIVE: Er wird selten gefragt.

6. Sometimes the passive is used in an impersonal way:

Es wurde laut gesprochen und gelacht.
There was loud talking and laughing.

Es wird behauptet, daß . . .
They claim that . . .

The impersonal pronoun **es** of this construction is omitted when some other element begins the sentence:

Es wurde ab und zu gesungen. } Now and then there was singing.
Ab und zu wurde gesungen.

The Passive Voice in German

7. Certain constructions in German, though active, are best translated by the passive in English:

   man: Man denkt (sagt, etc.), daß . . .
   It is thought (said, *etc.*) that . . .

   SOME REFLEXIVES: Das versteht sich.
   That's understood.

   INFINITIVE WITH sein: Was war zu machen?
   What was to be done?

   (sich) lassen WITH INF.: Das läßt sich machen.
   That can be done.

   RULE OF THUMB: Translate the impersonal läßt sich (ließ sich, *etc.*) by "can be" (could be, *etc.*).

8. When called upon to change a sentence from the active to the passive, the following procedure is advisable:

   ACTIVE: Nur wenige Leute haben den Mann gesehen.

   a) The object becomes the subject: der Mann (*nominative*);
   b) the verb must be in the same tense but passive voice: ist gesehen worden (*present perfect*);
   c) the subject becomes the agent: nur von wenigen Leuten (*dative plural*).

   PASSIVE: Der Mann ist nur von wenigen Leuten gesehen worden.

9. Occasionally, the past participle is used with sein to express a *state* or *condition* rather than a *passive action:*

   CONDITION: Die Fenster sind geschlossen.
   The windows are closed.

   PASSIVE: Die Fenster werden geschlossen.
   The windows are *being* closed.

Recapitulation of Main Points:

1. The German passive voice requires **werden** with the **past participle**:

    Der Präsident wird gewählt.

2. In the perfect tenses, **worden** is used instead of geworden:

    Der Präsident ist gewählt **worden**.

3. Agency is expressed by **von** (with the dative), instrumentality by **durch** (with the accusative):

    Der Präsident ist **vom** Volk gewählt worden.
    Der Präsident ist **durch die** Armee gestürzt worden.

    However, if the idea of instrumentality is not to be emphasized, either durch or von may be used (*see* § 2 *above*).

4. The dative object in an active sentence is unchanged in the passive:

    ACTIVE: Man hilft mir (*present tense*).
    PASSIVE: Mir wird geholfen (*present tense*).

Übungen

I. Recognition Grammar

A. Translate:

1. Erst etwas später wurde er berühmt. 2. Er wurde von seinen Feinden gefangengenommen. 3. Wodurch ist das Buch so schmutzig (dirty) geworden? 4. Warum ist das Buch übersetzt worden? 5. Man hat es auf deutsch nicht lesen können. 6. Oben wird der Strick abgeschnitten und unten wieder angebunden. 7. Ein tiefes Loch wurde gegraben und alles Gold und Silber hineingeworfen. 8. Ein Buch liest sich nicht von selbst (by itself). 9. Entweder man liest es, oder man liest es nicht. 10. Etwas anderes läßt sich nicht damit anfangen (to do). 11. Die Pflanze ist sehr gewachsen. 12. Er galt als ein weiser König und ein tapferer Soldat. 13. Das hat sich leider nicht machen lassen. 14. Einem

solchen Menschen ist nicht zu helfen. 15. Das Problem ist, die Art vom Monde herunterzuholen. 16. Wie ist die Art vom Mond herunterzuholen? 17. Wir lassen uns nicht leicht täuschen (deceive). 18. Man glaubt, daß er gefangengenommen ist. 19. Dieses Buch läßt sich nicht gut übersetzen. 20. Auf einmal wurde geschossen (schießen, to shoot).

B. Explain the following substitutes for the passive, and the impersonal verbs:

1. Man hält ihn für einen Schwindler. 2. Das läßt sich nicht so leicht sagen. 3. Es wurde viel darüber gesprochen, aber es wurde wenig getan. 4. Es war nichts zu sehen. 5. Es ist anzunehmen (an=nehmen, to assume), daß er gefangengenommen wurde. 6. Es ist kaum zu glauben. 7. Es wurde die ganze Nacht gesungen und getanzt. 8. Morgen aber wird gearbeitet! 9. Als er seine Geschichte erzählte, wurde laut gelacht. 10. In jedem Kriege wird viel gelogen.

C. In the following sentences, werden is used as an independent verb or as the auxiliary of the future or as the auxiliary of the passive. Give the tense and explain the use of werden:
1. Er wird selten gefragt. 2. Die Pflanze wird nicht mehr wachsen. 3. Das Buch wird überall gelesen werden. 4. Wir werden Geld brauchen. 5. Was ist aus ihm geworden? 6. Warum ist ein solcher Mann gewählt (to elect) worden? 7. Wir werden ein Loch graben. 8. Wir werden spazierengefahren (taken for a ride) werden. 9. Es wird zuviel gelogen. 10. Es wird kalt werden. 11. Es ist warm geworden. 12. Es ist noch nicht übersetzt worden.

D. Explain the use of von and durch in the following:

1. Von wem ist dieses lange Gedicht? 2. Der Brief ist von meinem Freund. 3. Die Katze kam durch das Loch in der Tür. 4. Durch diese Leistung (achievement) wurde er berühmt. 5. Er wurde von der Polizei gesucht. 6. Ihnen wurde durch Pakete aus Amerika geholfen. 7. Durch die Inflation verlor er sein ganzes Geld. 8. Wenn ich mich nicht irre, ist das von Goethe.

II. Active Grammar

A. Give a synopsis (the same **person and number of a verb form** in all its tenses) of:

1. Er wird berühmt. 2. Er wird nicht gefragt. 3. Ich werde krank.
4. Du wirst gesehen.

B. Change the following sentences from the active to the passive. Be sure to retain the *tense* of the active:

1. Keiner liest diese Zeitung. 2. Sein Bruder hat ihn gefunden. 3. Ein Dichter übersetzte dieses Buch. 4. Kein Mensch wird solch eine Geschichte glauben. 5. Münchhausen band sein Pferd an einen Kirchturm (church steeple) an. 6. Ein reicher Mann hatte das Haus gekauft. 7. Man glaubte es ihm nicht. 8. Man sang und lachte laut. 9. Wer hat ihm geholfen? 10. Man hat ihn gestern gesehen.

C. Translate:

1. He became very rich. 2. It was bought in Leipzig. 3. We shall not be asked. 4. This song was sung by Caruso (*use present perfect*). 5. It was translated by Goethe. 6. It was bought but not used. 7. They say (use *man*) that love makes blind. 8. The collection was sold by the owner (der Besitzer). 9. That makes no difference, it will not be believed. 10. He is having his car washed.

D. Review exercises:

1. Translate: (a) Ich kann das nicht. (b) Er soll sehr krank gewesen sein. (c) Wir mußten mit. (d) Du mußt mehr essen. (e) Darfst du das? (f) Willst du es nicht? (g) Er sollte es mitbringen, aber er hat es vergessen.

2. Change to the present perfect: (a) Du kannst das nicht. (b) Er soll mitkommen. (c) Dürft ihr das tun? (d) Wir wollen keinen Tee. (e) Muß sie arbeiten?

Wortschatz

der Bär, -en, -en   bear
der Feind, -es, -e   enemy
der Krieg, -es, -e   war
der Lügner, -s, —   liar
der Mond, -es, -e   moon
der Soldat, -en, -en   soldier
der Strick, -es, -e   rope

die Art, —, -en   manner, way
die Biene, —, -n   bee
die Bohne, —, -n   bean
die Erde, —   earth
die Flasche, —, -n   bottle
die Kunst, —, ⸚e   art
die Reise, —, -n   travel, trip
die Sammlung, —, -en   collection
die Treppe, —, -n   stairs
die Übersetzung, —, -en   translation
die Wahrheit, —, -en   truth
die Wolke, —, -n   cloud

das Abenteuer, -s, —   adventure
das Loch, -es, ⸚er   hole
das Stroh, -es   straw

    ab=schneiden (i, i)   to cut off
    fliegen (o, o)   to fly
    fest=binden (a, u)   to tie (to)
    gebrauchen   to use
    gefangen=nehmen (a, o), nimmt gefangen   to capture
    gelten (a, o), gilt   to be considered
    graben (u, a), gräbt   to dig
    klettern   to climb

lügen (o, o)   to lie, tell a lie
pflegen   to be accustomed to
teil=nehmen (a, o), nimmt teil (an)   to participate (in)
überfallen (ie, a), überfällt   to attack
verlassen (ie, a), verläßt   to leave
wachsen (u, a), wächst (ist)   to grow
werfen (a, o), wirft   to throw
zerreißen (i, i)   to tear to pieces

als (*conj.*)   when
darauf   thereupon, then
doch   yet
erst (*with expressions of time*)   not until, not before, only
genug   enough
glücklicherweise   fortunately
heute   today, nowadays
inzwischen   in the meanwhile, meantime
jedesmal   each time
kaum   hardly, scarcely
tapfer   brave
unglaublich   unbelievable
unten   below (*also:* downstairs)
wenig   little
wunderbar   strange, miraculous

IDIOMS:

das macht nichts   that makes no difference, that doesn't matter
kein Mensch   nobody, not a soul

DISTINGUISH BETWEEN THE ADVERBS: oben   above, unten   below; THE PREPOSITIONS: über   over, unter   under; THE NOUNS: die Kunst   art, die Art   manner

Aufgabe fünfzehn

COGNATES:

die Axt, -, -̈e ax
der Gast, -es, -̈e guest
das Horn, -s, -̈er horn
die Inflatiōn, -, -en inflation
die Methōde, -, -n method
die Pflanze, -, -n plant
die Polizei', - police
[das] Rußland, -s Russia
der Sklave, -n, -n slave
der Titel, -s, - title

der Wein, -es, -e wine
der Zirkel, -s, - circle

lachen to laugh
pflanzen to plant

frei free(ly)
nämlich "namely," that is, (as) you (must) know
originéll original
tief deep(ly)

Aufgabe sechzehn

Relative Pronouns

Die Büros bleiben

Fürst Metternich, der österreichische Kanzler,¹ der fast ein Menschenalter lang die Politik Europas mitbestimmte,² dessen Name heute noch ein Synonym für Reaktion ist, dem alles Revolutionäre zuwider³ war und den der wachsende Nationalismus in Europa daher sehr beunruhigte, saß in seinem Arbeitszimmer, während draußen die Revolution von 1848 (achtzehnhundertachtundvierzig) durch die Straßen seines geliebten Wien⁴ zog. Vor ihm lag ein Dokument, das ihn zwingen sollte, abzudanken⁵ und das nur noch auf seine Unterschrift⁶ wartete. Er hatte lange gezögert, sein Amt niederzulegen.⁷ Endlich aber nahm er die Feder in die Hand und unterzeichnete das Dokument. Seine Macht war zwar schon längst gebrochen, aber hiermit war die Reaktion nun offiziell⁸ zu Ende. Metternich klingelte, und sein Geheimrat⁹ trat ein.

„Nehmen Sie bitte dieses Dokument und lassen Sie es den üblichen Weg gehen," befahl der Fürst. Der Geheimrat kannte diesen üblichen Weg nur zu gut. Er führte durch unzählige Büros und durch die Hände unzähliger Beamter, deren Blut schon zu Tinte geworden war und denen alles Ungestempelte¹⁰ etwas Verdächtiges, ja geradezu Unmenschliches zu haben schien. Aber der Geheimrat war schließlich auch ein Beamter und

¹ Prince Metternich (1773–1859), Austrian chancellor   ² helped determine
³ offensive   ⁴ Vienna   ⁵ abdicate   ⁶ signature   ⁷ to resign from his post
⁸ officially   ⁹ privy councillor   ¹⁰ everything unstamped

— 159

Aufgabe sechzehn

er wußte, daß Büros nötig sind — so nötig wie die Steuern,[11] das Militär und alles andere, was im Leben unangenehm ist.

Der Geheimrat nahm das Dokument und ging damit zur Tür. Dann blieb er stehen, wandte sich um und sagte: „Ich tue es ungern, wie Exzellenz wissen, denn Exzellenz waren immer ein guter und milder Herr, und ich denke ja auch nicht an mich, sondern an die da," und er machte eine Handbewegung in der Richtung der Büros. „Was soll aus denen werden?"

Metternich ging auf den Geheimrat zu und legte seine Hand freundlich auf dessen Schulter. „Mein lieber Herr Rat," sagte er, „machen Sie sich keine Sorgen um die. Monarchien[12] werden gestürzt, und aus ihnen werden Republiken;[13] Republiken können auch gestürzt werden, aber die Büros — die bleiben in alle Ewigkeit!"

Fragen

1. Wer war Fürst Metternich? 2. Wofür war sein Name ein Synonym? 3. Ist er mit der Revolution durch die Straßen Wiens gezogen? 4. Was lag vor ihm, als er in seinem Arbeitszimmer saß? 5. Hat er sein Amt gerne niedergelegt? 6. Wann war die Reaktion in Österreich offiziell zu Ende? 7. Welchen Weg sollte das Dokument gehen? 8. Was ist der übliche Weg für ein Dokument? 9. Woher (Where from? = Why?) wußte der Geheimrat, daß Büros nötig sind? 10. Was ist so nötig in einem Land wie die Büros? 11. Was tat der Geheimrat ungern? 12. Dachte er dabei an sich selbst? 13. Was antwortete Metternich? 14. Was geschieht mit (happens to) den Büros, wenn Monarchien oder Republiken gestürzt werden?

I. Grammatical Terms

1. *Relative pronouns* are pronouns which refer to some noun in the preceding clause; they are words like *who, which, that*, etc.:

   The state *to which* he refers was not a democracy.

[11] taxes   [12] monarchies   [13] republics

2. The word to which the relative pronoun refers is called the *antecedent*:

Nationalism, which was steadily growing, disquieted him.

3. The case of the relative pronoun depends on the latter's function in the relative clause:

The young woman *whom* my friend finally married was quite plain.

In the sentence just cited, the relative pronoun *whom* is in the objective or accusative case because it is the direct object of *married*.

II. The Relative Pronoun in German

1. The relative pronoun der (die, das) is identical with the demonstrative:

	Masc.	*Fem.*	*Neuter*	*Plural*
NOM.	der	die	das	die
GEN.	**dessen**	**deren**	**dessen**	**deren**
DAT.	dem	der	dem	denen
ACC.	den	die	das	die

The forms of the der-word welcher are also used as relative pronouns. Both forms, der and welcher, can always be used interchangeably, though never in the genitive case: *The genitive of both relatives is always* dessen *or* deren.

	Masc.	*Fem.*	*Neuter*	*Plural*
NOM.	welcher	welche	welches	welche
GEN.	**dessen**	**deren**	**dessen**	**deren**
DAT.	welchem	welcher	welchem	welchen
ACC.	welchen	welche	welches	welche

2. The relative pronoun agrees with its antecedent in number and gender, but its case depends on the function it serves in its own (dependent) clause:

NOM. Metternich, der die Politik Österreichs leitete, ...
Metternich *who* led the politics of Austria ...

GEN. Metternich, dessen Name ein Synonym für Reaktion ist, ...
Metternich *whose* name is a synonym for reaction ...

DAT. Metternich, dem alles Revolutionäre zuwider war, ...
Metternich *to whom* everything revolutionary was offensive ...

ACC. Metternich, den der wachsende Nationalismus beunruhigte, ...
Metternich *whom* the growing nationalism disquieted ...

3. The German finite verb of a relative clause stands at the end:

Metternich, der damals Minister war, ...
Metternich who at that time was minister ...

Die Revolution, die in fast allen Ländern gleichzeitig ausgebrochen war, ...
The revolution which had broken out in almost all the countries at the same time ...

A relative clause in German must *always* be set off from the main clause by a comma (or commas).

4. Since the forms of the relative pronoun der (die, das) are identical with those of the demonstratives, the position of the finite verb indicates which pronoun is used, and how, consequently, the pronoun is to be translated: When the finite verb stands at the end, it is a relative pronoun; if the verb immediately follows the pronoun, it is a demonstrative:

RELATIVE	DEMONSTRATIVE
Denken Sie nicht an die Büros, die ja ewig sind.	Denken Sie nicht an die Büros, die sind ja ewig.
Don't think of the bureaus, which, to be sure, are eternal.	Don't think of the bureaus; *they* are eternal, to be sure.

RELATIVE	DEMONSTRATIVE
Das ist ein Beamter, auf **den** man sich verlassen **kann**.	Das ist ein Beamter, auf **den kann** man sich verlassen.
That is an official on *whom* one can rely.	That is an official; one can rely on *him*.

5. **Wer** (followed by a demonstrative in the subsequent clause) is used where the English employs the compound relative (*whoever; he who*):

   Wer das nicht versteht, **dem** kann man nicht helfen.
   Whoever (He who) does not understand that cannot be helped.

   Wer einmal lügt, **dem** glaubt man nicht,
   und wenn er auch die Wahrheit spricht.
   He who lies once is not believed even though he speaks the truth.

6. **Was** is used as a relative when referring to:

   a) an indefinite neuter antecedent like alles, nichts, etwas, etc.:
   Alles, **was** er sagt, ist Unsinn.
   All that he says is nonsense.

   b) a superlative neuter adjective used as a noun:
   Das ist **das Beste, was** darüber geschrieben worden ist.
   That is the best that has been written about it (that).

   c) a whole clause; it is then often translated by *a thing which* or *a fact which*:
   Der Nationalismus wurde immer gefährlicher, was ihn beunruhigte.
   Nationalism was becoming ever more dangerous, (*a fact*) *which* disquieted him.

Wer and **was** are never used as regular relative pronouns in German.

7. **Wo-compounds.** Just as English occasionally uses where-compounds (wherein, wherewith, *etc.*) as a substitute for relative pronouns (in which, with which, *etc.*), so German frequently uses wo-compounds (wodurch, wogegen, *etc.*) in place of relative pronouns (durch das, gegen das, *etc.*) when the relative refers to an inanimate object:

> Das ist der Stock, womit (*or:* mit dem) er ihn geschlagen hat.
> That is the stick *with which* he hit him.

In translating such compounds, translate the preposition and add *which:* wofür *for which;* worin *in which, etc.*

NOTE: If the preposition begins with a vowel, an **r** is inserted: woran, woraus, worin, *etc.*

8. The relative pronoun is *never* omitted in German:

> Ist das der Mann, den sie geheiratet hat?
> Is that the man she married?

Recapitulation of Main Points:

1. The relative pronouns are: der, die, das; they are declined like the demonstratives. They are never omitted in German.
2. Sometimes welcher is used, but the genitive forms must be dessen or deren.
3. The relative pronoun agrees with its antecedent in number and gender but its case depends on its function in its own clause.
4. The finite verb appears at the end of the relative clause.
5. Wer translates the compound relative *He who* or *Whoever*.
6. Was refers to an indefinite neuter antecedent like nichts, alles, etwas, to superlative neuter adjectives used as nouns, and to clauses (often translated by *a thing which, a fact which*).
7. Wer and was are not used as regular relative pronouns.
8. Wo(r)-compounds often substitute for relative pronouns which are preceded by a preposition and refer to inanimate objects.

Übungen

I. Recognition Grammar

A. Translate:

1. In England ist alles erlaubt, was nicht ausdrücklich verboten ist.
2. In Deutschland ist alles verboten, was nicht ausdrücklich erlaubt ist.
3. In Frankreich ist alles erlaubt, was ausdrücklich verboten ist. 4. Wer nicht kann, was er will, muß wollen, was er kann. 5. Sie sah sehr blaß aus (aus=sehen = to look), was ihre Mutter natürlich sehr beunruhigte. 6. Er zögerte zu unterschreiben, was an sich (in itself) schon verdächtig war. 7. Ich denke an die unzähligen Menschen, deren Blut in der Revolution vergossen (vergießen = to spill) wurde. 8. Die Richtung, die seine Politik nahm, war geradezu radikal. 9. Diese Bewegung, deren Macht zu dieser Zeit noch nicht groß war, sollte die stärksten Monarchen Europas stürzen. 10. Und so geht es mit Gesang von dem einen Restaurant in das andre Restaurant. 11. Jedes Dokument, welches in seine Hände kam, mußte unterschrieben sein. 12. Die Jugendbewegung hatte etwas Politisches an sich, was mir nie gefallen hat. 13. Er hatte eine unangenehme Art, in jeder Gesellschaft, in der er sich befand, über Politik zu reden. 14. Der Kanzler, dem der Plan des Königs nicht nur der reinste (purest) Unsinn sondern auch gefährlich zu sein schien, zögerte, ihn ausführen (execute) zu lassen. 15. Schließlich heiratete er sie, was er später bitter bereute (regretted). 16. Viele Bücher, die für die Ewigkeit geschrieben wurden, erleben (to go through) nicht einmal eine zweite Auflage (edition). 17. Von der Politik, von der er stundenlang reden konnte, verstand sie fast gar nichts.

B. State whether the pronoun in the following is a relative or a demonstrative and identify the case:

1. Er ging auf den Mann zu und fragte ihn nach **dessen** Schwester.
2. Der Kanzler, **dessen** Politik jedermann bekannt war, war ein Reaktionär. 3. Ich glaube nichts von **dem, was** er uns da erzählt hat. 4. Wer **den** kennt, **der** gibt ihm keinen Pfennig. 5. Ich aber sage euch: Liebet **die, die** euch hassen (hate). 6. Die Bewegung und **deren** Anhänger

Aufgabe sechzehn

(adherents) waren verdächtig. 7. Die Revolution, **der** das Militär schließlich ein Ende machte, kostete unzählige Menschenleben. 8. Wir vergeben **denen, die** uns langweilen (bore), aber nie denen, **die** wir langweilen. 9. Er hat alles, **was** er will. 10. Sie sagt, er ist ihr zu dumm, **was** ich verstehen kann.

II. Active Grammar

A. Decline the relatives:

1. der   2. die (*feminine*)   3. das   4. die (*plural*)   5. welcher

B. Supply the proper form of the relative:

1. Der Student, (who) hier war, ...   2. Der Mann, (whose) Namen ich vergessen habe, ...   3. Ihr Mann, (whom) sie lange nicht gesehen hatte, ...   4. Der Junge, (to whom) ich das Geld gegeben habe, ...   5. Die Studentin, mit (whom) er gesprochen hat, ...   6. Die Bibliothek, in (which) er arbeitete, ...   7. Das Dokument, (which) vor ihm lag, ...   8. Die Leute, von (whom) ich lange nichts gehört habe, ...   9. Die Feder, mit (which) er das Dokument unterschrieb, ...   10. Die Diktatoren, (whose) Tage gezählt (counted) sind, ...   11. Die Stadt, in (which) er gezogen ist ...

C. Use welcher as a relative in the following:

1. Der Prinz, (who) die Prinzessin heiratete, ...   2. Der Prinz, (whom) die Prinzessin heiratete, ...   3. Die Leute, (whom) er vor sich sah, ...   4. Das Buch, (which) er vor seinem Tod geschrieben hatte, ...   5. Die Zeitungen, für (which) er sich interessierte, ...   6. Die Frau, (whose) Mann gestorben war, ...   7. Das Kind, (whose) Eltern in Europa sind, ...   8. Das Blut, (which) vergossen wurde, ...

D. Translate:

1. A man who believes that is an ass.   2. The woman he marries must be rich.   3. I want a girl who can cook (kochen).   4. He likes people who have money.   5. Those are things about which we do not speak.   6. People whose family he does not know are

not welcome (willkommen). 7. The clothes she buys! 8. Is that all you have to say? 9. Is this the boy you mean (meinen)? 10. That is the best he has written.

E. Review exercises:

1. Translate: (a) Er wird das nie sagen. (b) Man sagt, daß das nicht wahr ist. (c) Es ist kalt geworden. (d) Der Diktator ist umgebracht worden. (e) Es wurde laut gesprochen und gelacht. (f) Das Gedicht ist von einem berühmten Dichter.
2. Change to the same tense of the passive: (a) Eine Studentin hat das Buch übersetzt. (b) Kein Mensch glaubte diese Geschichte. (c) Ein Ausländer (foreigner) wird das Haus kaufen. (d) Wer liest die Zeitung?

Wortschatz

der Beamte, -n, -n (ein Beamter) official
der Fürst, -en, -en prince

die Bewegung, -, -en movement
die Ewigkeit, -, -en eternity
die Feder, -, -n pen; feather
die Jugend, - youth (as a collective for: young people)
die Macht, -, ⸚e power, might
die Richtung, -, -en direction
die Tinte, -, -n ink

das Amt, -es, ⸚er office
das Leben, -s, - life

[das] Frankreich, -s France
[das] Österreich, -s Austria

befehlen (a, o), befiehlt to order, command
beunruhigen to disquiet

brechen (i, a, o) to break
ein-treten (a, e), tritt ein (ist) to enter
erlauben to permit, allow
führen to lead
klingeln to ring (a bell)
reden to talk, speak
stürzen to overthrow (also: to fall headlong)
vergeben (i, a, e) to forgive
ziehen (zog, ist gezogen) to move, wander
zögern to hesitate
zwingen (a, u) to force

ausdrücklich expressly, explicitly
draußen outside
fast almost
geradezu downright, absolutely
hiermit with this
jedermann everybody
längst for a long time (past)

Aufgabe sechzehn

nötig necessary
üblich usual
unangenehm disagreeable
unmenschlich inhuman
unzählig innumerable, countless
verdächtig suspect
zwar to be sure

IDIOMS:

zu Ende sein to be over
ich denke ja auch nicht an mich I am not thinking of myself, to be sure
etwas ungern tun to dislike doing something
auf (jemand) zu=gehen to go (walk) toward someone

COGNATES:

das Blut, -es blood
das Büro, -s, -s bureau (*of government*), office
der Diktator, -s, -ōren dictator
das Dokument, -es, -e document
die Exzellénz, -, -en excellency
der Kanzler, -s, - chancellor
das Militär, -s "the military," army
der Monárch, -en, -en monarch
der Nationalismus, nationalism
der Plan, -es, "e plan
die Reaktion, -, -en reaction
das Restaurant, -s, -s (*pronounce* au *like* o, -ant *like* -ang) restaurant
die Revolution, -, -en revolution
das Synonym, -s, -e synonym

bitter bitter(ly)
mild mild(ly)
reaktionär reactionary
revolutionär revolutionary

Aufgabe siebzehn

Conjunctions and Word Order

Eine Sage aus dem Mittelalter

Im Mittelalter glaubte man, daß eine Stadt nicht zerstört werden konnte, wenn man in einen ihrer Türme ein lebendiges Kind einmauerte.[1] Auf diesem grausamen Aberglauben beruht die folgende Geschichte, die man sich aus Magdeburg in der Provinz Sachsen erzählt.

Das sogenannte Krötentor[2] war fertig geworden, und man suchte nun nach einem Opfer. Das Los fiel auf den einzigen Sohn einer armen Witwe. Als die arme Frau davon hörte, geriet sie fast außer sich[3] vor Angst, aber sie erinnerte sich sofort daran, daß man dem Kinde kurz vor dem Einmauern ein Stück Brot und ein Goldstück vorzulegen[4] pflegte. Nahm es das Goldstück, so wurde es eingemauert; nahm es aber das Stück Brot, so wurde das Goldstück eingemauert, und das Kind wurde den Eltern zurückgegeben. Die Frau gab also dem Kind tagelang nichts zu essen, denn sie hoffte, es würde aus Hunger das Brot nehmen. Doch das Kind nahm trotzdem das Goldstück und wurde daher eingemauert.

Viele Jahre später, als diese grausame Sitte nur noch[5] eine Sage war, zog der Dreißigjährige Krieg[6] durch Deutschland. Um sich einen Begriff von dieser Katastrophe zu machen, muß man bedenken, daß Deutschland

---

[1] walled up   [2] "Toad's Gate"   [3] beside herself   [4] to put before   [5] nur noch = only, nothing but   [6] Thirty Years' War (1618–48)

170 — Aufgabe siebzehn

zu Beginn des Krieges achtzehn (18) Millionen Einwohner hatte, während nur vier Millionen das Ende des Krieges erlebt haben. Ackerbau und Industrie' waren so vollkommen zerstört, daß es beinahe zweihundert Jahre dauerte, ehe Deutschland seinen alten Wohlstand[7] wieder erreichen konnte. Auch Magdeburg wurde so vollkommen zerstört, daß kaum ein Stein auf dem anderen blieb. Nur das Krötentor überlebte den Krieg. Ob es auch heute noch steht?

Fragen

1. Was für ein Aberglaube herrschte im Mittelalter? 2. Von welchem Tor Magdeburgs erzählt man sich diese Sage? 3. Auf wen fiel das Los? 4. Woran erinnerte sich die arme Witwe? 5. Was tat die Frau, damit das Kind nicht das Goldstück nehmen würde? 6. Was nahm das Kind trotzdem? 7. Welcher Krieg zog über Deutschland? 8. Wie lange hat dieser Krieg gedauert? 9. Wie viele Einwohner hatte Deutschland vor dem Kriege und wie viele hinterher (afterwards)? 10. Was war vollkommen zerstört? 11. Was geschah mit Magdeburg? 12. Was blieb stehen?

I. Grammatical Terms

1. *Conjunctions* are words like *and, but, or, since*, etc., which are used to connect sentences or clauses into a whole thought unit:

    He wasn't there *because* his wife would not let him come.

2. Conjunctions are *co-ordinating* when they connect two clauses of equal value; that is, two independent or two dependent clauses:

    Dependent clauses: He said that he would come *and* that he would see for himself.
    Independent clauses: He waited, *but* she did not come.

[7] its former prosperity

3. Conjunctions are called *subordinating* when they introduce a dependent clause:

> *Since* he wasn't there, we didn't see him.

4. A *direct question* is a principal clause:

> He asked: *"When will she come?"*

An *indirect question* is a dependent clause:

> He asked *when she would come.*

II. Word Order in German

A. INDEPENDENT CLAUSES

1. Position of the finite verb:
   <u>*In independent clauses the finite verb is the second element*</u> (but not necessarily the second *word*). Therefore:

   a) When the subject begins the sentence, the finite verb comes next:

   > Er hat mir das gestern gesagt (*normal word order*).

   b) When another element (e. g., an object or an adverbial expression, *etc.*) begins the sentence, the finite verb comes next and the subject immediately follows (this is called *inversion* or the *inverted word order*):

   > Gestern hat er mir das gesagt.
   > Das hat er mir gestern gesagt.

   c) Inversion also takes place in the independent clause whenever the dependent clause precedes the independent:

   > Als ich nach Hause kam, war er schon da.
   >   *Dependent Clause*   *Independent Clause*

B. DEPENDENT CLAUSES

2. Dependent clauses are clauses introduced by dependent (subordinate) conjunctions or relative pronouns:

>Wir alle wissen, **wie** (how) dumm sie ist.
>Ich kenne niemanden (nobody), **der** so dumm ist.

You will note in the examples above that *the finite verb stands last in the dependent clause.* This is the so-called *dependent word order.*

This basic rule applies to all dependent clauses except:

a) when the clause contains a double infinitive. Since the double infinitive *always* comes last, the finite verb immediately precedes it:

>Er sagt, daß er nicht **hat** arbeiten können.

b) when the conjunction **daß** is omitted. In that case the dependent clause requires the normal word order as in English:

>Er sagt, **er hat** nicht arbeiten können.
>Ich weiß, **er hat** das Buch nicht gelesen.

It is important to be able to recognize such dependent clauses.

3. When the finite verb in a dependent clause carries a separable prefix, the prefix is joined to the verb in the present and past tenses:

>Wir glauben, daß er morgen **ankommt**.
>Als er **ankam**, waren wir schon zu Hause.

C. GERMAN WORD ORDER IN GENERAL

4. Position of direct and indirect objects:

a) *When both objects are nouns*, the indirect object comes first:

>Er gab **dem Jungen ein Auto**.

Conjunctions — *173*

b) *When one object is a noun* and the other a pronoun, the pronoun comes first:

> Er gab es dem Jungen.
> Er gab ihm ein Auto.

c) *When both objects are pronouns*, the direct object comes first:

> Er gab es ihm.

5. Position of adverbial expressions of time and place:
In German, expressions of time precede expressions of place; the reverse rule usually holds for English:

> Ich gehe **heute abend** ins Kino.
> I am going to the movies this evening.

III. Conjunctions

A. CO-ORDINATING CONJUNCTIONS

6. Co-ordinating conjunctions do not affect the word order:

> Er hatte keine Angst.   Seine Mutter war bei ihm.
> He was not afraid.   His mother was with him.

> Er hatte keine Angst, **denn** seine Mutter war bei ihm.
> He was not afraid ~~because~~ his mother was with him.
>   For

No inversion takes place when the first element of a sentence is a co-ordinating conjunction:

> Aber er sagte kein Wort, als er mich sah.

7. The principal co-ordinating conjunctions are:

aber	but, however	oder	or
allein	however, yet	sondern	but ("but rather")
denn	for, ~~because~~	und	and
weil – because			
	entweder . . . oder	either . . . or	
	weder . . . noch	neither . . . nor	

8. **Aber** and **sondern** both mean *but*. **Sondern** is used in the sense of *but rather, but on the contrary*, and follows a negative clause:

   Die Sage beruhte auf Aberglauben, **aber** man glaubte sie doch.
   The legend was based on superstition, but people believed it nevertheless.

   Die Sage beruhte **nicht** auf Aberglauben, **sondern** (sie beruhte) auf einer Tatsache.
   The legend was based not on superstition but (rather) on a fact.

9. Be careful to distinguish between the adverb **allein** (alone) and the co-ordinating conjunction **allein** (however):

   Allein **konnte er** es nicht tun.   He could not do it alone.
   Allein **er konnte** es nicht tun.   However, he could not do it.

   In the first example, **allein** is followed by the verb and it is therefore the adverb (inverted word order): *alone;* in the second example, it is followed by the subject of the sentence and is therefore the co-ordinating conjunction: *however.*

   B. SUBORDINATING CONJUNCTIONS

10. The principal subordinating conjunctions are:

als	when (*see* § 11 below)	obgleich obschon obwohl	although
bevor	before		
bis	until	seitdem	since (*temporal*)
da	since, ~~because~~	sobald	as soon as
damit	so that	so daß	so that
daß	that	während	while
ehe	before	wann	when (*see* § 11 below)
indem	while (*see* § 14 below)	weil	because
		wenn	if; when (*see* § 11 below)
nachdem	after	wenn auch	although
ob	whether	wie	how

weil – because

11. **Als, wenn,** and **wann** mean *when* and are used as follows:

  als: when referring to a *single action in the past:*
  Als er hereinkam, . . .

  wenn: a) when the verb is in the present or future:
  Wenn er hereinkommt, . . .

  b) when a *repeated action* took place in the past (English: *whenever*):
  Immer, wenn er hereinkam, . . .

  wann: in direct and indirect questions:
  Wann kommt er herein?
  Ich weiß, wann er hereinkommt.

12. The subordinating conjunction **da** (since, ~~because~~, as) must be distinguished from the adverb **da** (then; there). When the finite verb stands second in the clause, we have the adverb; if it stands last, we have the subordinating conjunction.

  Da kam er herein.   Then he came in.
  Da er hereinkam, . . . Since (because) he came in, . . .

13. The same distinguishing principle will prevent confusing the compound **damit** (with it) with the conjunction **damit** (so that):

  Damit kann ich arbeiten.   I can work with it.
  Damit ich arbeiten kann, . . . So that I can work . . .

14. **Indem** is often rendered by using *by* with the English verb in *-ing*

  Sie machen Feuer, **indem** sie zwei Stöcke aneinanderreiben.
  They start a fire *by rubbing* two sticks together.

15. In constructions like **wenn . . . auch, wie . . . auch,** etc., **auch** adds the idea of *even* or *ever;* occasionally, **immer** is placed after **auch** for greater emphasis:

  Wenn es **auch** kalt ist, (so) ist das Klima doch gesund.
  Even if (though) it is cold, the climate nevertheless is healthy.

Wieviel ich auch (immer) verdiene, es ist niemals genug.
However much I (may) earn, it is never enough.

Similarly with wann ... auch (immer), *whenever;* was ... auch (immer), *whatever;* wo ... auch (immer), *wherever,* etc.

16. Wenn (if) is often omitted, in which case the finite verb comes first in the clause. This construction is so common that the following rule should be committed to memory: *When the verb comes first in a clause, and the clause is neither a question nor a command, supply* if.

Question:
          Ist das wirklich der Fall?   Is that actually the case?

Condition:
          Ist das wirklich der Fall, dann können wir nichts tun.
          If that is actually the case, then we can do nothing.

Recapitulation of Main Points:

1. Schematic presentation of word order:

    A. INDEPENDENT CLAUSE (Normal and Inverted Word Order)

NORMAL WORD ORDER:

(Subject)	(Finite Verb)	(Modifiers)	(Infinitive, Past Participle, Separable Prefix)
Er	wird	morgen zu spät	ankommen.
Er	ist	gestern zu spät	angekommen.
Sie	kommt	immer zu spät	an.

INVERTED WORD ORDER:

(Other Element)	(Finite Verb)	(Subject)	(Modifiers)	(Infinitive, Past Participle, Separable Prefix)
Morgen	wird	er	zu spät	ankommen.
Gestern	ist	er	zu spät	angekommen.
Immer	kommt	sie	zu spät	an.

Recapitulation of Main Points — 177

The inverted word order also applies to the principal clause when the "other element" (i. e., an element other than the subject) is a dependent clause (see the following German sentence).

B. DEPENDENT CLAUSE (Dependent Word Order)

(*Dependent Clause*) *Finite Verb:*   (*Principal Clause*)

Wenn er morgen zu spät **ankommt, werde ich** ihn nicht sehen können.

Or:

(*Principal Clause*)   (*Dependent Clause*) *Finite Verb:*

Ich **werde** ihn nicht sehen können, wenn er morgen zu spät **ankommt.**

2. Expressions of time precede expressions of place.
3. Of two noun objects, the indirect object precedes; of two pronoun objects, the direct precedes; if one object is a noun and the other a pronoun, the pronoun precedes.
4. Co-ordinating conjunctions do not affect word order.
5. The finite verb appears at the end of a dependent clause which is introduced by a subordinating conjunction (or relative pronoun).
6. Separable prefixes are written together with the verb at the end of dependent clauses: Wenn er **ankommt,** . . .; Als er **ankam,** . . .
7. When the verb comes first in a clause (and the clause is neither a question nor a command), supply *if* in your English translation.
8. The following conjunctions often cause trouble:

denn (*co-ordinating*)	for
wenn	if; when, whenever
da	since, because, as (*with the verb at the end of the clause*)
weil	because (*English* while *is* **während**!)

Aufgabe siebzehn

Übungen

I. Recognition Grammar

A. Translate:

1. Wenn der Dreißigjährige Krieg auch als Religionskrieg anfing, so wurde er doch bald politisch. 2. Es war nicht länger eine Frage der Religion, sondern der Macht. 3. Ob sie das wohl verstanden haben? 4. Viele Menschen lesen nur, damit sie nicht denken müssen. 5. Was willst du damit? 6. Der Kanzler verwirrte (confused) seine Feinde, indem er die Wahrheit sprach; denn in der Politik ist die Wahrheit meistens verwirrend. 7. Weißt du das, so weißt du alles. 8. Münchhausen erzählte seine Geschichten, obwohl er ganz genau wußte, daß niemand sie glaubte. 9. Während des Mittelalters herrschten grausame Sitten. 10. Während der Kongreß tanzte, bereitete Napoleon seinen nähsten Zug (move) vor. 11. Wenn man bedenkt, wie lange der Krieg dauerte, wundert man sich nicht mehr, daß alles zerstört wurde. 12. Heute können wir uns kaum einen Begriff davon machen, auch wenn wir die Geschichte (history) genau studieren. 13. Nimmt man ein Glas Wasser und legt ein Stück Papier darauf, so kann man das Glas umkippen (turn upside down), ohne daß das Wasser herausläuft. 14. Es wird aber wohl besser sein, wenn du dieses Experiment nicht auf Mutters bester Tischdecke (tablecloth) versuchst.

B. wenn, als, wann: Explain why the chosen forms are used in the following:

1. Als die Einwohner diese Nachricht hörten, verloren sie alle Hoffnung. 2. Muß dein Hund immer mitkommen, wenn wir einen Ausflug machen? 3. Wann herrschte dieser grausame Aberglaube? 4. Wenn er spazierenfuhr, fuhr sie immer mit. 5. Die Sage erzählt uns nicht, wann dies geschah.

C. da and indem: Translate:

1. Da er gar nicht da war, kann er es nicht getan haben. 2. Da er ihr einziger Sohn war, hoffte sie, ihn retten zu können. 3. Da hat er uns die ganze Geschichte erzählt. 4. Da er uns die ganze Geschichte erzählt

hat, wissen wir, warum er es getan hat. 5. Da stand er, — direkt vor mir. 6. Da er direkt vor mir stand, konnte ich ihn genau erkennen. 7. Er ließ sich vom Mond herunter, indem er den Strick oben immer abschnitt und unten wieder anband. 8. Indem er das sagte, wurde sie über und über rot.

D. Explain why the finite verb appears where it does in the following:

EXAMPLE Als er hereingetreten war, ... (war is the finite verb; it appears at the end of a dependent clause.)

1. Ackerbau und Viehzucht (raising of cattle) **waren** vollkommen zerstört, denn der Krieg **war** lang und grausam gewesen. 2. Nur vier Millionen Menschen **waren** übriggeblieben, als der Krieg schließlich zu Ende **war**. 3. Bevor sie das arme Kind **einmauerten**, **legten** sie ihm ein Stück Brot und ein Goldstück **vor**. 4. Die Frau wußte, daß man dem Kind ein Stück Brot und ein Goldstück **vorlegte**. 5. **Wählen** sie den zum Präsidenten, dann **verlasse** ich das Land! 6. Er sagte es deswegen nicht, weil er es nicht **hat** sagen dürfen. 7. Nun **fing er an**, über das Leben, das er bisher (hitherto) geführt **hatte**, nachzudenken, und es **schien** ihm, daß er mehr Unglück als Glück gehabt **hatte**.

II. Active Grammar

A. Give the meanings of the following conjunctions and state whether they are co-ordinating or subordinating:
1. weil 2. denn 3. obwohl 4. allein 5. nachdem 6. da
7. sondern 8. wenn 9. ehe

B. Connect the following sentences with the conjunctions in parenthesis. Change the word order when necessary:

1. Er sagte es nicht. (weil) Er wußte es nicht. 2. Sie heiratete ihn nicht. (denn) Sie liebte ihn nicht. 3. Ich weiß nicht. (ob) Er wird morgen ankommen. 4. Ich weiß. (daß) Sie kommen morgen zurück. 5. Er hat die Nachricht nicht bekommen. (denn) Er war im Kino. 6. Er sagte es nur. (damit) Sie ärgert sich.

Aufgabe siebzehn

C. Begin the following with the dependent clause:

1. Er kehrte in sein Dorf zurück, als der Krieg zu Ende war. 2. Ich weiß nicht, ob sie eine Witwe ist. 3. Wir wissen nicht, wann es geschehen ist, da die Sage darüber schweigt. 4. Die Pflanze wächst nicht, wenn sie kein Wasser bekommt. 5. Sie begann ihn zu lieben, als sie sah, wie unglücklich er war.

D. The conditional sentences in the following begin with wenn; omit wenn, change the word order to express condition and begin the conclusion with so.

EXAMPLE

Wenn er kommen sollte, freue ich mich. = Sollte er kommen, so freue ich mich.

1. Wenn du deine Suppe nicht ißt, bekommst du auch keinen Nachtisch (dessert). 2. Wenn man die Mischung (mixture) kocht, wird sie gelb und dick. 3. Wenn er fragen sollte, sage ihm, ich bin krank. 4. Wenn der Krieg noch zwei Jahre dauert, wird alles zerstört.

E. Translate:

1. He reads it but he doesn't understand it. 2. She was not young and pretty but old and ugly (häßlich). 3. I don't know why she wants to marry him. 4. He was with his girl friend when I saw him. 5. When he goes to the movies, he always takes her along. 6. He went home early. 7. I know that that is stupid, but it does not excuse him. 8. I wonder whether he will recognize me in my new hat.

F. Review exercises:

Add the relative pronouns in the following sentences: 1. Der Beamte, (to whom) er es sagte, verstand ihn nicht. 2. Die Länder, (whose) Einwohner umkamen (perished), . . . 3. Ein Buch, (in which) das steht, kann nicht gut sein. 4. (He who) das noch nicht versteht, ist zu dumm dazu. 5. Ich gebe dir alles, (that) ich habe.

Wortschatz

der Aberglaube, -ns   superstition
der Einwohner, -s, - inhabitant
der Stein, -es, -e   stone, rock
der Turm, -es, ⸚e   tower

die Angst, -, ⸚e   fear, anxiety
die Nachricht, -, -en   news
die Sage, -, -n   legend
die Witwe, -, -n   widow

das Glück, -es   luck; happiness
das Mittelalter, -s   Middle Ages
das Opfer, -s, -   sacrifice, victim
das Stück, -es, -e   piece
das Tor, -es, -e   gate
das Unglück, -es   misfortune

an=fangen (i, a), fängt an   to begin, start
bedenken (irr. wk.)   to consider
dauern   to last
erkennen (irr. wk.)   to recognize
erleben   to experience
erreichen   to reach
geschehen (ie, a, e) (ist)   to happen
herrschen   to prevail, rule
hoffen   to hope
legen   to lay, put
schweigen (ie, ie)   to be silent
überleben   to survive
versuchen   to try
zerstören   to destroy

fertig   ready, finished
gelb   yellow
genau   exact(ly)
grausam   cruel
lebéndig   living, alive, lively
meistens   usually
ob   (*when principal clause is missing*) I wonder if (whether)
sogenannt (*abbrev.*: sog.)   so-called

IDIOMS:

vor Angst   with *or* from fear
zu Beginn   at the beginning
aus Hunger   because of hunger
sich einen Begriff von etwas machen   to get an idea about something; to imagine
immer wieder   again and again
über und über rot werden   to turn crimson

COGNATES:

der Hunger, -s   hunger
die Industrie', -, -n   industry
die Katastróphe, -, -n   catastrophe
der Kongréß, -sses, -sse   congress
das Los, -es   lot
die Millión, -, -en   million

direkt   direct(ly)

kochen   to cook

Aufgabe achtzehn

Numerals

Shakespeare und die Deutschen

Wenn Shakespeare heute in Deutschland fast als Deutscher gilt, so ist das die Folge einer langen kulturhistorischen[1] Entwicklung, die um das Jahr 1600 begann und heute noch nicht zu Ende gekommen ist. Schon vor seinem Tode wurde Shakespeare in Deutschland durch die Aufführungen[2] seiner Dramen durch die englischen Komödianten (d. h. Schauspieler) bekannt. Diese Schauspieler führten seine Werke zuerst auf Englisch auf,[3] später dann in einer schlechten deutschen Form, bis die englischen Schauspieler ganz von deutschen verdrängt[4] wurden. Shakespeares wirklicher Einfluß auf die deutsche Literatur beginnt dann mit der kritischen[5] Arbeit Lessings[6] und der Prosa-Übersetzung seiner Werke von Wieland[7] (1762). Der Höhepunkt[8] von Shakespeares Einfluß wird in der Zeit Herders,[9] Goethes und in der Sturm-und-Drang-Periode[10] erreicht, in der Shakespeares Werke den jungen Genies als Vorbild dienten. Aber die Form, in der Shakespeare den heutigen Deutschen bekannt ist, ist die der sog. Schlegelschen Übersetzung, die von August Wilhelm Schlegel und anderen gegen Ende des achtzehnten Jahrhunderts begonnen wurde und die als eine der großen Übersetzungen aller Zeiten und aller Sprachen gilt. Wenn die Helden und Heldinnen Shakespearescher Dramen

[1] cultural-historical [2] presentation, staging [3] auf-führen = to present, put on [4] replaced [5] critical [6] Gotthold Ephraim Lessing (1729–1781), famous critic and dramatist [7] Christoph Martin Wieland (1733–1813), poet, critic, and novelist [8] high point, peak [9] Johann Gottfried Herder (1744–1803), critic [10] Storm and Stress, an impetuous literary movement

den Deutschen genau so bekannt sind wie den Engländern selbst, so ist das zum großen Teil das Verdienst[11] dieser Übersetzung.

Daß die Deutschen den großen Briten[12] auch heute noch gern auf ihren Bühnen sehen, beweisen die zahlreichen Aufführungen seiner Werke: etwa 30 000 von 1919 bis 1935.[13] An erster Stelle steht Was ihr wollt[14] mit 3 072 Aufführungen; dann kommt der Sommernachtstraum[15] mit 2 663; an dritter Stelle steht der Kaufmann von Venedig[16] mit 2 592 und an vierter Der Widerspenstigen Zähmung[17] mit 2 502; dann folgt Hamlet mit 2 368. Nach Hamlet kommen Othello, Romeo und Julia, Wie es euch gefällt,[18] Viel Lärm um Nichts[19] und die Komödie der Irrungen.[20]

Diese Zahlen sind natürlich nicht im Sinne eines Werturteils[21] zu verstehen; denn Hamlet, wenn er auch an fünfter Stelle steht, ist in Deutschland immer noch das beliebteste Drama Shakespeares, und es ist der Ehrgeiz[22] eines jeden deutschen Schauspielers, einmal den Prinzen von Dänemark spielen zu dürfen.

Hier folgen nun ein paar Zitate[23] aus der Schlegelschen Shakespeare= Übersetzung:

Sein oder nicht sein, das ist hier die Frage.
To be or not to be, that is the question. (Hamlet)

Nicht durch die Schuld der Sterne, lieber Brutus,
durch eigne Schuld nur sind wir Schwächlinge.[24]
It is not in our stars but in
ourselves that we are underlings. (Julius Caesar)

Nimm vor des Märzen Idus dich in acht!
Beware the Ides of March. (Julius Caesar)

Dies war der beste Römer unter allen.
This was the noblest Roman of them all. (Julius Caesar)

[11] merit (*translate:* due to) [12] Briton [13] These figures are taken from W. Stroedel, Shakespeare auf der deutschen Bühne. [14] Twelfth Night [15] Midsummer Night's Dream [16] Merchant of Venice [17] Taming of the Shrew [18] As You Like It [19] Much Ado about Nothing [20] Comedy of Errors [21] evaluation [22] ambition [23] quotations [24] *lit.:* weaklings

Aufgabe achtzehn

Was ist ein Name? Was uns Rose heißt,
Wie es auch hieße,[25] würde lieblich duften.
What's in a name? A rose by any other
name would smell as sweet. (Romeo und Julia)

Fragen

1. Wann wurde Shakespeare zuerst in Deutschland bekannt? 2. Sprachen die englischen Komödianten deutsch? 3. Wann beginnt Shakespeares wirklicher Einfluß auf Deutschland? 4. Wann lebte Lessing? 5. Wer hat die deutsche Prosa-Übersetzung von Shakespeares Werken gemacht? 6. Wann lebte Herder? 7. Wozu dienten die Werke Shakespeares dem Sturm und Drang? 8. In welcher Form kennt der heutige Deutsche die Dramen Shakespeares? 9. Als was gilt die Übersetzung Schlegels heute? 10. Wie viele Aufführungen der Werke Shakespeares wurden von 1919 bis 1935 gegeben? 11. An welcher Stelle kommt Hamlet? 12. Ist Hamlet in Deutschland beliebt? 13. Was möchte jeder deutsche Schauspieler spielen? 14. Wie heißt Midsummer Night's Dream auf deutsch? 15. Wie heißen Much Ado about Nothing und The Merchant of Venice auf deutsch? 16. Wie heißt die Übersetzung von To be or not to be auf deutsch?

Numerals

CARDINALS	ORDINALS		ORDINAL ADVERBS		FRACTIONS
0 Null					
1 eins	der erste	the first	erstens	firstly	
2 zwei	zweite[1]	the second	zweitens	secondly	½ [ein] halb (die Hälfte)
3 drei	dritte	the third	drittens	thirdly	⅓ ein Drittel
4 vier	vierte	etc.	viertens	fourthly	¼ ein Viertel
5 fünf	fünfte		etc.		⅕ ein Fünftel
6 sechs	sechste				⅙ ein Sechstel
7 sieben	sieb(en)te				⅐ ein Sieb(en)tel
8 acht	achte				⅛ ein Achtel

[25] no matter how it were called

[1] Add =te to the cardinals from 2 to 19 and =ste from 20 on. Ordinals are declined like adjectives, i. e., they take the regular adjective endings.

Numerals — 185

CARDINALS	ORDINALS		FRACTIONS
9 neun	neunte		
10 zehn	zehnte		
11 elf			
12 zwölf			
13 dreizehn			
14 vierzehn			=tel
15 fünfzehn	=te		
16 sechzehn			
17 siebzehn			
18 achtzehn			
19 neunzehn			
20 zwanzig	zwanzigste		½₀ ein Zwanzigstel
21 einundzwanzig			
22 zweiundzwanzig			
30 dreißig			
40 vierzig			
50 fünfzig			
60 sechzig			
70 siebzig			
80 achtzig	=ste		=stel
90 neunzig			
100 hundert			
101 hunderteins			
188 hundertachtundachtzig			
1000 tausend			
2000 zweitausend			

1 000 000   eine Million, -, -en
1 000 000 000   eine Milliárde, -, - (d. h., tausend Millionen)²
1 000 000 000 000 eine Billión, -, -en (d. h., eine Million Millionen)²

1. Numbers, if written out, are generally written together in one word:

   1 684   tausendsechshundertvierundachtzig

2. Eins is only used in counting: eins, zwei, drei, vier, etc.

   Ein meaning *one* is generally spaced:

   Nur ein Brief ist angekommen. Only one letter arrived.

² Notice that the German Milliarde is the American *billion*; the German Billion is the American *trillion*. The German notation is identical with that of the English, while the American notation is identical with that of the French.

Aufgabe achtzehn

3. Unlike English usage, decimals are indicated by commas:

   1,5 for English 1.5 (*read:* eins Komma fünf)

4. Time is told as follows; note particularly the use of **vor** for English *to*, and the indication of the quarter and half hours:

   2:00 zwei Uhr = 2.00 *or* 2^{00}
   2:50 zehn **vor** drei (*for official time:* zwei Uhr fünfzig = 2.50 *or* 2^{50})
   3:05 fünf nach drei (*for official time:* drei Uhr fünf = 3.05 *or* 3^{05})
   3:15 Viertel nach drei, *or:* (ein) Viertel vier (i. e., *one quarter toward 4 has elapsed* = 3.15 *or* 3^{15})
   3:30 halb vier = 3.30 *or* 3^{30}
   3:35 **fünf nach halb vier** = 3.35 *or* 3^{35}
   3:45 Viertel vor vier, *or:* Dreiviertel vier (i. e., *three quarters toward 4 have elapsed* = 3.45 *or* 3^{45})
   4:00 vier Uhr = 4.00 *or* 4^{00}

   Wherever the number of minutes are indicated, the word **Minuten** may be added; thus: 3:05 = fünf (Minuten) nach drei = 3.05 *or* 3^{05}. The word **Uhr** is generally used to give the full hours: *At two o'clock* = Um zwei (Uhr). Note the following phrases:

   Wie spät ist es?
   or: Wieviel Uhr ist es? } What is the time?, What time is it?

   Es ist fünf vor halb sechs (= 5.25 *or* 5^{25}).

5. OFFICIAL TIME (*railroads*, etc.) is on the 24 hour basis:

   3:20 P.M. is 15.20 *or* 15^{20}

6. DATES: Ordinals are used to indicate dates. Ordinals take the regular adjective endings:

   Den wievielten haben wir heute?
   What is the date today?

   Heute ist der 15. (i. e., fünfzehn**te**) April.
   Today is April 15 *or* the 15*th* of April.

Note that ordinals require a period after the numeral. Thus:

Mein Geburtstag ist am 12. (zwölften) Oktober.
My birthday is on October 12 *or* the 12th of October.

Similarly *in letters:*

München, den 6. (sechsten) Mai 1949.
Munich, May 6, 1949.

In TITLES:

Friedrich II. (i. e., der Zweite), Frederick the Second

7. In HISTORIC DATES, the hundred is not omitted as it sometimes is in English:

neunzehn**hundert**neunundvierzig (1949)

Observe also the expression:

die fünfziger (sechziger, etc.) Jahre
the 50's, 60's, *etc.*

8. a) GENITIVE OF TIME. The genitive is used to express indefinite time as follows:

eines Tages	one day
eines Morgens	one morning
eines Nachts (*although the noun is feminine*)	one night

b) ACCUSATIVE OF TIME AND SPACE. The accusative is used to express definite time, duration of time, and extent of space:

Den 9. (neunten) Oktober
October 9

Er hat den ganzen Tag gearbeitet.
He worked all day.

Er fuhr den ganzen Weg sehr langsam.
He drove the entire way very slowly.

Aufgabe achtzehn

9. a) THE DAYS OF THE WEEK:

Sonntag	Sunday	Donnerstag	Thursday
Montag	Monday	Freitag	Friday
Dienstag	Tuesday	Samstag *or:*	Saturday
Mittwoch	Wednesday	Sonnabend	

b) THE DIVISIONS OF THE DAY:

der Morgen	morning	der Abend	evening
der Mittag	noon	die Nacht	night
der Nachmittag	afternoon	die Mitternacht	midnight

c) ADVERBS:

gestern	yesterday	vorgestern	day before yesterday
heute	today		
morgen	tomorrow	übermorgen	day after tomorrow

d) GENITIVE ADVERBS OF TIME:

morgens	in the morning	nachmittags	in the afternoon
vormittags	in the forenoon	abends	in the evening
mittags	at noon	nachts	at night

e) ADVERBIAL COMBINATIONS EXPRESSING TIME:

früh morgens — early in the morning

morgen **früh** — tomorrow morning

heute früh } *this* morning
heute morgen

gestern abend — yesterday evening, last night
heute abend — this evening, tonight
morgen abend — tomorrow evening

heute nacht — tonight (i. e., *during the coming night*)

10. GENERAL OBSERVATIONS:

a) Distinguish:

der Morgen (the morning), **morgen** (tomorrow), **morgens** (in the morning)

Numerals — *189*

b) **Heute nacht** (usually *tonight*) is also used for English *last night* with verbs in the past:

Ich habe heute nacht schlecht geschlafen.
I slept badly last night.

Heute nacht werden wir Vollmond haben.
We'll have a full moon tonight (*during the night*).

c) Note the following expressions:

acht Tage	a week
heute in acht Tagen	a week from today
heute vor acht Tagen	a week ago today
vierzehn Tage	two weeks
morgen in vierzehn Tagen	two weeks from tomorrow
gestern vor vierzehn Tagen	two weeks ago yesterday

11. THE MONTHS AND SEASONS OF THE YEAR:

a) Die Monate:

Januar	Juli	Oktober
Februar	Mai	August	November
März	Juni	September	Dezember

b) Die Jahreszeiten:

der Frühling   der Sommer   der Herbst   der Winter

Note the use of the article in the following expressions:

am Sonntag	am Morgen	im Januar
on Sunday	in the morning	in January

12. FESTIVALS AND HOLIDAYS:

Weihnachten (*pl. or neut. sing.*)	Fröhliche Weihnachten!
Christmas	Merry Christmas!
Neujahr	Fröhliches Neujahr!
New Year	Happy New Year!
Ostern (*pl. or neut. sing.*)	Fröhliche Ostern!
Easter	Happy Easter!

— Aufgabe achtzehn

13. ARITHMETIC:

2 + 2 = 4: Zwei plus (*or:* und) zwei gleich (*or:* ist) vier.
5 − 3 = 2: Fünf minus (*or:* weniger) drei gleich (*or:* ist) zwei.
6 · 6 = 36: Sechs mal sechs ist sechsunddreißig.
4 : 2 = 2: Vier durch (*or:* geteilt durch) zwei ist zwei.

14. English *time(s)* in the enumerative sense is **Mal** (*not* Zeit):

zum ersten Mal	for the first time
einmal, zweimal, dreimal, etc.	once, twice, three times, *etc.*
diesmal	this time

Recapitulation of Main Points:

1. Ordinals are formed by adding =te to the cardinal numerals from 1 to 19; =ste to the cardinal numerals from 20 on. Irregular are: der erste, der dritte, der achte.
2. Likewise, fractions add =tel (1 to 19) and =stel (20 and up) to the cardinal numerals. (Note: ½ = [ein] halb, die Hälfte; ⅓ = ein Drittel; ⅛ = ein Achtel.)
3. Decimals are indicated by a comma and not by a period: 1,5 (read: eins Komma fünf).
4. Time is told more or less as in English; the quarter and half hours, however, are given with the following hour: 4:30 = halb fünf.
5. Ordinal numerals take regular adjective endings:

    den 10. (zehnten) August
    Er liest schon das fünfte Buch.

6. Distinguish between Zeit and Mal:

    Zeit = time (*as measured by the clock*), a span of time
    Mal = as in: einmal (once)
    zweimal (twice)
    das erste Mal (the first time), etc.

Übungen

I. Recognition Grammar

A. Translate:

1. Die erste deutsche Übersetzung eines Shakespeareschen Werkes war Brockes' Übersetzung von Julius Caesar. 2. Wieland übersetzte zweiundzwanzig Werke Shakespeares in Prosa. 3. "Sturm und Drang" ist der Name für eine Bewegung der siebziger Jahre des achtzehnten Jahrhunderts. 4. Johann Wolfgang Goethe wurde am achtundzwanzigsten August siebzehnhundertneunundvierzig geboren und starb am zweiundzwanzigsten März achtzehnhundertzweiunddreißig. 5. Er wurde also etwas mehr als zweiundachtzig Jahre alt. 6. Im Jahre neunzehnhundertsiebenunddreißig wurde Hamlet zweihundertsiebenundachtzigmal in Deutschland aufgeführt. 7. Sogar ein Mohammedaner hat gewöhnlich nur eine Frau. 8. Eins ist sicher: Drei Viertel der Bevölkerung (population) war jahrelang arbeitslos (unemployed). 9. Erstens glaube ich es nicht, und zweitens beweist es nichts. 10. Das Sprichwort sagt: Einmal ist keinmal. Das bedeutet, wenn man etwas nur einmal tut, ist es so gut wie keinmal. 11. Wilhelm Busch, der berühmte deutsche Humorist des neunzehnten Jahrhunderts, sagt einmal irgendwo: Erstens kommt es anders, zweitens als man denkt. 12. Weihnachten fällt auf den fünfundzwanzigsten Dezember. 13. Ostern ist dieses Jahr am 28. März. 14. Ich habe leider vergessen, auf den wievielten Neujahr fällt. 15. Er kam heute nacht erst um zehn nach halb drei nach Hause.

B. Translate:

1. Heute ist Dienstag. 2. Morgen ist Mittwoch. 3. Übermorgen ist Donnerstag. 4. Gestern war Montag. 5. Vorgestern war Sonntag. 6. Vorvorgestern war Samstag. 7. Morgen abend gehen wir ins Kino. 8. Der Morgen war schön, aber am Nachmittag regnete es. 9. Morgen früh um acht Uhr habe ich Deutsch. 10. Heute nacht soll es frieren. 11. Heute nacht habe ich geträumt, daß ich gestorben war. 12. Morgen in acht Tagen reisen wir an den See (lake) und in vierzehn Tagen werden wir wieder zu Hause sein.

C. Read the following dates:

1. Das erste deutsche Reich wurde im Jahre 843 bei Verdun gegründet (founded). 2. Das zweite deutsche Reich wurde 1871 in Versailles gegründet. 3. Das sog. Dritte Reich dauerte von 1933 bis 1945. 4. Die deutsche Republik wurde im Jahre 1919 in Weimar gegründet. 5. Der Dreißigjährige Krieg dauerte von 1618 bis 1648. 6. Wilhelm II. war der letzte deutsche Kaiser. Er regierte (ruled) von 1888 bis 1919.

II. Active Grammar

A. Count from 1 to 25 in German.
B. Recite the days of the week and the months of the year.
C. State in German:

1. 1914 2. 1949 3. 1848 4. $2 \cdot 12 = 24$. 5. $16 : 4 = 4$.
6. $12 - 4 = 8$. 7. 8:30 8. 7:45 9. 11:35 10. 4:20 11. 1.5
12. August 1, 1903 13. October 9, 1925 14. 3/4 15. 1/20

D. Complete:

1. Mein Geburtstag ist am ... 2. Der Geburtstag meiner Mutter ist am ... 3. Der Geburtstag meines Vaters ist am ... 4. Heute ist der ... 5. Es ist jetzt ... (refer to time). 6. Wir essen zu Hause gewöhnlich um ... 7. Ich stehe gewöhnlich um ... auf. 8. Gestern bin ich um ... Uhr zu Bett gegangen. 9. Ich habe ... Dollar und ... Cents in der Tasche (pocket). 10. Wieviel Mark sind das, wenn die Mark 30 Cents wert (worth) ist? ...

E. Translate:

1. Spring begins on March 21. 2. Summer begins on June 21. 3. Fall begins September 21. 4. Winter begins December 21. 5. Accordingly (use: Also) each season lasts three months. 6. Yesterday evening I visited my uncle. 7. We shall be leaving (ab=reisen) tomorrow morning. 8. The train leaves (use: ab=fahren) at 3:30. 9. He will be here a week from today. 10. Merry Christmas!

Wortschatz — 193

F. Review exercises:
1. Give the meanings of: denn, weil, obwohl, als, damit, ehe, da.
2. Determine whether da means *then*, *there*, or *since*:
   (a) Da ich Zeit hatte, setzte ich mich auf eine Bank. (b) Es war mäuschenstill. (c) Da hörte ich plötzlich eine Explosion. (d) Da auf der nächsten Straße standen zwei zertrümmerte (wrecked) Autos.
3. Connect the following sentences and use the proper word order:
   (a) Krieg war ausgebrochen. Es gab wenig zu essen. (Use da with the first sentence.) (b) Ich kann das nicht übersetzen. Ich habe es nicht verstanden. (Use: denn)

Wortschatz

der Held, -en, -en hero
der Schauspieler, -s, - actor
der Sinn, -es, -e sense, meaning
der Teil, -es, -e part
der Zug, -es, ⸚e train

die Arbeit, -, -en work
die Aufführung, -, -en performance, production
die Bühne, -, -n stage
die Entwicklung, -, -en development
die Folge, -, -n result, consequence
die Stelle, -, -n place
die Zahl, -, -en number

das Sprichwort, -es, ⸚er proverb
das Vorbild, -es, -er model

beweisen (ie, ie) to prove
dienen (w. dat.) to serve
folgen (w. dat.) to follow

bekannt known
genau so just as
gewöhnlich usually
irgendwo somewhere
ein paar a few

etwa approximately
letzt- last
nächst- next
zahlreich numerous
zuerst first, at first

IDIOMS:

sich in acht nehmen (vor) to beware (of)
zum großen Teil to a large extent
um (acht) Uhr at (eight) o'clock

COGNATES:

das Drama, -s, -en drama
die Form, -, -en form
das Genie, -s, -s genius
der Humorist, -en, -en humorist
die Literatur, -, -en literature
die Prosa, - prose
die Republik, -, -en republic
die Rose, -, -n rose
der Stern, -es, -e star

beginnen (a, o) to begin
träumen to dream

Aufgabe neunzehn

The Subjunctive

Die Schlacht im Teutoburger Wald[1]

Im Jahre 9 n. Chr.[2] traf eine Nachricht in Rom ein, die beinahe eine Panik[3] verursachte: es hieß, der römische Feldherr[4] Varus sei im Teutoburger Wald von den Germanen[5] überfallen worden und daß drei Legionen vollkommen vernichtet worden seien. Kaiser Augustus fürchtete, die Germanen würden nun in Italien[6] einfallen, denn der Weg nach Rom selbst lag nun offen.

Was geschehen war, war folgendes. Varus hatte sich in Germanien[7] äußerst unbeliebt gemacht. Statt die besiegten Germanen als Verbündete[8] Roms zu betrachten, hatte er sie wie Unterworfene[9] behandelt und ihnen schwere Steuern auferlegt.[10] In seinem Heer aber hatte er einen jungen germanischen[11] Fürsten, Arminius, den er persönlich hochschätze und den er oft an seinen Tisch lud.[12] Als die römischen Offiziere Varus vor Arminius warnten, meinte er ungeduldig, er wolle diese Verleumdungen[13] seines Freundes nicht länger mehr anhören.[14]

Arminius aber hatte den Germanen erklärt, sie sollten die Steuern zahlen und sich überhaupt ruhig verhalten,[15] bis er das Zeichen zum Aufstand[16] geben würde. Als nun ein römischer Beamter ermordet wurde,

---

[1] Teutoburg Forest, in Westphalia [2] nach Christi Geburt = A. D., *anno Domini* [3] panic [4] commander, general [5] Teutons [6] Italy [7] Germania, Roman province [8] allies [9] subjects [10] imposed [11] Teutonic [12] invited [13] slander [14] listen to [15] remain quiet [16] revolt

194 —

zog Varus aus, um die Mörder zu bestrafen. Arminius ging mit, bat jedoch schon bald um Erlaubnis, mit seinen Leuten für kurze Zeit das Heer verlassen zu dürfen, um sich ihm erst später wieder anzuschließen.[17] Diese Erlaubnis wurde ihm gegen den Rat der anderen Offiziere von Varus gegeben. Als Varus im Teutoburger Wald war, kam ein furchtbares Gewitter auf, und zur gleichen Zeit griffen die Germanen an. In drei Tagen waren die römischen Legionen vernichtet. Varus aber stürzte sich in sein eigenes Schwert.

Augustus sah in dieser Katastrophe eine Strafe der Götter. Seine Überzeugung[18] schien von einigen Zeichen bestätigt worden zu sein. Man berichtete z. B., daß der Blitz den Tempel des Kriegsgottes Mars getroffen habe; zahlreiche Kometen seien gesehen worden, und eine Statue der Siegesgöttin,[19] die mit dem Gesicht nach Germanien gewandt stand, habe sich umgekehrt und sei nun nach Italien gerichtet.

Andere dachten, es wäre besser gewesen, wenn Varus die Germanen geschickter behandelt, dem Arminius weniger getraut, und seine Legionen in einem feindlichen Lande besser beisammengehalten[20] hätte.

Jedenfalls wurde mit dieser Schlacht die Macht Roms im Norden auf immer gebrochen.

Fragen

1. Wann war die Schlacht im Teutoburger Wald? 2. Wie viele Legionen wurden hier vernichtet? 3. Was fürchtete Kaiser Augustus? 4. Wie hatte Varus sich bei den Germanen unbeliebt gemacht? 5. Wen hatte Varus in seinem Heer? 6. Wie behandelte er Arminius? 7. Wer warnte Varus vor Arminius? 8. Was sagte Varus zu dieser Warnung? 9. Wie sollten die Germanen sich verhalten? 10. Warum zog Varus gegen die Germanen aus? 11. Um was bat Arminius? 12. Was geschah, als Varus im Teutoburger Wald war? 13. Was sah Augustus in dieser Katastrophe? 14. Welche Zeichen wurden berichtet? 15. Welche Fehler hatte Varus gemacht?

[17] join   [18] conviction   [19] Goddess of Victory   [20] held together

Aufgabe neunzehn

I. Grammatical Terms

1. The *subjunctive,* like the indicative, is a *mood.* While the indicative expresses a fact (He *is* conscientious), the subjunctive expresses *what might be, is desirable,* or *is conceded to be* (It is expected that he *be* conscientious).

    Subjunctive forms in English are:

    > God *grant* it!
    > *Be* it ever so humble . . .
    > It is requested that everyone *bring* a gift.

2. *Indirect discourse* in English is usually expressed by a past tense. We speak of indirect discourse whenever the exact words of a speaker are not quoted but merely the substance of his words or thoughts is reported:

    > *Direct:* "I think I can do it."
    > *Indirect:* He said that he thought he could do it.

3. a) *Conditions contrary to fact* referring to the present time are expressed in English by the past tense of the verb (in a present meaning!) in the *if*-clause, and *should* or *would* in the conclusion:

    > If he *had* money (now) he *would* spend it.
    > If I *knew* it (now) I *should* tell you.

    b) Conditions contrary to fact referring to the past time are expressed in English by the past perfect in the *if*-clause, and *should have* or *would have* in the conclusion:

    > If I *had known* it I *should have* told you.
    > If he *had had* the money he *would have* spent it.

II. The Subjunctive in German

1. The subjunctive in German is used mainly in indirect discourse, in conditions contrary to fact, and in the potential (e. g., in phrases like: *That would be nice*).

The Subjunctive in German

2. The finite verb has the following personal endings in the subjunctive, *all tenses:*

    1. ich =e   1. wir =en
    2. du =eſt   2. ihr =et
    3. er =e   3. ſie =en

3. The subjunctive operates with only four tense values: the present, the past, the future, the future perfect.

In the passive, the subjunctive is formed in the regular manner: by combining the subjunctive forms of the auxiliary werden with the past participle:

Er ſagte, er **werde ruiniert.** He said, he was being ruined.

In the following discussion you will notice that there are two groups or types of the German subjunctive: subjunctive I and subjunctive II.

Each type has its own present, past, future, and future perfect tense. It, therefore, is necessary to indicate clearly to which present subjunctive tense, *etc.*, you refer: either to the present subjunctive I *or* to the present subjunctive II, *etc.*

Each type of subjunctive expresses its present tense, *etc.*, in its own particular manner (see §§ 4–6 and §§ 9–13). You will learn *how to use* or translate the various tenses of each type of subjunctive after you have mastered their forms.

SUBJUNCTIVE I
A. *Its Forms*

4. The present subjunctive I is formed with the *infinitive* stem of the verb plus the subjunctive endings. In the other tenses, subjunctive I, the infinitive stem of the auxiliary (hab=, ſei=, werd=) is used.

PRESENT SUBJ. I:

    ich leb=e   wir leb=en
    du leb=eſt   ihr leb=et
    er leb=e   ſie leb=en

Sub + ind cannot be related by form or meaning

Aufgabe neunzehn

PAST SUBJ. I:

  ich hab=e gelebt   wir hab=en gelebt
  du hab=est gelebt   ihr hab=et gelebt
  er hab=e gelebt   sie hab=en gelebt

FUTURE SUBJ. I:

  ich werd=e leben   wir werd=en leben
  du werd=est leben   ihr werd=et leben
  er werd=e leben   sie werd=en leben

FUTURE PERFECT SUBJ. I:

  ich werd=e gelebt haben   wir werd=en gelebt haben
  du werd=est gelebt haben   ihr werd=et gelebt haben
  er werd=e gelebt haben   sie werd=en gelebt haben

5. Strong verbs with the stem vowel **e** or **a** have no irregularity in the second and third person singular in the present subjunctive I as compared with the indicative:

PRESENT INDICATIVE		PRESENT SUBJUNCTIVE I	
ich nehme	wir nehmen	ich nehme	wir nehmen
du **nimmst**	ihr nehmt	du **nehmest**	ihr nehmet
er **nimmt**	sie nehmen	er **nehme**	sie nehmen

6. **Sein** has no endings in the first and third person singular of the present subjunctive I:

  ich sei   wir seien
  du sei(e)st   ihr seiet
  er sei   sie seien

These **sei**=forms are used in the past subjunctive I for verbs requiring the auxiliary **sein** (i. e., intransitive verbs denoting a change of place or condition):

    er sei gekommen   he had come
    ich sei aufgewacht   I had awakened

B. *Its Uses*

7. The subjunctive I, and often the subjunctive II (see § 17), are used *in indirect discourse* after a verb of saying, thinking, fearing, *etc.*, particularly when used in a past tense:

   a) Er fragte: „Was ist das?"   Er fragte, was das sei (wäre).
   b) Er sagte: „Gestern hatte ich   Er sagte, gestern habe (hätte) er
      keine Zeit."   keine Zeit gehabt.
   c) Sie fragte: „Kommt er?"   Sie fragte, ob er komme (käme).

   NOTE: 1. If the direct statement is in the *present* tense, the *present subjunctive I* is generally used in the indirect statement [see sentence a) above], but frequently the present subjunctive II is used instead (see § 17).
   2. If the direct statement is in *any one of the three past indicative tenses* (past, present perfect, past perfect), the *past subjunctive I* is generally used in the indirect statement [see sentence b) above], but frequently the past subjunctive II is used instead (see § 17).

   Generally speaking, German indirect discourse can be rendered by an English past tense:

   > Er behauptete, das sei nicht wahr.
   > He asserted that that *wasn't* true.

8. *Other uses* of the present subjunctive I are:

   a) General and Impersonal Imperative:

   > Gehen wir! Let's go!
   > Man nehme ein scharfes Messer und schneide ...
   > Take a sharp knife and cut ...

   NOTE: In indirect commands, the subjunctive I of sollen is used:

   > *Direct:* Gehen Sie!; *indirect:* Er sagt, wir sollen gehen.

b) Wishes:

> Es lebe der König! Long live the King!

c) Concessive statements:

> Wie groß das Heer auch sei, es wird nicht siegen.
> No matter how large the army may be, it will not be victorious.

SUBJUNCTIVE II

A. *Its Forms*

9. The present subjunctive II is formed with the *past* stem of the verb.

If the verb is strong, the present subjunctive II is formed by taking the *past* stem, changing the vowels **a, o, u** to **ä, ö, ü** (umlaut), and adding the subjunctive endings:

EXAMPLE: geben

PRESENT SUBJ. II: ich gäb-e   wir gäb-en
du gäb-est   ihr gäb-et
er gäb-e   sie gäb-en

If the verb is weak, the forms of its present subjunctive II are identical with those of its past indicative:

PAST INDICATIVE

or

PRESENT SUBJ. II

ich leb-te   wir leb-ten
du leb-test   ihr leb-tet
er leb-te   sie leb-ten

Irregular weak verbs take the stem vowel **e** in the present subjunctive II:

PAST INDICATIVE: er kannte   es brannte
PRESENT SUBJUNCTIVE II: er kennte   es brennte

denken, bringen, and **wissen,** however, take the umlaut:

er dächte, er brächte, er wüßte

The Subjunctive in German

10. The three auxiliaries also take the umlaut in the present subjunctive II: hätte, wäre, würde
    Modal auxiliaries take the umlaut in the present subjunctive II if they have an umlaut in the infinitive; i. e., all but wollen and sollen:

    können: er könnte
    but: sollen: er sollte

11. A few strong verbs (with the stem vowel a in the past indicative followed by two consonants) have alternate forms in the present subjunctive II; for instance:

	PAST INDIC.	PRES. SUBJ. II
helfen:	half:	er hälfe or er hülfe
stehen:	stand:	er stände or er stünde
schwimmen:	schwamm:	er schwämme or er schwömme

12. The remaining tenses of the subjunctive II are formed by combining hätt-, wär-, würd- and the subjunctive endings with the appropriate verb form (past participle or infinitive); a synopsis of geben follows:

PRESENT SUBJ. II:	ich gäbe
PAST SUBJ. II:	ich hätte gegeben
FUTURE SUBJ. II:	ich würde geben
FUTURE PERFECT SUBJ. II:	ich würde gegeben haben

B. *Its Uses*

13. The subjunctive II is used chiefly in *conditions contrary to fact*. It is used here in both the if-clause and the conclusion.

    a) When referring to *actions in the present time*, the *present subjunctive II* is used;
    b) when referring to *actions in the past time*, the *past subjunctive II* is used:

Referring to Present Actions:
Wenn es billiger **wäre, könnte** ich es kaufen.
If it were cheaper (now) I could buy it.

Referring to Past Actions:
Wenn es billiger **gewesen wäre, hätte** ich es kaufen **können.**
If it had been cheaper (at that time) I could have bought it.

14. In the *conclusion* of such conditional sentences, the future subjunctive II is often used with conditions referring to present actions, and the future perfect subjunctive II is often used with conditions referring to past actions (würde=forms):

Referring to Present Actions:
                          Conclusion
Wenn ich es wüßte, **würde** ich es **sagen** (or: **sagte** ich es).
If I knew it, I should say it.

Referring to Past Actions:
                          Conclusion
Wenn ich es gewußt hätte, **würde** ich es **gesagt haben** (or: **hätte** ich es **gesagt**).
If I had known it, I should have said it.

15. **Wenn** is often omitted in the German conditional clause. In such cases, the verb comes first in the conditional clause, and so or dann is frequently used to introduce the conclusion:

Hätte ich das gewußt, (so or dann) wäre ich zu Hause geblieben.
If I had known that (*Had* I known that), I should have stayed at home.

16. The present and past subjunctive II is used after **als ob** (as if):
PRES. SUBJ. II: Er tut, als ob er sie nicht **sähe.**
He acts as if he didn't see her.

Er sieht aus, als ob er krank **wäre.**
He looks as if he were ill.

PAST SUBJ. II: Er tut (tat), als ob er sie nicht **gesehen hätte**.
He acts (acted) as if he had not seen her.

Er sieht (sah) aus, als ob er krank **gewesen wäre**.
He looks (looked) as if he had been ill.

In this construction, **ob** is frequently omitted, in which case the verb immediately follows the **als**; therefore, **als** directly followed by a verb should be translated by *as if:*

Er tut, **als sähe** er sie nicht.
He acts as if he didn't see her.

17. The subjunctive II is further used in *indirect discourse*, particularly when the forms of the subjunctive I would be the same as those of the indicative:

Direct: Er sagte: „Das können sie nicht tun, wir haben unsere Rechte (rights)."

Indirect: Er sagte, daß sie das nicht tun **könnten**, sie **hätten** ihre Rechte.

Here, the forms of the present subjunctive I would be: sie **können** and sie **haben**, which are identical with the corresponding indicative forms; the forms of the present subjunctive II, sie **könnten** and sie **hätten**, on the other hand, are distinct subjunctive forms.

Often the forms of the subjunctives I and II are simply used interchangeably in indirect discourse (see also § 7, NOTE):

PRES. SUBJ. I (II):   Er denkt, ich sei (wäre) blind.
He thinks I am blind.

Er dachte, ich sei (wäre) blind.
He thought I was blind.

PAST SUBJ. I (II):   Er dachte, ich sei (wäre) blind gewesen.
He thought I had been blind.

In German — as in English — the conjunction **daß** (that) may be dropped, in which case the subject comes first in the dependent clause:

Er sagte, **sie könnten** das nicht tun.

Aufgabe neunzehn

18. Other uses of the subjunctive II:
   a) *Wishes not likely to be realized* (i. e., *if*-clauses without a conclusion):
      Wenn er nur hier wäre!   If he only were here.
   b) *Possibility or probability:*
      Das könnte (dürfte) wahr sein.   That could (might) be true.
   c) *The potential:*
      Das wäre schön!   That would be nice (beautiful)!
   d) *Standard expressions:*
Ich möchte . . .	I should like to . . .
Dürfte ich . . .	May I (might I) . . .
Könnte ich . . .	Could I . . .
Würden Sie bitte so gut sein und . . .	Would you be so kind as to . . .

Recapitulation of Main Points:

1. A synopsis of the tense forms of the subjunctives I and II:

	SUBJUNCTIVE I	SUBJUNCTIVE II
PRESENT:	er gebe	er gäbe
PAST:	er habe gegeben	er hätte gegeben
FUTURE:	er werde geben	er würde geben
FUT. PERF.:	er werde gegeben haben	er würde gegeben haben

2. Uses of the two subjunctives:

SUBJUNCTIVE I	SUBJUNCTIVE II
Mainly indirect discourse.	*Mainly conditions contrary to fact.*
Other uses:	Other uses:
a) *Impersonal imperatives:* Man nehme . . .	a) *After als ob:* als ob er krank wäre (or: als wäre er krank)

Recognition Grammar — 205

b) *Wishes:*
Es lebe der König!
c) *Concessions:*
Wie groß es auch sei …

b) *Wishes* (regrets):
Wenn er nur hier wäre!
c) *Indirect Discourse:* When subj. I is identical with indicative.
d) *Possibility:*
Das dürfte wahr sein.
e) *Potential:* Das wäre gut.
f) *Standard Expressions:*
Ich möchte …
Dürfte ich …
Könnte ich …

3. A condition contrary to fact is expressed in German by using the subjunctive II in both the *if*-clause and the conclusion:

a) When referring to actions in the present time, the present subjunctive II is used;
b) when referring to actions in the past time, the past subjunctive II is used:

a) Wenn ich Zeit **hätte, ginge** ich.
b) Wenn ich Zeit **gehabt hätte, wäre** ich **gegangen.**

The future subjunctive is often used in the conclusion:

a) Wenn ich Zeit hätte, **würde** ich **gehen.**
b) Wenn ich Zeit gehabt hätte, **würde** ich **gegangen sein.**

Übungen

I. Recognition Grammar

A. Translate:

1. Man hörte, drei Legionen seien vernichtet worden. 2. Er wünschte, er wäre nach Rom gegangen. 3. Es wäre besser gewesen, wenn Varus ihm nicht die Erlaubnis gegeben hätte, das Heer zu verlassen. 4. Jedenfalls hätte Varus nicht seine drei Legionen verloren. 5. Man sagt, das Gewitter wäre furchtbar gewesen. 6. Hätten die Germanen gewußt, daß der

206 — Aufgabe neunzehn

Weg nach Rom offen war, so wären sie vielleicht in Italien eingefallen. 7. Christus sagt, wer das Schwert nehme, komme durch das Schwert um (um=kommen = to perish). 8. In der Zeitung steht, der Blitz habe das Rathaus getroffen. 9. Gäbe es keinen Gott, sagte Voltaire einmal, so müßten wir ihn erfinden (invent). 10. Er behauptet, er habe einmal den Hamlet gespielt. 11. Fürchten wir uns nicht vor ihm! 12. Fürch=ten wir uns nicht vor ihm, so hat er keine Macht über uns. 13. Be=trachten wir nun kurz die Folgen seiner Politik! 14. Ich möchte nur wissen, was sie mit dem Geld macht. 15. Dürfte ich Sie um ein Streich=holz (match) bitten? 16. Würden Sie so gut sein und mir noch eine (another) Tasse (cup) Kaffee geben? 17. Nehmen wir für morgen die nächste Aufgabe durch! 18. Er aß, als ob er drei Tage lang nichts zu essen bekommen hätte. 19. Man nehme drei Eier (eggs), vier Tassen Mehl (flour) und ein wenig Zucker (sugar) und mische (mix) alles zusammen. 20. Wenn er allein kommen könnte, würde ich ihn einladen.

B. Identify the subjunctive forms in the following and tell why they are used:

1. Man sagt, der Philosoph Aristippus sei reich geworden, weil er dem Tyrannen geschmeichelt (flattered) habe. 2. Diogenes dagegen sei arm geblieben, weil er das nicht getan habe. 3. Eines Tages sei Aristippus zu Diogenes gekommen, während dieser Linsen (lentils) wusch, um sich eine Suppe zu kochen. 4. Aristippus habe höhnisch (mockingly) gesagt: „Wenn du, o Diogenes, dem Tyrannen geschmeichelt hättest wie ich, dann brauchtest du jetzt nicht mit einer Linsensuppe zufrieden zu sein." 5. „Und wenn du, o Aristippus, mit einer Linsensuppe zufrieden wärest wie ich," habe Diogenes geantwortet, „dann brauchtest du dem Tyrannen nicht zu schmeicheln." 6. Dächten alle wie Diogenes, so gäbe es weniger Tyrannen auf der Welt.

II. Active Grammar

A. Give the corresponding forms of the subjunctives I and II. Remember that the past, the present perfect, and the past per=fect of the indicative are all rendered by the past subjunctive:

Active Grammar — 207

1. er hat 2. es ist 3. sie wird 4. du schläfst 5. es wächst
6. er liest 7. du nahmst 8. wir haben gesehen 9. ich hatte gesprochen
10. ich bin gegangen

B. State in indirect discourse; begin each sentence with Er sagte, . . .

1. Er hat keine Zeit. 2. Es ist nicht praktisch. 3. Sie wird kommen.
4. Ich bin nicht dagewesen. 5. Du wirst nicht mitkommen. 6. Sie haben es nicht getan. 7. Wir haben es tun sollen. 8. Er sprach eine ganze Stunde.

C. The following conditions are stated in the indicative. Make them contrary to fact.

EXAMPLE

Wenn das wahr ist, ist alles verloren = Wenn das wahr wäre, wäre alles verloren (or: würde alles verloren sein).

1. Wenn ich es weiß, sage ich es dir. 2. Wenn das Auto billiger ist, kaufe ich es. 3. Wenn sie hübsch ist, gehe ich mit ihr aus. 4. Wenn du mehr ißt, wirst du dicker. 5. Wenn ich das gesagt habe, habe ich gelogen.

D. Give the following conditions contrary to fact without wenn:

1. Wenn er seine Freundin mitbrächte, würde ich ihn einladen. 2. Wenn ich das wüßte, wäre ich Millionär. 3. Wenn ich dich gesehen hätte, hätte ich es dir gezeigt. 4. Wenn das Auto auch 300 Dollar billiger gewesen wäre, hätte ich es doch nicht kaufen können. 5. Wenn wir den Krieg nicht gewonnen hätten, wären wir jetzt eine zweitklassige Nation. 6. Wenn es den Konjunktiv (subjunctive) nicht gäbe, wäre das Leben einfacher. 7. Wenn ich nur nichts gesagt hätte!

E. Translate:

1. He maintains (behaupten) that he is rich. 2. He said that he had seen Hamlet in Berlin. 3. Let us not speak about it. 4. He looks as if he were intelligent. 5. No matter how rich he may be, I don't want him. 6. If only everything were cheaper.

Aufgabe neunzehn

7. Might I give you another (noch ein) glass of water? 8. I should like to see her picture (die Photographie).

F. Review exercises:

1. Give the meanings of: (a) Dienstag (b) vorgestern (c) heute in acht Tagen (d) heute morgen (e) morgen abend (f) morgen früh

2. Read: (a) 1848 (b) den 7. Mai 1949 (c) am 9. Oktober 1947 (d) 10·5 = 50. (e) 5^{35} (f) 7,5 (g) $\frac{1}{10}$

Wortschatz

der Blitz, –es, –e lightning
der Rat, –es, (pl. Ratschläge) advice

die Erlaubnis, – permission
die Schlacht, –, –en battle
die Steuer, –, –n tax
die Strafe, –, –n punishment

das Gewitter, –s, – thunderstorm
das Heer, –es, –e army
das Rathaus, –es, ⸚er city hall
das Zeichen, –s, – sign

an=greifen, griff an, angegriffen to attack
aus=sehen (ie, a, e) to look
behandeln to treat
berichten to report
besiegen to vanquish
bestätigen to confirm
bestrafen to punish
betrachten to regard, consider
ermorden to murder
meinen to say (express an opinion)
richten to direct

schätzen to esteem, value
hoch=schätzen to value highly
stürzen to fall headlong
sich stürzen to throw oneself
trauen (with dat.) to trust
treffen (i, traf, o) to hit; to meet
sich um=kehren to turn around
vernichten to destroy
verursachen to cause
warnen (vor) to warn (of)
zahlen to pay

dagegen on the other hand
einfach simple
feindlich hostile
furchtbar terrible
geschickt skillful, clever
gleich (adj.) same
hoch high(ly)
jedenfalls in any case
jedoch however
noch ein (eine) another (one more of the same kind)
persönlich personal(ly)
ruhig quiet
schwer heavy (also: difficult)

IDIOMS:

auf der Welt in the world
auf immer forever, for all times
es heißt it is said
z. B. (zum Beispiel) e. g. (= *exempli gratia*), for instance, for example
zur gleichen Zeit at the same time

COGNATES:

der Komét, –en, –en comet
die Legión, –, –en legion
der Millionär, –s, –e millionaire

der Mörder, –s, – murderer
der Norden, –s north
der Offizier′, –s, –e officer
das Schwert, –es, –er sword
die Statue, –, –n (*pron.* shtā-tu-e) statue
der Tempel, –s, – temple
der Tyránn, –en, –en tyrant
die Warnung, –, –en warning

offen open
praktisch practical
römisch Roman

Aufgabe zwanzig

Special Constructions

Goethe als Wissenschaftler

Es kommt vor, daß Wissenschaftler dichten und daß Dichter sich mit der Wissenschaft befassen. So hat z. B. Coleridge von dem englischen Chemiker Humphry Davy gesagt, er hätte der größte Dichter seiner Zeit werden können, und der Botaniker Erasmus Darwin, der Großvater des später so berühmt gewordenen Charles Darwin, war seinerzeit ein beliebter Dichter.

Das bekannteste Beispiel für einen Dichter, der sich mit der Wissenschaft befaßte, war Johann Wolfgang von Goethe (1749–1832). Goethe interessierte sich vor allem für die Geologie, die Physik und die Botanik. In der Physik entwickelte[1] er eine Farbenlehre,[2] die ihn mit Newton in Konflikt brachte, und wenn Goethe auch mit seiner Theorie nicht durchdringen[3] konnte, so hat er doch Wesentliches zur physiologischen Optik beigetragen.[4] Der Physiologe Johannes Müller erklärte 1826 in seiner „Physiologie des Gesichtssinnes,"[5] daß er seine eigene Arbeit ohne ein genaues Studium des goetheschen[6] Werkes nicht hätte schreiben können.

In der Botanik legte Goethe die Grundlage für eine vergleichende Morphologie,[7] und in seiner 1790 erschienenen Schrift „Versuch, die Metamorphose[8] der Pflanzen zu erklären" hat er Gedanken ausgedrückt, die stark an Darwin erinnern. Er behauptet hier nämlich, daß die ver=

---

[1] entwickeln = to develop   [2] theory of colors   [3] prevail   [4] Wesent= liches ... beigetragen = made important contributions   [5] Physiology of the Visual Sense   [6] Goethe's   [7] comparative morphology   [8] metamorphosis

210—

schiedenen Organe der Pflanze nur umgebildete Blätter seien, und daß es daher einmal eine Urpflanze gegeben haben muß, auf die[9] alle heute zu findenden Pflanzen zurückzuführen sind.

In denselben Jahren suchte Goethe Spuren[10] des Zwischenkieferknochens[11] im menschlichen Schädel.[12] Dieser vorne im Oberkiefer befindliche[13] Knochen ist in manchen Säugetieren[14] sehr gut ausgebildet,[15] wächst aber im menschlichen Schädel schon kurz nach der Geburt[16] mit dem Oberkiefer zusammen, sodaß man Jahrhunderte lang behauptet hat, der Mensch unterscheide sich[17] von den anderen Säugetieren durch das Fehlen[18] dieses Knochens. Goethe, der an die Einheit[19] alles organischen Lebens glaubte, war überzeugt,[20] daß der Zwischenkieferknochen auch beim Menschen zu finden sei.

Typisch für Goethes wissenschaftliches Denken[21] ist folgende Episode aus seiner Reise nach Venedig. Eines Tages sah er ein Schafskelett[22] auf dem Lido[23] liegen. Beim Anblick dieses Skeletts kam er zu der Einsicht, daß der Schädel sich aus einigen Wirbeln[24] entwickelt hat. Auch dieser Gedanke, der für seine Zeit ja recht radikal war, erinnert an die erst viel später ausgearbeitete Theorie Darwins.

Viele Ergebnisse der goetheschen Forschung sind natürlich durch die rapide Entwicklung der Naturwissenschaften im neunzehnten Jahrhundert überholt[25] worden, aber wenn wir von der Universalität des goetheschen Geistes sprechen, so denken wir nicht zuletzt[26] an den erstaunlichen wissenschaftlichen Scharfsinn[27] dieses größten deutschen Dichters.

Fragen

1. Was hat Coleridge von Humphry Davy gesagt? 2. Wer war Humphry Davy? 3. Wer war Erasmus Darwin? 4. Wie war die Entwicklung der Wissenschaft im 19. Jahrhundert? 5. Wofür hat Goethe

---

[9] auf die = to which   [10] traces   [11] intermaxillary bone   [12] skull
[13] vorne im Oberkiefer befindliche = situated in the front of the upper jaw
[14] mammals   [15] developed   [16] birth   [17] is differentiated   [18] absence
[19] unity   [20] convinced   [21] thinking   [22] skeleton of a sheep   [23] Lido, a famous beach near Venice   [24] vertebrae   [25] superseded   [26] nicht zuletzt = by no means least   [27] acumen

sich interessiert? 6. Woran arbeitete er in der Physik? 7. Gegen wen war Goethes Farbentheorie gerichtet? 8. Was dachte der Physiologe Johannes Müller von Goethes wissenschaftlicher Arbeit? 9. Worüber schrieb Goethe in der Botanik? 10. Wann erschien diese Schrift? 11. Was sind nach Goethes Theorie die verschiedenen Teile der Pflanze? 12. Sie wissen, was ein Wirbel ist, und Sie wissen, was ein Tier ist: Was ist also ein Wirbeltier?

Special Constructions in German

A. MODIFIED ADJECTIVE CONSTRUCTION: Zangenkonstruktion

1. One of the most typically German constructions is the so-called **Zange** (tongs, pincers). It permits a noun to be modified by an entire phrase in a way impossible of imitation in English without doing violence to the language. It is very much as if we would say: *This* in-the-year-1790-written-and-by-everyone-read *book* . . .

2. This German construction is readily recognized because the article (or its equivalent) is not followed by the noun, as one should expect, but by an entire phrase:

   eine von den meisten Wissenschaftlern angenommene **Theorie** . . .
   a . . . . theory . . .

3. The following steps should be taken in translating such a Zange:

   First step: Translate the noun which agrees with the article or its equivalent: **eine** . . . **Theorie** = a theory

   Second step: Translate the participle directly before the noun: angenommene = accepted = a theory accepted

   Third step: Translate the prepositional phrase preceding the participle: von den meisten Wissenschaftlern = by most scientists

   Thus, the complete translation would be, with or without adding a relative pronoun and auxiliary:

   A theory (which is) accepted by most scientists . . .

Special Constructions in German — 213

This is the most common type of the Zange: The article (or its equivalent) followed by a preposition, and the noun preceded by a participle. When the noun appears without a der-word or ein-word, the construction naturally begins with the preposition:

>Im Tal angepflanzte Bäume ...
>Trees planted in the valley ...

Occasionally, the noun is preceded by an adjective instead of by a participle:

>Der in allen seinen Werken gleich **große Dichter** ...
>The poet (who is) equally great in all his works ...

4. The Zange is generally best rendered in English by a relative clause. Observe how in the examples below the relative clauses are placed after the nouns they modify:

| Dieser | nach Goethe aus drei Wirbeln entstandene | Schädel ... |
| This | (which) according to Goethe (had) developed out of three vertebrae | skull ... |

Correct English: This skull (which) according to Goethe (had) developed out of three vertebrae ...

| Seine | schon vor vielen Jahren geschriebene, aber erst später veröffentlichte | Arbeit ... |
| His | (which had) already (been) written many years ago but (had) not (been) published until later | work ... |

Correct English: His work which had been written many years ago but had not been published until later ...

5. When an adjective is used with a noun in the Zange and stands between the participle and the noun, do not include such an adjective in the Zange but use it with the noun:

Die (von Goethe begründete und von Johannes Müller weiterent-wickelte) **physiologische Optik** . . .
Physiological optics, (which was) founded by Goethe and further developed by Johannes Müller, . . .

Similarly, genitive objects placed after the noun in the Zange should not be included in the Zange but added to the noun:

Die von allen Frauen gelesenen Bücher **dieser Dichterin** . . .
The books *of this poetess* which were read by all women . .

B. PARTICIPIAL CONSTRUCTIONS

6. Occasionally one meets with past participle constructions of the following type:

In Berlin **angekommen**, ging er sofort ins Hotel.

In translating such constructions, begin with the participle, rendering it by *having* . . . :

Having arrived in Berlin, he immediately went to the hotel.

Sometimes these constructions may also be rendered by a conjunctional clause: *After* having arrived in Berlin . . .

C. INFINITIVE CONSTRUCTIONS

7. **um . . . zu** (in order to) is always used to express purpose. Um is preceded by a comma and zu appears directly before the infinitive, which stands last.

Er hat es nur gesagt, **um** sie eifersüchtig **zu** machen.
He only said it (in order) to make her jealous.

Or: **Um** sie eifersüchtig **zu** machen, hat er es gesagt.

8. **ohne . . . zu** (without): The infinitive with zu is best translated by the present participle:

Er gestand es, **ohne** auch nur eine Sekunde **zu** zögern.
He admitted it without hesitating even a second.

Or: **Ohne** auch nur eine Sekunde **zu** zögern, gestand er es.

Similarly, **anstatt** ... **zu** with the infinitive:

Er ging ins Kino, **anstatt** nach Hause **zu** kommen.
He went to the movies instead of coming home.

Or: **Anstatt** nach Hause **zu** kommen, ging er ins Kino.

9. English infinitive constructions like *what to say, how to say, where to go*, etc., are expressed in German by a dependent clause with a modal auxiliary:

I don't know *what to* say:
Ich weiß nicht, **was** ich sagen **soll**.

I don't know *how to* say it:
Ich weiß nicht, **wie** ich es sagen **soll**.

D. DATIVE CONSTRUCTIONS

10. The following verbs govern the dative in German:

antworten	to answer	gefallen (ie, a)	to please
begegnen	to meet	gehören	to belong (to)
danken	to thank	gehorchen	to obey
dienen	to serve	geschehen (a, e), ist	to happen
erwidern	to answer	glauben	to believe
fehlen	to be missing	helfen (a, o)	to help
folgen (ist)	to follow	scheinen (ie, ie)	to seem, appear

Ich begegnete **ihm**. I met him.
Er war **mir** gefolgt. He had followed me.

11. *The Dative of Interest.* In certain expressions the dative must be translated by the genitive or (in the case of a personal pronoun) by a possessive adjective:

Mir ist ein Stein vom Herzen gefallen.
A stone fell from *my* heart.

Sie stehlen **unseren Nachbarn** alle Äpfel.
They are stealing all *our neighbors'* apples.

E. THE USE OF ja

12. Ja is often inserted in a sentence and is variously translated; used as follows, ja is never stressed and never followed by a comma (as is the case with the affirmative adverb ja, *yes*: Ja, ich komme):

> Das ist es ja.
> That's *just* it; that's it, you know.
>
> Da ist er ja.
> *Why*, there he is!
>
> Wir waren ja die ganze Zeit hier.
> *But* we've been here all the time.
>
> Sie war ja noch so jung.
> *After all*, she was still so young.
>
> Er hätte das ja wissen können.
> He might have known that, *mightn't he?*
>
> Du kannst ja mit uns kommen.
> You can come along with us, *you know*.

13. But when ja is used in a command, it is stressed and lends emphasis to the statement:

> Daß du **ja** keinen Fehler machst!
> Don't you dare make a mistake!

Recapitulation of Main Points:

1. The Zange is best rendered by changing the prepositional phrase into a relative clause or a participial construction:

> Eine im Urwald wachsende **Pflanze** . . .
> *A plant* which grows in the primeval forest . . . ; *or:*
> *A plant* growing in the primeval forest . . .

2. **Um . . . zu** (*lit.* in order to) is translated by *to*:
   Er kam, **um** sie **abzuholen**.   He came to call for her.

   Ohne . . . zu is translated by *without* plus present participle:
   Ohne etwas **zu** sagen, . . .   Without saying anything . . .

Übungen

I. Recognition Grammar

A. Translate:

1. Der Goethit ist ein von einem Freunde nach Goethe benanntes Mineral. 2. Der im Deutschen als Zwischenkiefer bezeichnete Intermaxillarknochen wird auch der Goetheknochen genannt. 3. Aber man kann nicht sagen: Herr Fischer hat sich seinen Goetheknochen verletzt, denn im menschlichen Schädel kommt der Zwischenkieferknochen als solcher (as such) nicht vor. 4. Die von Goethe beschriebene (described) Urpflanze muß man sich nicht als eine wirklich existierende Pflanze sondern als eine Abstraktion denken. 5. Goethes gegen Newton gerichtete Theorie vom Wesen des Lichts (about the nature of light) wird von der heutigen (today's) Wissenschaft nicht mehr angenommen. 6. Goethes an Darwin erinnernde Schrift über die Metamorphose der Pflanzen war noch nicht im Sinne der modernen Evolutionstheorie geschrieben. 7. Die damals nur von wenigen geglaubte und auch heute noch von vielen als bloße (mere) Erfindung (invention) betrachtete Theorie beruht (rests) auf Tatsachen. 8. Dieser in vielen Teilen Amerikas vorkommende bunte Vogel ist eine Art Kanarienvogel (canary). 9. Wir studieren diese komplizierte Konstruktion, um sie später in unserer deutschen Lektüre (reading) erkennen und übersetzen zu können. 10. Ohne diese Konstruktion zu verstehen, können wir keine wissenschaftlichen Texte lesen. 11. Diese Arbeit hat mir den ganzen Sommer verdorben (spoiled).

B. Infinitives with **zu**. Translate:

1. Er studierte die Botanik, um die Idee einer Urpflanze nachzuweisen. 2. Er tat das, ohne zu wissen, warum. 3. Sie kam nur, um von ihm Abschied (leave) zu nehmen. 4. Er hatte einen erstaunlichen Scharfsinn.

Aufgabe zwanzig,
ohne jedoch streng (strictly) wissenschaftliche Arbeit leisten (to do) zu können. 5. Um das Haus standen hohe Bäume. 6. Um acht Uhr gehe ich nach Hause, um noch eine Stunde Goethe zu lesen. 7. Um das Haus kaufen zu können, müßte man Millionär sein. 8. Er wußte nicht, wie er sich ausdrücken sollte. 9. Ich habe kein Zimmer, wo ich ungestört (undisturbed) arbeiten kann.

C. Find a suitable expression for ja:

1. Wir konnten ja nicht wissen, daß er krank war. 2. Das ist es ja. 3. Ja, wenn du nicht so dumm wärest! 4. Er war ja nur ein kleiner Junge. 5. Das ist ja erstaunlich! 6. Daß du ja nicht vergißt, mir etwas Schönes mitzubringen. 7. Wir sollten ja heute zu Ihnen kommen.

II. Active Grammar

A. Make a Zange of the following relative clauses.

EXAMPLE

Die Leute, die um ihn sitzen, ... = Die um ihn sitzenden Leute ...

1. Die Theorie, die von der Wissenschaft heute nicht mehr angenommen wird, ... 2. Das Kind, das im Sand spielt, ... 3. Diese Geschichte, die von vielen Leuten geglaubt wird, ... 4. Die Arbeit, die nach vielen Vorbereitungen (preparations) begonnen wurde, ... 5. Der Schädel, der beim Ausgraben (excavation) gefunden wurde, ...

B. Use um ... zu with the word in parenthesis.

EXAMPLE

Er kam, (das Geld von mir holen) = Er kam, um das Geld von mir zu holen.

1. Er schrieb die Gedichte nur, (mehr Geld verdienen). 2. Er sagte es nur, (mich ärgern). 3. Wir gingen in die Oper, (ihn singen hören). 4. Ich studiere Botanik, (mich über die Pflanzenwelt informieren). 5. Er hatte Geld genug, (ein Auto kaufen).

Wortschatz — 219

C. Translate:
1. He came into the room without seeing me. 2. This much-read book is now forgotten. 3. Follow me, and I shall help you. 4. He only wanted the money (in order) to buy a car with it. 5. After all, he is only a child. 6. That's just it. 7. He demanded (verlangen) to see it. 8. Don't you dare (*use* ja) run too fast! 9. This skull, found in Germany, was very old. 10. This often forgotten fact proves it.

D. Review exercises:

I. Translate: 1. Wenn ich Zeit gehabt hätte, wäre ich mitgekommen. 2. Er sagte, er sei nicht dagewesen. 3. Könnten Sie mir sagen, wo das Rathaus ist? 4. Hätte ich das gewußt, so hätte ich den Mund gehalten. 5. Gehen wir jetzt schlafen! 6. Man lese nur, was er geschrieben hat. 7. Gäbe es keine Sonne (sun), so gäbe es auch keine Pflanzen. 8. Dürfte ich fragen, was das bedeuten soll?

II. To complete the following conditions, supply the proper form of würd—:

1. Wenn ich reich wäre, ——— ich ein Auto kaufen. 2. Wenn wir es gewußt hätten, ——— wir es gesagt haben. 3. Wenn er es könnte, ——— er es tun. 4. Wenn das wahr wäre, ——— ihr alle verloren sein.

Wortschatz

der Anblick, –es, –e sight
der Geist, –es, –er mind
der Großvater, –s, –̈ grandfather
der Knochen, –s, – bone
der Versuch, –es, –e attempt, experiment
der Vogel, –s, –̈ bird
der Wissenschaftler, –s, – scientist

die Einsicht, –, –en realization

die Forschung, –, –en research
die Grundlage, –, –n basis, foundation
die Schrift, –, –en publication
die Tatsache, –, –n fact
die Wissenschaft, –, –en science

das Blatt, –es, –̈er leaf
das Ergebnis, –sses, –sse result

Aufgabe zwanzig

aus=drücken   to express
befassen, sich (mit)   to take up, occupy oneself (with)
bezeichnen   to designate
dichten   to write poetry
erinnern   to remind
gelangen (zu)   to arrive (at)
nach=weisen (ie, ie)   to prove, establish
verdienen   to earn
vor=kommen (a, o), ist   to occur
zurück=führen   to trace back

damals (*adv.*)   at that time
erstaunlich   astounding, surprising
menschlich   human
seinerzeit   in his time
verschieden   different
vor allem   above all
wesentlich   essential
wissenschaftlich   scientific

IDIOMS:

Ur= (*prefix*)   original, primeval, *etc.*
die Urpflanze   primeval plant
der Urgroßvater   great-grandfather

COGNATES:

die Botánik, –   botany
der Botániker, –s, –   botanist
der Chémiker, –s, –   chemist
die Geologie´, –   geology
der Goethit   Goethite
die Konstruktión, –, –en   construction
das Minerál, –s, –ien   mineral
die Optik, –   optics
das Orgán, –s, –e   organ
die Physik, –   physics
der Physiológe, –n, –n   physiologist
der Sand, –es   sand
das Stúdium, –s, –ien   study
der Text, –es, –e   text
die Theorie´, –, –n   theory
die Universalität, –   universality

analóg   analogous
physiológisch   physiological
rapíde   rapid
týpisch   typical

existie´ren   to exist
informie´ren   to inform

Appendix

Appendix

A Condensed Synopsis of German Grammar

I. THE VERB

1. THE AUXILIARIES:

A. *Indicative*

haben (to have)   sein (to be)   werden (to become)

Present

haben	sein	werden
ich habe	ich bin	ich werde
du hast	du bist	du wirst
er hat	er ist	er wird
wir haben	wir sind	wir werden
ihr habt	ihr seid	ihr werdet
sie haben	sie sind	sie werden
Sie haben	Sie sind	Sie werden

Past

haben	sein	werden
ich hatte	ich war	ich wurde (ward)
du hattest	du warst	du wurdest (wardst)
er hatte	er war	er wurde (ward)
wir hatten	wir waren	wir wurden
ihr hattet	ihr wart	ihr wurdet
sie hatten	sie waren	sie wurden
Sie hatten	Sie waren	Sie wurden

Future

haben	sein	werden
ich werde haben	ich werde sein	ich werde werden
du wirst haben	du wirst sein	du wirst werden
er wird haben	er wird sein	er wird werden

Future (ctd.)

wir werden haben / wir werden sein / wir werden werden
ihr werdet haben / ihr werdet sein / ihr werdet werden
sie werden haben / sie werden sein / sie werden werden
Sie werden haben / Sie werden sein / Sie werden werden

Present Perfect

ich habe gehabt / ich **bin** gewesen / ich **bin** geworden
du hast gehabt / du bist gewesen / du bist geworden
er hat gehabt / er ist gewesen / er ist geworden

wir haben gehabt / wir sind gewesen / wir sind geworden
ihr habt gehabt / ihr seid gewesen / ihr seid geworden
sie haben gehabt / sie sind gewesen / sie sind geworden
Sie haben gehabt / Sie sind gewesen / Sie sind geworden

Past Perfect

ich hatte gehabt / ich **war** gewesen / ich **war** geworden
du hattest gehabt / du warst gewesen / du warst geworden
er hatte gehabt / er war gewesen / er war geworden

wir hatten gehabt / wir waren gewesen / wir waren geworden
ihr hattet gehabt / ihr wart gewesen / ihr wart geworden
sie hatten gehabt / sie waren gewesen / sie waren geworden
Sie hatten gehabt / Sie waren gewesen / Sie waren geworden

Future Perfect

ich werde gehabt haben / ich werde gewesen **sein** / ich werde geworden **sein**
du wirst gehabt haben / du wirst gewesen sein / du wirst geworden sein
er wird gehabt haben / er wird gewesen sein / er wird geworden sein

wir werden gehabt haben / wir werden gewesen sein / wir werden geworden sein
ihr werdet gehabt haben / ihr werdet gewesen sein / ihr werdet geworden sein
sie werden gehabt haben / sie werden gewesen sein / sie werden geworden sein
Sie werden gehabt haben / Sie werden gewesen sein / Sie werden geworden sein

B. Subjunctive

Present Subjunctive I

ich habe	ich sei	ich werde
du habest	du sei(e)st	du werdest
er habe	er sei	er werde
wir haben	wir seien	wir werden
ihr habet	ihr seiet	ihr werdet
sie haben	sie seien	sie werden
Sie haben	Sie seien	Sie werden

Present Subjunctive II

ich hätte	ich wäre	ich würde
du hättest	du wärest	du würdest
er hätte	er wäre	er würde
wir hätten	wir wären	wir würden
ihr hättet	ihr wäret	ihr würdet
sie hätten	sie wären	sie würden
Sie hätten	Sie wären	Sie würden

Past Subjunctive I

ich habe gehabt	ich **sei** gewesen	ich **sei** geworden
du habest gehabt	du sei(e)st gewesen	du sei(e)st geworden
er habe gehabt	er sei gewesen	er sei geworden
wir haben gehabt	wir seien gewesen	wir seien geworden
ihr habet gehabt	ihr seiet gewesen	ihr seiet geworden
sie haben gehabt	sie seien gewesen	sie seien geworden
Sie haben gehabt	Sie seien gewesen	Sie seien geworden

Past Subjunctive II

ich hätte gehabt	ich **wäre** gewesen	ich **wäre** geworden
du hättest gehabt	du wärest gewesen	du wärest geworden
er hätte gehabt	er wäre gewesen	er wäre geworden

Past Subjunctive II (ctd.)

wir hätten gehabt	wir wären gewesen	wir wären geworden
ihr hättet gehabt	ihr wäret gewesen	ihr wäret geworden
sie hätten gehabt	sie wären gewesen	sie wären geworden
Sie hätten gehabt	Sie wären gewesen	Sie wären geworden

Future Subjunctive I

ich werde haben	ich werde sein	ich werde werden
du werdest haben	du werdest sein	du werdest werden
etc.	etc.	etc.

Future Subjunctive II

ich würde haben	ich würde sein	ich würde werden
etc.	etc.	etc.

Future Perfect Subjunctive I

ich werde gehabt haben	ich werde gewesen **sein**	ich werde geworden **sein**
etc.	etc.	etc.

Future Perfect Subjunctive II

ich würde gehabt haben	ich würde gewesen **sein**	ich würde geworden **sein**
etc.	etc.	etc.

Imperative

habe!	sei!	werde!
habt!	seid!	werdet!
haben Sie!	seien Sie!	werden Sie!

Present Participle

habend	seiend	werdend

Past Participle

gehabt	gewesen	geworden

2. MODAL AUXILIARIES:

| dürfen | können | mögen | müssen | sollen | wollen |

Meanings

| ich darf: | ich kann: | ich mag: | ich muß: | ich soll: | ich will: |
| I may | I can | I like to | I have to | I am to | I want to |

Present

ich darf	ich kann	ich mag	ich muß	ich soll	ich will
du darfst	du kannst	du magst	du mußt	du sollst	du willst
er darf	er kann	er mag	er muß	er soll	er will

wir dürfen	wir können	wir mögen	wir müssen	wir sollen	wir wollen
ihr dürft	ihr könnt	ihr mögt	ihr müßt	ihr sollt	ihr wollt
sie dürfen	sie können	sie mögen	sie müssen	sie sollen	sie wollen
Sie dürfen	Sie können	Sie mögen	Sie müssen	Sie sollen	Sie wollen

Past

ich durfte	ich konnte	ich mochte	ich mußte	ich sollte	ich wollte
du durftest	du konntest	du mochtest	du mußtest	du solltest	du wolltest
er durfte	er konnte	er mochte	er mußte	er sollte	er wollte

wir durften	wir konnten	wir mochten	wir mußten	wir sollten	wir wollten
ihr durftet	ihr konntet	ihr mochtet	ihr mußtet	ihr solltet	ihr wolltet
sie durften	sie konnten	sie mochten	sie mußten	sie sollten	sie wollten
Sie durften	Sie konnten	Sie mochten	Sie mußten	Sie sollten	Sie wollten

Future

ich werde dürfen (können, mögen, müssen, sollen, wollen), etc.

Present Perfect

ich habe gedurft (gekonnt, gemocht, gemußt, gesollt, gewollt), etc.

Past Perfect

ich hatte gedurft (gekonnt, gemocht, gemußt, gesollt, gewollt), etc.

But: *Present and Past Perfect with Dependent Infinitive:*

Present Perfect

Ich habe kommen dürfen (können, mögen, müssen, sollen, wollen).

Past Perfect

Ich hatte kommen dürfen (können, mögen, müssen, sollen, wollen).

Future Perfect

Ich werde gedurft (gekonnt, gemocht, gemußt, gesollt, gewollt) haben, etc.

For *subjunctive* and *passive*, see the synopsis of principal verbs, § 4 below.

3. THE SEMI-MODAL AUXILIARIES:

helfen	to help	lassen	to let, cause
heißen	to bid(!)	lernen	to learn
hören	to hear	lehren (*with double acc.*) to teach
		sehen	to see

Wissen (to know) is conjugated like a modal auxiliary in the present tense:

Present	*Past*
ich weiß	ich wußte
du weißt	du wußtest
er weiß	er wußte
wir wissen	wir wußten
ihr wißt	ihr wußtet
sie wissen	sie wußten
Sie wissen	Sie wußten

4. SYNOPSIS OF PRINCIPAL VERBS:

A. ACTIVE

WEAK VERBS	STRONG VERBS

Infinitive

lieben, to love	fahren, to drive

1. Indicative

Present

ich liebe, I love	ich fahre, I drive
du liebst	du fährst
er liebt	er fährt
wir lieben	wir fahren
ihr liebt	ihr fahrt
sie lieben	sie fahren
Sie lieben	Sie fahren

Past

ich liebte, I loved	ich fuhr, I drove
du liebtest	du fuhrst
er liebte	er fuhr
wir liebten	wir fuhren
ihr liebtet	ihr fuhrt
sie liebten	sie fuhren
Sie liebten	Sie fuhren

Future

ich werde lieben, I shall love	ich werde fahren, I shall drive
du wirst lieben	du wirst fahren
er wird lieben	er wird fahren
wir werden lieben	wir werden fahren
ihr werdet lieben	ihr werdet fahren
sie werden lieben	sie werden fahren
Sie werden lieben	Sie werden fahren

Appendix

Present Perfect

ich habe geliebt, I have loved
du hast geliebt
er hat geliebt

wir haben geliebt
ihr habt geliebt
sie haben geliebt
Sie haben geliebt

ich bin gefahren, I have driven
du bist gefahren
er ist gefahren

wir sind gefahren
ihr seid gefahren
sie sind gefahren
Sie sind gefahren

Past Perfect

ich hatte geliebt, I had loved
du hattest geliebt
er hatte geliebt

wir hatten geliebt
ihr hattet geliebt
sie hatten geliebt
Sie hatten geliebt

ich war gefahren, I had driven
du warst gefahren
er war gefahren

wir waren gefahren
ihr wart gefahren
sie waren gefahren
Sie waren gefahren

Future Perfect

ich werde geliebt haben, I shall have loved
du wirst geliebt haben
er wird geliebt haben

wir werden geliebt haben
ihr werdet geliebt haben
sie werden geliebt haben
Sie werden geliebt haben

ich werde gefahren sein, I shall have driven
du wirst gefahren sein
er wird gefahren sein

wir werden gefahren sein
ihr werdet gefahren sein
sie werden gefahren sein
Sie werden gefahren sein

Imperative

liebe!	fahre!	*but:*	hilf!
liebt!	fahrt!		helft!
lieben Sie!	fahren Sie!		helfen Sie!

Present Participle

liebend   fahrend

Past Participle

geliebt   gefahren

2. Subjunctive

Present Subjunctive I

ich liebe, I love	ich fahre, I drive
du liebest	du fahrest
er liebe	er fahre
wir lieben	wir fahren
ihr liebet	ihr fahret
sie lieben	sie fahren
Sie lieben	Sie fahren

Present Subjunctive II

ich liebte, I loved, I love	ich führe, I drove, I drive
du liebtest	du führest
er liebte	er führe
wir liebten	wir führen
ihr liebtet	ihr führet
sie liebten	sie führen
Sie liebten	Sie führen

NOTE: The modal auxiliaries take an umlaut in the present subjunctive II, except sollen and wollen; hence: ich könnte, ich möchte, ich müßte; ich sollte, ich wollte.

Future Subjunctive I

ich werde lieben, I shall love	ich werde fahren, I shall drive
du werdest lieben	du werdest fahren
er werde lieben	er werde fahren
wir werden lieben	wir werden fahren
ihr werdet lieben	ihr werdet fahren
sie werden lieben	sie werden fahren
Sie werden lieben	Sie werden fahren

Future Subjunctive II (*Conditional*)

ich würde lieben, I should love
du würdest lieben
er würde lieben

wir würden lieben
ihr würdet lieben
sie würden lieben
Sie würden lieben

ich würde fahren, I should drive
du würdest fahren
er würde fahren

wir würden fahren
ihr würdet fahren
sie würden fahren
Sie würden fahren

Past Subjunctive I

ich habe geliebt, I have loved,
du habest geliebt   I loved
er habe geliebt

wir haben geliebt
ihr habet geliebt
sie haben geliebt
Sie haben geliebt

ich sei gefahren, I have driven,
du sei(e)st gefahren   I drove
er sei gefahren

wir seien gefahren
ihr seiet gefahren
sie seien gefahren
Sie seien gefahren

Past Subjunctive II

ich hätte geliebt, I had loved
du hättest geliebt
er hätte geliebt

wir hätten geliebt
ihr hättet geliebt
sie hätten geliebt
Sie hätten geliebt

ich **wäre** gefahren, I had driven
du wärest gefahren
er wäre gefahren

wir wären gefahren
ihr wäret gefahren
sie wären gefahren
Sie wären gefahren

Future Perfect Subjunctive I

ich werde geliebt haben, I shall
du werdest geliebt haben   have
er werde geliebt haben   loved

wir werden geliebt haben
ihr werdet geliebt haben
sie werden geliebt haben
Sie werden geliebt haben

ich werde gefahren **sein**, I shall
du werdest gefahren sein   have
er werde gefahren sein   driven

wir werden gefahren sein
ihr werdet gefahren sein
sie werden gefahren sein
Sie werden gefahren sein

Future Perfect Subjunctive II (Past Conditional)

ich würde geliebt haben, I should
du würdest geliebt haben   have
er würde geliebt haben   loved

wir würden geliebt haben
ihr würdet geliebt haben
sie würden geliebt haben
Sie würden geliebt haben

ich würde gefahren sein, I should
du würdest gefahren sein   have
er würde gefahren sein   driven

wir würden gefahren sein
ihr würdet gefahren sein
sie würden gefahren sein
Sie würden gefahren sein

B. PASSIVE

1. Indicative

Present

ich werde geliebt, I am loved
du wirst geliebt
er wird geliebt

wir werden geliebt
ihr werdet geliebt
sie werden geliebt
Sie werden geliebt

ich werde gefahren, I am driven
du wirst gefahren
er wird gefahren

wir werden gefahren
ihr werdet gefahren
sie werden gefahren
Sie werden gefahren

Past

ich wurde geliebt, I was loved
du wurdest geliebt
er wurde geliebt

wir wurden geliebt
ihr wurdet geliebt
sie wurden geliebt
Sie wurden geliebt

ich wurde gefahren, I was driven
du wurdest gefahren
er wurde gefahren

wir wurden gefahren
ihr wurdet gefahren
sie wurden gefahren
Sie wurden gefahren

Future

ich werde geliebt werden, I shall be
du wirst geliebt werden   loved
er wird geliebt werden

ich werde gefahren werden, I shall be
du wirst gefahren werden   driven
er wird gefahren werden

Future (ctd.)

wir werden geliebt werden
ihr werdet geliebt werden
sie werden geliebt werden
Sie werden geliebt werden

wir werden gefahren werden
ihr werdet gefahren werden
sie werden gefahren werden
Sie werden gefahren werden

Present Perfect

ich **bin** geliebt **worden,** I was
du bist geliebt worden   loved
er ist geliebt worden

ich **bin** gefahren **worden,** I was
du bist gefahren worden   driven
er ist gefahren worden

wir sind geliebt worden
ihr seid geliebt worden
sie sind geliebt worden
Sie sind geliebt worden

wir sind gefahren worden
ihr seid gefahren worden
sie sind gefahren worden
Sie sind gefahren worden

Past Perfect

ich **war** geliebt **worden,** I had
du warst geliebt worden   been
er war geliebt worden   loved

ich **war** gefahren **worden,** I had
du warst gefahren worden   been
er war gefahren worden   driven

wir waren geliebt worden
ihr wart geliebt worden
sie waren geliebt worden
Sie waren geliebt worden

wir waren gefahren worden
ihr wart gefahren worden
sie waren gefahren worden
Sie waren gefahren worden

Future Perfect

ich werde geliebt **worden sein,**   I shall
du wirst geliebt worden sein   have been
er wird geliebt worden sein   loved

ich werde gefahren **worden sein,**   I shall
du wirst gefahren worden sein   have been
er wird gefahren worden sein   driven

wir werden geliebt worden sein
ihr werdet geliebt worden sein
sie werden geliebt worden sein
Sie werden geliebt worden sein

wir werden gefahren worden sein
ihr werdet gefahren worden sein
sie werden gefahren worden sein
Sie werden gefahren worden sein

2. Passive, Subjunctive

Use the auxiliary **werden** in the subjunctive; otherwise follow the synopsis of the indicative:

Present Subjunctive I

ich werde geliebt, I am loved
du werdest geliebt
   etc.

ich werde gefahren, I am driven
du werdest gefahren
   etc.

Present Subjunctive II

ich würde geliebt, I would be loved, I am loved
   etc.

ich würde gefahren, I would be driven, I am driven
   etc.

Future Subjunctive I

ich werde geliebt werden, I shall be loved
du werdest geliebt werden
   etc.

ich werde gefahren werden, I shall be driven
du werdest gefahren werden
   etc.

Future Subjunctive II

ich würde geliebt werden, I should be loved
   etc.

ich würde gefahren werden, I should be driven
   etc.

Past Subjunctive I

ich sei geliebt **worden**, I was loved
   etc.

ich sei gefahren **worden**, I was driven
   etc.

Past Subjunctive II

ich wäre geliebt **worden**, I was loved
   etc.

ich wäre gefahren **worden**, I was driven
   etc.

Future Perfect Subjunctive I

ich werde geliebt worden sein, I shall have been loved
du werdest geliebt worden sein
etc.

ich werde gefahren worden sein, I shall have been driven
du werdest gefahren worden sein
etc.

Future Perfect Subjunctive II

ich würde geliebt worden sein, I should have been loved
etc.

ich würde gefahren worden sein, I should have been driven
etc.

5. THE REFLEXIVE VERBS:

Present Indicative

sich freuen (to be glad)   **sich helfen** (to help oneself)

ich freue mich
du freust dich
er freut **sich**

ich helfe mir
du hilfst dir
er hilft **sich**

wir freuen uns
ihr freut euch
sie freuen **sich**
Sie freuen **sich**

wir helfen uns
ihr helft euch
sie helfen **sich**
Sie helfen **sich**

The other tenses are formed similarly (*see* § *4 above*).

6. LIST OF STRONG VERBS AND IRREGULAR WEAK VERBS:

The following list is, for all practical purposes, complete; completeness has been attempted in order to give the student, even in his later readings, a ready tool with which to work. Only verbs now entirely obsolete have been omitted. Irregularities in spelling are given in heavy print, while entirely irregular forms (including those with umlaut in the second [and third] person singular in the present tense) are listed in the fourth column. The verbs have been assigned to the various classes according to their forms in modern German; where necessary, historical correctness has been abandoned in favor of practicability. In general, only the simple, uncompounded verbs have been listed because their compound derivatives have the identical vowel sequence; e. g., fallen, fiel, (ist) gefallen; fällt — gefallen, gefiel, gefallen; gefällt — ein=fallen, fiel ein, (ist) eingefallen; fällt ein, etc.

Verbs taking sein in the compound tenses are characterized by ist with the past participle.

CLASS I

(ei — ie — ie)

INFINITIVE	PAST	PAST PARTICIPLE	IRREGULARITIES	
1. bleiben	blieb	ist geblieben		to remain, stay
2. gedeihen	gedieh	ist gediehen		to thrive
3. leihen	lieh	geliehen		to lend
4. meiden	mied	gemieden	*Pres.*: du meidest	to avoid, shun
5. preisen	pries	gepriesen	*Pres.*: du preist	to praise
6. reiben	rieb	gerieben		to rub
7. scheiden	schied	ist geschieden		to part
8. scheinen	schien	geschienen		to shine; to seem
9. schreiben	schrieb	geschrieben	*Pres.*: du scheidest	to write
10. schreien	schrie	geschrien		to shout, scream
11. schweigen	schwieg	geschwiegen		to be silent
12. speien	spie	gespieen		to spit
13. steigen	stieg	ist gestiegen		to climb, ascend
14. treiben	trieb	getrieben		to drive; to do
15. weisen	wies	gewiesen		to show, point to
16. zeihen (*object in the gen.*)	zieh	geziehen		to accuse

Strong Verbs

(ei — i — i)

17. befleißen, sich	befliß	beflissen		*Pres.*: du befleißt dich	to apply oneself
18. beißen	biß	gebissen		*Pres.*: du beißt	to bite
19. bleichen	blich	geblichen			to bleach
20. gleichen (*with dat.*)	glich	geglichen			to resemble
21. gleiten	glitt	ist geglitten		*Pres.*: du gleitest	to slide, slip
22. greifen	griff	gegriffen			to grasp, grip
23. kneifen	kniff	gekniffen			to pinch
24. leiden	litt	gelitten		*Pres.*: du leidest	to suffer
25. pfeifen	pfiff	gepfiffen			to whistle
26. reißen	riß	gerissen		*Pres.*: du reißt	to tear, rend
27. reiten	ritt	ist geritten		*Pres.*: du reitest	to ride (*on horseback*)
28. schleichen	schlich	ist geschlichen			to sneak
29. schleifen	schliff	geschliffen			to sharpen (*knives, etc.*)
30. schmeißen (*colloquial*)	schmiß	geschmissen			to throw
31. schneiden	schnitt	geschnitten		*Pres.*: du schneidest	to cut
32. schreiten	schritt	ist geschritten		*Pres.*: du schreitest	to stride
33. streichen	strich	gestrichen			to stroke; to paint
34. streiten	stritt	gestritten		*Pres.*: du streitest	to fight, quarrel
35. weichen	wich	ist gewichen			to yield

Appendix

CLASS II

$$(\text{ie} - \text{o} - \text{o})$$

	INFINITIVE	PAST	PAST PARTICIPLE	IRREGULARITIES	
36.	biegen	bog	gebogen		to bend
37.	bieten	bot	geboten	Pres.: bu bietest	to offer
38.	fliegen	flog	ist geflogen		to fly
39.	fliehen	floh	ist geflohen		to flee
40.	fließen	floß	ist geflossen	Pres.: bu fließt	to flow
41.	frieren	fror	(ist) gefroren	(takes sein if used impersonally)	to be cold; to freeze
42.	genießen	genoß	genossen	Pres.: bu genießt	to enjoy
43.	gießen	goß	gegossen	Pres.: bu gießt	to pour
44.	kriechen	kroch	ist gekrochen		to creep, crawl
45.	riechen	roch	gerochen		to smell
46.	schieben	schob	geschoben		to push
47.	schießen	schoß	geschossen	Pres.: bu schießt	to shoot
48.	schließen	schloß	geschlossen	Pres.: bu schließt	to close
49.	sieden	sott	gesotten	Pres.: bu siedest (also weak forms: siedete, gesiedet)	to boil, seethe
50.	sprießen	sproß	ist gesprossen	Pres.: bu sprießt	to sprout
51.	triefen	troff	(rare: getroffen) getrieft	Also weak past: triefte	to be dripping
52.	verdrießen	verdroß	verdrossen	Pres.: bu verdrießt	to vex
53.	verlieren	verlor	verloren		to lose
54.	wiegen	wog	gewogen		to weigh
55.	ziehen	zog	(ist) gezogen	(takes sein when meaning: to march)	to pull; to march

Strong Verbs

No.	Infinitive	Past	Past Participle	Notes	Meaning
		(i — u — u)			
56.	glimmen	glomm	geglommen		to glow
57.	klimmen	klomm	ist geklommen		to climb
		(e — o — o)			
58.	beklommen	beklomm	beklommen		to oppress (figurative), depress
59.	breschen	brosch	gedroschen	Pres.: du drischst	to thresh
60.	fechten	focht	gefochten	Pres.: du fichst	to fence, fight
61.	flechten	flocht	geflochten	Imperat.: ficht! or: fechte! Pres.: du flichst Imperat.: flechte! and rarely: flicht!	to plait, braid
62.	heben	hob	gehoben		to lift, raise
63.	melken	molk	gemolken	Pres.: du milkst or du melkst; also weak forms.	to milk
64.	quellen	quoll	ist gequollen	Pres.: du quillst	to gush forth
65.	scheren	schor	geschoren	Pres.: du schierst or: du scherst	to shear
66.	schmelzen	schmolz	(ist) geschmolzen	Pres.: du schmilzt; — takes sein when intransitive.	to melt
67.	schwellen	schwoll	ist geschwollen	Pres.: du schwillst Also weak forms	to swell
68.	weben	wob	gewoben	Also weak forms	to weave

Appendix

CLASS II (Continued)

(a, ö, ü — o — o)

INFINITIVE	PAST	PAST PARTICIPLE	IRREGULARITIES	
69. betrügen	betrog	betrogen	trügen *is rare.*	to deceive
70. erlöschen (*intr.*)	erlosch	ist erloschen	löschen *is weak.*	to go out, become extinct (*light, flame*)
71. gären	gor	ist gegoren	*Also weak forms*	to ferment
72. lügen	log	gelogen		to tell a lie
73. schwören	schwur	geschworen	*Past also:* schwur	to swear

(a, au — o — o)

INFINITIVE	PAST	PAST PARTICIPLE	IRREGULARITIES	
74. saufen	soff	gesoffen	*Pres.:* du säufst *or* saufst *Imperal.:* saufe!	to drink (*said of animals*)
75. saugen	sog	gesogen	*Also weak:* saugte, gesaugt	to suck
76. schallen	scholl	ist geschollen	*Also weak:* schallte, geschallt *Pres.:* es schallt	to sound (*intr.*)
77. schnauben	schnob (schnaubte)	geschnoben (geschnaubt)	*Weak forms more colloquial.*	to snort
78. schrauben	(schrob) schraubte	(geschroben) geschraubt	*Weak forms preferred.*	to screw

(For spinnen see no. 101.)

CLASS III
(i — a — u)

79. binden	band	gebunden	*Pres.*: bu bindeſt	to bind
80. bringen	brang	iſt gebrungen		to penetrate
81. finden	fand	gefunden	*Pres.*: bu findeſt	to find
82. gelingen	gelang	iſt gelungen	*Impers.*: es iſt mir gelungen	to succeed
83. klingen	klang	geklungen		to sound, tinkle
84. ringen	rang	gerungen		to struggle, wrestle
85. ſchlingen	ſchlang	geſchlungen		to sling, twine
86. ſchwinden	ſchwand	iſt geſchwunden	*Pres.*: bu ſchwindeſt	to dwindle
87. ſchwingen	ſchwang	geſchwungen		to swing, brandish
88. ſingen	ſang	geſungen		to sing
89. ſinken	ſank	iſt geſunken		to sink
90. ſpringen	ſprang	iſt geſprungen		to jump
91. ſtinken	ſtank	geſtunken		to stink
92. trinken	trank	getrunken		to drink
93. winden	wand	gewunden	*Pres.*: bu windeſt	to wind
94. wringen	wrang	gewrungen		to wring
95. zwingen	zwang	gezwungen		to force

(i — a — o)

96. beginnen	begann	begonnen	*Pres. subj. II*: begänne or begönne	to begin
97. gewinnen	gewann	gewonnen	*Pres. subj. II*: gewönne or gewänne	to win
98. rinnen	rann	iſt geronnen		to trickle
99. ſchwimmen	ſchwamm	(iſt) geſchwommen	*Pres. subj. II*: ſchwömme or ſchwämme	to swim
100. ſinnen	ſann	geſonnen	*Pres. subj. II*: ſönne or ſänne	to meditate
101. ſpinnen	ſpann (ſponn)	geſponnen	*Pres. subj. II*: ſpönne	to spin

Strong Verbs — 243

CLASS IV
(e — a — u)

	INFINITIVE	PAST	PAST PARTICIPLE	IRREGULARITIES	
102.	befehlen	befahl	befohlen	*Pres.*: du befiehlst *Pres. subj. II:* beföhle or befähle	to command
103.	bergen	barg	geborgen	*Pres.*: du birgst (*more common:* verbergen)	to hide
104.	bersten	barst	ist geborsten	*Pres.*: du birst	to burst
105.	brechen	brach	gebrochen	*Pres.*: du brichst	to break
106.	erschrecken (*intr.*)	erschrak	ist erschrocken	*Pres.*: du erschrickst (*trans. verb is weak*)	to be frightened
107.	gebären	gebar	geboren	*Pres.*: du gebierst	to give birth to
108.	gelten	galt	gegolten	*Pres.*: du giltst *Imperal.*: gelte!	to be worth or considered
109.	helfen	half	geholfen	*Pres.*: du hilfst *Pres. subj. II:* hülfe	to help
110.	nehmen	nahm	genommen	*Pres.*: du nimmst	to take
111.	schelten	schalt	gescholten	*Pres.*: du schiltst *Imperal.*: schelte!	to scold
112.	sprechen	sprach	gesprochen	*Pres.*: du sprichst	to speak
113.	stechen	stach	gestochen	*Pres.*: du stichst	to prick, sting
114.	stehlen	stahl	gestohlen	*Pres.*: du stiehlst *Pres. subj. II:* stähle or stöhle	to steal
115.	sterben	starb	ist gestorben	*Pres.*: du stirbst *Pres. subj. II:* stürbe	to die
116.	treffen	traf	getroffen	*Pres.*: du triffst	to meet; to hit
117.	verderben	verdarb	verborben	*Pres.*: du verdirbst *Pres. subj. II:* verdürbe	to spoil
118.	werben	warb	geworben	*Pres.*: du wirbst *Pres. subj. II:* würbe	to sue; to enlist
119.	werfen	warf	geworfen	*Pres.*: du wirfst *Pres. subj. II:* würfe	to throw

CLASS V

(e — a — e)

120. effen	aß	gegeffen	*Pres.:* bu ißt	to eat
121. freffen	fraß	gefreffen	*Pres.:* bu frißt	to eat (*said of animals*)
122. geben	gab	gegeben	*Pres.:* bu gibſt (*Pres.:* bu geneiſt!)	to give
123. geneſen	genas	iſt geneſen	*Imperal.:* geneſe!	to recover
124. geſchehen (*impers.*)	geſchah	iſt geſchehen	*Pres.:* es geſchieht *Imperal.:* geſchehe!	to happen
125. leſen	las	geleſen	*Pres.:* bu lieſt	to read
126. meſſen	maß	gemeſſen	*Pres.:* bu mißt	to measure
127. ſehen	ſah	geſehen	*Pres.:* bu ſiehſt	to see
128. treten	trat	(iſt) getreten	*Pres.:* bu trittſt (*takes* ſein *if used intransitively, as* to step)	to kick; to step
129. vergeſſen	vergaß	vergeſſen	*Pres.:* bu vergißt	to forget

(i — a — e)

130. bitten	bat	gebeten		to beg, request
131. liegen	lag	gelegen		to lie, be lying
132. ſitzen	ſaß	geſeſſen	*Pres.:* bu ſitzt	to sit

Appendix

INFINITIVE	PAST	PAST PARTICIPLE	IRREGULARITIES	
			CLASS VI	
			(a — u — a)	
133. backen	(buk) **backte**	gebacken	(*Pres.*: du bäckſt)	to bake
			Pres. subj. II: büke, backte	
134. fahren	fuhr	iſt gefahren	*Pres.:* du fährſt	to drive, travel
135. graben	grub	gegraben	*Pres.:* du gräbſt	to dig
136. laden	lud	geladen	*Pres.:* du lädſt (*also:* ladeſt)	to load; (to invite)
137. ſchaffen	ſchuf	geſchaffen	(ſchaffen, *meaning to do, is weak!*)	to create
138. ſchlagen	ſchlug	geſchlagen	*Pres.:* du ſchlägſt	to beat, hit
139. tragen	trug	getragen	*Pres.:* du trägſt	to carry; to wear
140. wachſen	wuchs	iſt gewachſen	*Pres.:* du wächſt	to grow
141. waſchen	wuſch	gewaſchen	*Pres.:* du wäſchſt	to wash
			CLASS VII	
			(a — ie — a)	
142. blaſen	blies	geblaſen	*Pres.:* du bläſt	to blow
143. braten	briet	gebraten	*Pres.:* du brätſt	to roast
144. fallen	fiel	iſt gefallen	*Pres.:* du fällſt	to fall
145. halten	hielt	gehalten	*Pres.:* du hältſt	to hold; to stop
146. laſſen	ließ	gelaſſen	*Pres.:* du läßt	to let, cause
147. raten (*with dat.*)	riet	geraten	*Pres.:* du rätſt	to advise; (to guess)
148. ſchlafen	ſchlief	geſchlafen	*Pres.:* du ſchläfſt	to sleep
			(a — i — a)	
149. fangen	fing	gefangen	*Pres.:* du fängſt	to catch
150. hangen (hängen)	hing	gehangen	*Pres.:* du hängſt	to hang, be suspended

Strong Verbs

(au — ie — au)

151. hauen	hieb	gehauen		to beat; to hew
152. laufen	lief	ist gelaufen	Pres.: du läufst	to run

(ei — ie — ei)

153. heißen	hieß	geheißen	Pres.: du heißt	to be called

(u — ie — u)

154. rufen	rief	gerufen	to call

(o — ie — o)

155. stoßen	stieß	gestoßen	Pres.: du stößt	to push

Strong verbs not fitting into any one of the above classes:

156. gehen	ging	ist gegangen		to go
157. kommen	kam	ist gekommen		to come
158. schinden	schund	geschunden		to flay
159. stehen	stand	gestanden	Pres. subj. II: stünde or stände	to stand
160. tun	tat	getan		to do
161. werden	(ward) wurde	ist geworden	Pres.: du wirst Pres. subj. II: würde	to become

The following verbs have weak forms in the past and strong forms in the past participles:

	INFINITIVE	PAST	PAST PARTICIPLE	IRREGULARITIES	
162.	mahlen	mahlte	gemahlen		to grind
163.	salzen	salzte	gesalzen	Past part. also: gesalzt	to salt
164.	verwirren	verwirrte	(ist) verworren	Past part. also: verwirrt	to confuse

IRREGULAR WEAK VERBS:

	INFINITIVE	PAST	PAST PARTICIPLE	IRREGULARITIES	
165.	brennen	brannte	gebrannt	Pres. subj. II: brennte	to burn
166.	bringen	brachte	gebracht		to bring, take to
167.	denken	dachte	gedacht		to think
168.	kennen	kannte	gekannt	Pres. subj. II: kennte	to know
169.	nennen	nannte	genannt	Pres. subj. II: nennte	to name, call
170.	rennen	rannte	ist gerannt	Pres. subj. II: rennte	to run
171.	senden	sandte (sendete)	gesandt (gesendet)		to send
172.	wenden	wandte (wendete)	gewandt (gewendet)		to turn

II. THE der- AND ein-WORDS

7. Declension of der and dieser:

Singular   Singular

der	die	das	dieser	diese	dieses (dies)
des	der	des	dieses	dieser	dieses
dem	der	dem	diesem	dieser	diesem
den	die	das	diesen	diese	dieses (dies)

Plural (all three genders)   Plural (all three genders)

die	diese
der	dieser
den	diesen
die	diese

8. The der-words are:

dieser	this	mancher	many a
jeder	each, every	solcher	such a
jener	that	welcher	which, what

9. Der and welcher used as relative pronouns:

Singular   Singular

der	die	das	welcher	welche	welches
dessen	deren	dessen	(dessen)	(deren)	(dessen)
dem	der	dem	welchem	welcher	welchem
den	die	das	welchen	welche	welches

Plural (all three genders)   Plural (all three genders)

die	welche
deren	(deren)
denen	welchen
die	welche

250 — Appendix

10. The interrogative pronouns wer and was:

wer?	was?
wessen?	—
wem?	wem?
wen?	was?

11. Declension of ein, mein, unser (the ein-words):

Singular

ein	eine	ein	mein	meine	mein	unser	unsere	unser
eines	einer	eines	meines	meiner	meines	unseres	unserer	unseres
einem	einer	einem	meinem	meiner	meinem	unserem	unserer	unserem
einen	eine	ein	meinen	meine	mein	unseren	unsere	unser

Plural (*all three genders*)

(no plural for ein)	meine	unsere
	meiner	unserer
	meinen	unseren
	meine	unsere

12. The ein-words are:

ein	a, an	kein	no
mein	my	unser	our
dein	your	euer	your
sein	his	ihr	their
ihr	her	Ihr	your (*polite*)
sein	its		

13. Ein-words used as pronouns are declined like der.

EXAMPLE:

Singular			Plural (*all three genders*)
keiner	keine	keines (keins)	keine
keines	keiner	keines	keiner
keinem	keiner	keinem	keinen
keinen	keine	keines (keins)	keine

III. THE ADJECTIVE ENDINGS

14. *Weak* (after der-words):

e e e	der gute Hund	die arme Frau	das kleine Kind
en en en	des guten Hundes	der armen Frau	des kleinen Kindes
en en en	dem guten Hund	der armen Frau	dem kleinen Kind
en e e	den guten Hund	die arme Frau	das kleine Kind
en	die guten Hunde	die armen Frauen	die kleinen Kinder
en	der guten Hunde	der armen Frauen	der kleinen Kinder
en	den guten Hunden	den armen Frauen	den kleinen Kindern
en	die guten Hunde	die armen Frauen	die kleinen Kinder

15. *Strong* (not preceded by an article):

Singular

	Masc.	Fem.	Neut.
er e es	grüner Tee (tea)	süße Butter	frisches Wasser
en er en	grünen Tees	süßer Butter	frischen Wassers
em er em	grünem Tee	süßer Butter	frischem Wasser
en e es	grünen Tee	süße Butter	frisches Wasser

Plural (*all three genders*)

e	rote Äpfel
er	roter Äpfel
en	roten Äpfeln
e	rote Äpfel

16. *Mixed* (after ein-words):

er e es	kein guter Hund	keine arme Frau	kein kleines Kind
en en en	keines guten Hundes	keiner armen Frau	keines kleinen Kindes
en en en	keinem guten Hund	keiner armen Frau	keinem kleinen Kind
en e es	keinen guten Hund	keine arme Frau	kein kleines Kind
en	keine guten Hunde	keine armen Frauen	keine kleinen Kinder
en	keiner guten Hunde	keiner armen Frauen	keiner kleinen Kinder
en	keinen guten Hunden	keinen armen Frauen	keinen kleinen Kindern
en	keine guten Hunde	keine armen Frauen	keine kleinen Kinder

IV. THE NOUN

17. CLASS I (No ending in plural. Umlaut: masculines frequently, feminines always, neuters never):

Singular
- — der Vater
- =s / des Vaters
- — dem Vater
- — den Vater

Plural
- (⸚)— die Väter
- (⸚)— der Väter
- (⸚)n den Vätern
- (⸚)— die Väter

NOTE: To Class I belong
    a) masculine and neuter nouns in =er, =el, =en;
    b) nouns in =chen and =lein (always neuter);
    c) neuters with the prefix Ge= and the ending =e: das Gebirge (mountain range), etc.;
    d) the two feminines die Mutter, die Tochter.

18. CLASS II (Plural in =e. Umlaut: masculines generally, feminines always, neuters never):

Singular
- — der Baum
- =es des Baumes
- =(e) dem Baum(e)
- — den Baum

Plural
- (⸚)e die Bäume
- (⸚)e der Bäume
- (⸚)en den Bäumen
- (⸚)e die Bäume

NOTE: To Class II belong
    a) most of the feminine, masculine, and some important neuter MONOSYLLABIC nouns;
    b) masculine nouns ending in =ich, =ig, =ling;
    c) feminine and neuter nouns in =nis and =sal.

EXAMPLES

die Hand, die Wand; — der Arm, der Freund; — das Jahr, das Brot; — der Teppich (rug), der König, der Jüngling (youth, lad); — die Betrübnis (grief), das Ergebnis (result); die Trübsal (affliction), das Schicksal (fate), etc.

19. CLASS III (Plural in ⸗er. Umlaut: always where possible):

Singular { — das Buch / ⸗es des Buches / ⸗(e) dem Buch(e) / — das Buch }   Plural { ⸗er die Bücher / ⸗er der Bücher / ⸗ern den Büchern / ⸗er die Bücher }

NOTE: To Class III, primarily monosyllabic, belong most neuter nouns and a few masculines, but no feminines:

das Haus, das Bild, etc.; — der Mann, der Wald (forest), der Leib (body), der Wurm (worm), der Geist (ghost), der Rand (edge), der Gott (God; god).

20. CLASS IV (Singular and plural in ⸗en. Umlaut: never):

Singular { — die Frau / ⸗en der Frau / ⸗en der Frau / ⸗en die Frau }   der Mensch / des Menschen / dem Menschen / den Menschen

Plural { ⸗en die Frauen / ⸗en der Frauen / ⸗en den Frauen / ⸗en die Frauen }   die Menschen / der Menschen / den Menschen / die Menschen

NOTE: To Class IV belong:
   a) all feminine nouns of more than one syllable (except die Mutter, die Tochter: Class I! Feminines are never declined in the singular!);
   b) a few monosyllabic feminines not in Class II:
      die Frau, die Tür, die Uhr, die Zeit;
   c) a few masculine monosyllables:
      der Fürst (prince), der Mensch, der Herr (⸗n in the singular, ⸗en in the plural!), etc.;
   d) masculine nouns ending in ⸗e in the nominative singular and denoting male beings:
      der Knabe, der Neffe (nephew), der Ochse (ox), der Affe (monkey; ape), etc.;

Appendix

  e) masculine nouns of foreign origin that denote living beings and have the accent on the last syllable:
   der Soldát, der Studént, der Demokrát, der Soziálist, der Bolschewík, der Philosóph, etc.;
  f) no neuter nouns.

21. Some few masculine and neuter nouns have strong forms in the singular (—, ⸗es, ⸗[e], —) but weak forms in the plural (⸗en, ⸗en, ⸗en, ⸗en); they never have umlaut:

Singular { — der Staat   Plural { ⸗en die Staaten
          { ⸗es des Staates   { ⸗en der Staaten
          { ⸗(e) dem Staat(e)   { ⸗en den Staaten
          { — den Staat   { ⸗en die Staaten

NOTE: The following masculine and neuter nouns (no feminines!) are declined like der Staat:

der Direktor (and all other masculine nouns in ⸗or; observe the shift of accent in such nouns: der Diréktor, pl., die Direktóren), der Vetter (cousin); — das Ohr (ear), das Auge (eye), das Ende (end), das Bett (bed).

Observe the following nouns which are *weak* but add ⸗ns in the genitive singular:

der Name, des Namens, dem Namen, den Namen, *plural:* Namen; similarly: der Gedanke (thought), der Glaube (belief), der Friede (peace); das Herz, des Herzens, dem Herzen, das Herz, *plural:* Herzen.

V. THE PREPOSITIONS

22. *Prepositions Governing the Genitive:*

			(*rare are:*)
anstatt, statt	instead of	diesseits	this side of
trotz	in spite of	jenseits	that side of
während	during	oberhalb	above
wegen	on account of	unterhalb	below
um … willen	for the sake of	innerhalb	within
		außerhalb	outside of

23. *Prepositions Governing the Dative Only:*

aus	out of	nach	after, to, according to
außer	besides, except	seit	since, for (*in time sense*)
bei	near, at . . . home	von	from, by
mit	with	zu	to

24. *Prepositions Governing the Accusative Only:*

durch	through, by means of	ohne	without
für	for	um	around, at (*time sense*)
gegen	against	wider	against

25. *Prepositions Governing the Dative (rest at or activity in a confined area:* wo?*) or the Accusative (direction toward:* wohin?*):*

an	on, at, to	über	over, above
auf	on, upon	unter	under, among
hinter	behind	vor	before, in front of
in	in, into	zwischen	between
neben	beside, next to		

VI. THE PREFIXES

26. *Inseparable:*

be=, emp=, ent=, er=, ge=, ver=, zer=

27. *Separable:*

No definite prefixes: generally adverbs or prepositions

28. *Variable:*

durch=, hinter=, über=, um=, unter=, voll=, wieder=

German=English Vocabulary

German-English Vocabulary

NOTE: Strong verbs are given with their principal parts; weak verbs only in their infinitive forms. — Separable verbs are denoted by a hyphen between the prefix and the simple verb: ab=ſchneiden. — The Vocabulary includes all idioms that occur in the lessons.

A

der Abend, -s, -e   evening
das Abendeſſen, -s, -   dinner, dinner party
das Abenteuer, -s, -   adventure
aber   but, however
der Aberglaube, -ns   superstition
abgeſehen davon, daß...   apart from the fact that . . .
ab=ſchneiden (ſchnitt ab, abgeſchnitten)   to cut off
die Abſtraktion, -, -en   abstraction
das Abteil, -s, -e   compartment
ſich in acht nehmen (vor, w. dat.) (nahm ſich in acht, hat ſich in acht genommen; nimmt ſich in acht)   to beware
der Ackerbau, -es   agriculture
der Advokat, -en, -en   lawyer
der Akt, -es, -e   act
alle (pl.)   all
allein   alone; however
vor allem   above all
alles   everything
als (conj.)   when
  als (after a comparative)   than
alſo   therefore
  alſo (placed before a sentence)   well then
alt   old; comp. älter   older
ältlich   elderly
das Aluminium, -s   aluminum
die Ameiſe, -, -n   ant
das Amt, -es, ⸚er   office
amüſie′ren   to amuse
  ſich amüſie′ren   to have a good time
an=haben   to have on
analōg   analogous
an=binden (band an, angebunden)   to tie to
der Anblick, -es, -e   sight
ander-   other
  anders   otherwise, differently
an=fangen (fing an, angefangen; fängt an)   to begin
anfangs   in the beginning
an=greifen (griff an, angegriffen)   to attack
die Angſt, -, ⸚e   fear, anxiety
an=halten (hielt an, angehalten; hält an)   to stop
an=kommen (kam an, iſt angekommen)   to arrive
an=nehmen (nahm an, angenommen; nimmt an)   to accept
an=reden   to address
an=ſehen (ſah an, angeſehen; ſieht an)   to look at
anſtändig   decent
anſtatt (w. gen.)   instead (of)

259—

die Antwort, -, -en answer
ántworten to answer
an=ziehen (zog an, angezogen) to dress
der Apfel, -s, ⸗ apple
die Arbeit, -, -en work
árbeiten (an) to work (in, at)
die Arbeitssuche, - search for work
das Arbeitszimmer, -s, - study
ärgern to annoy
  sich ärgern to get angry, "mad"
arm poor
die Art, -, -en manner, kind
der Artikel, -s, - article
ästhētisch aesthetic
das Atōm, -s, -e atom
auch also
auch nicht not . . . either
auf (prep. w. acc. or dat.) on
auf=führen to produce, put on, stage
die Aufführung, -, -en presentation, performance
die Aufgabe, -, -n lesson
auf=hören to stop
auf=kommen (kam auf, ist aufgekommen) to come up
auf=machen to open
auf=stehen (stand auf, ist aufgestanden) to get up
auf=wachen (ist) to wake up, awake
das Auge, -s, -n eye
der Augenblick, -es, -e moment
  einen Augenblick one moment
aus=drücken to express
ausdrücklich expressly, explicitly
der Ausflug, -es, ⸗e excursion, picnic
aus=gehen (ging aus, ist ausgegangen) to go out
  aus=gehen von to start out from
ausländisch foreign

aus=packen to unpack
außerdem besides
außerhalb (w. gen.) outside of
äußerst extremely
aus=steigen (stieg aus, ist ausgestiegen) to get out (of a vehicle)
aus=ziehen (zog aus, ist ausgezogen) to go out, proceed
das Auto, -s, -s car
der Autor, -s, -en author
die Axt, -, ⸗e ax

B

das Bad, -es, ⸗er bath
der Bahnhof, -es, ⸗e station
bald soon
der Ball, -es, ⸗e ball
die Bank, -, ⸗e bench
der Bär, -en, -en bear
der Bauch, -es, ⸗e belly
der Bauer, -s (or -n), -n peasant
der Baum, -es, ⸗e tree
der Beamte, -n, -n; ein Beamter, -n, -n official
beántworten to answer
bedenken (bedachte, bedacht) to consider
bedeuten to mean
bedeutend important, considerable; significant
beeilen, sich to hurry (up)
befassen, sich (mit) to occupy oneself (with), take up
befehlen (befahl, befohlen; befiehlt) to order, command
befinden, sich (befand sich, sich befunden) to be, feel
begegnen (with dat.; ist) to meet
begehren to desire
der Beginn, -es beginning

German-English Vocabulary

beginnen (begann, begonnen) to begin
begraben (begrub, begraben; begräbt) to bury
der Begriff, -es, -e idea
begrüßen to greet
behandeln to treat
behaupten to maintain, assert
beide both
beinahe almost
das Beispiel, -es, -e example
   zum Beispiel (*abbr.* z. B.) for example
beißen (biß, gebissen) to bite
bekannt known, well-known
bekennen (bekannte, bekannt) to confess
bekommen (bekam, bekommen) to get
beliebt popular
benennen (benannte, benannt) to name, call
berichten to report
beruhen (auf) to be based (on)
berühmt famous
bescheiden modest
besiegen to vanquish
besitzen (besaß, besessen) to possess, have
besonders especially, particularly
besser better
bestätigen to confirm
bestimmt certainly, definitely
bestrafen to punish
besuchen to visit
betrachten to consider, regard
betrügen (betrog, betrogen) to deceive
   betrügen (um) to cheat (*someone*) out of
das Bett, -es, -en bed
beunruhigen to disquiet

die Bewegung, -, -en movement
beweisen (bewies, bewiesen) to prove
bezahlen to pay
bezeichnen to designate
die Bibliothek, -, -en library
die Biene, -, -n bee
das Bier, -es, -e beer
das Bild, -es, -er picture
billig cheap
binden (band, gebunden) to bind
die Biologie', - biology
bis until
ein bißchen a little
bitte! please
bitten (um) (bat, gebeten) to ask (for)
bitter bitter(ly)
blaß pale
das Blatt, -es, -̈er leaf
blau blue
bleiben (blieb, ist geblieben) (*see also:* stehen=bleiben) to remain
der Bleistift, -es, -e pencil
der Blick, -es, -e glance
blicken to look
der Blitz, -es, -e lightning
blitzen: es blitzt it is lightning
das Blut, -es blood
die Bohne, -, -n bean
borgen to borrow
böse angry, mad
die Botanik, - botany
der Botaniker, -s, - botanist
der Bote, -n, -n messenger
brauchen to need
brechen (brach, gebrochen; bricht) to break
brennen (brannte, gebrannt) to burn
der Brief, -es, -e letter
die Brille, -, -n glasses, spectacles
bringen (brachte, gebracht) to bring

German-English Vocabulary

das Brot, –es, –e   bread
der Bruder, –s, ⸚   brother
das Buch, –es, ⸚er   book
die Bühne, –, –n   stage
bunt   colorful
der Bürger, –s, –   citizen
der Bürgermeister, –s, –   mayor
das Büro, –s, –s   office; bureau (*of the government*)
die Butter, –   butter

C

der Chemiker, –s, –   chemist

D

da   there; then; since
dagegen   on the other hand
daher   therefore
damalig (*adj.*)   that, the former, at that time
damals (*adv.*)   formerly, at that time
die Dame, –, –n   lady
danke schön!   many thanks!
dann   then
   dann und wann   now and then
da=sein (war da, ist dagewesen)   to be there
daß (*conj.*)   that
dauern   to last
dazwischen   in between
denken (an) (dachte, gedacht)   to think of
   sich denken   to think to oneself; to imagine
denn (*conj.*)   for
deswegen   for that reason
deutsch   German (*adj.*)
   auf deutsch   in German
der, die Deutsche, –n, –n   the German (national)

das Deutsche, –n   German (language)
[das] Deutschland   Germany
der Dialekt, –es, –e   dialect
dich (*acc. of* du)   you
dichten   to write poetry
der Dichter, –s, –   poet
dichterisch   poetic
die Dichtkunst, –   poetry, writing
die Dichtung, –, –en   poetry, writing; (poetic) work; fiction; literature
dick   thick, fat
dienen (*w. dat.*)   to serve
der Diener, –s, –   servant
der Diktator, –s, –ören   dictator
das Ding, –es, –e   thing
direkt   direct(ly)
die Diskussion, –, –en   discussion
doch   yet; nevertheless
   doch (*after a negative question*) yes, indeed
der Doktor, –s, –ören   doctor, physician
das Dokument, –s, –e   document
donnern   to thunder
Donnerwetter!   heavens!, goodness!
   zum Donnerwetter!   the deuce!
das Dorf, –es, ⸚er   village
dort   there
das Drama, –s, *pl.:* Dramen   drama
draußen   outside
dreißigjährig (*adj.*)   thirty years'
dritt–   third
drohen   to threaten
duften (*intr.*)   to smell (*intr.*), emit fragrance
dumm   stupid, "dumb"
die Dummheit, –, –en   stupidity
der Dummkopf, –es, ⸚e   blockhead
dünn   thin
das Dutzend, –s, –e   dozen

E

eben just now
ebenso just as
die Ecke, -, -n corner
ehe (*conj.*) before
ehrbar worthy, honorable
die Ehre, -, -n honor
ehrlich honest
eigen own
eigentlich really
einander one another, each other
der Eindruck, -es, ⸗e impression
einfach simple
ein=fallen (in) (fiel ein, ist eingefallen; fällt ein) to invade
der Einfluß, (Einflusses, Einflüsse) influence
einige a few, some
ein=laden (lud ein, eingeladen; lädt ein) to invite
die Einladung, -, -en invitation
einmal once
  auf einmal all of a sudden
  wieder einmal once again
ein=mauern to wall up *or* in
ein=schlafen (schlief ein, ist eingeschlafen; schläft ein) to fall asleep
die Einsicht, -, -en realization, insight
ein=treten (trat ein, ist eingetreten; tritt ein) to enter
der Ein'wohner, -s, - inhabitant
einzeln single, individual
einzig only (*adj.*)
elegánt elegant
der Elephánt, -en, -en elephant
die Eltern (*pl.*) parents
das Ende, -s, -n end
  zu Ende sein to be over *or* finished
endlich finally
der Engländer, -s, - Englishman
englisch English (*adj.*)
das Englische, -n English (language)
entgegnen to reply
entlassen (entließ, entlassen; entläßt) to dismiss
entschuldigen to excuse
  entschuldigen Sie! excuse me!, pardon me
  sich entschuldigen to excuse oneself, apologize
entweder . . . oder either . . . or
die Entwicklung, -, -en development
die Episóde, -, -n episode
die Erde, -, -n earth
das Ergebnis, (Ergebnisses, Ergebnisse) result
erholen, sich to recover, recuperate
erinnern to remind
  sich erinnern (an; *w. acc.*) to remember
erkälten, sich to catch cold
erkennen (erkannte, erkannt) to recognize
erklären to explain; to declare
erkundigen, sich to inquire
erlauben to permit
die Erlaubnis, -, -sse permission
erleben to experience
ermorden to murder
erreichen to reach
erscheinen (erschien, ist erschienen) to appear
erst first; only; not until, not before
erstaunlich astounding, surprising
erstaunt surprised
ersticken (ist) to suffocate
erwachen (ist) to awake, wake up
erwidern to reply

erzählen (von) to tell (about)
der Erzschelm, -s, -e arch rogue
der Esel, -s, - donkey, ass
essen (aß, gegessen; ißt) to eat
das Essen, -s, - meal, dinner
das Eßzimmer, -s, - dining room
etliche some, several
etwa by any chance; approximately
etwas somewhat; something, a little
die Eule, -, -n owl
die Ewigkeit, -, -en eternity
existie'ren to exist
das Experiment, -es, -e experiment
die Exzellénz, -, -en excellency

F

die Fabel, -, -n fable
die Fabrik, -, -en factory
fahren (fuhr, ist gefahren; fährt) to drive, go
die Fahrkarte, -, -n (railway) ticket
fallen (fiel, ist gefallen; fällt) to fall
die Familie, -, -n family
fangen, see gefangen=nehmen
die Farbe, -, -en color
fast almost
die Feder, -, -n feather; pen (point)
der Fehler, -s, - mistake
fein fine
der Feind, -es, -e enemy
feindlich hostile
der Feldzug, -es, ⸚e (military) campaign
das Fenster, -s, - window
fertig ready, finished
fest=binden (band fest, festgebunden) to attach, fasten
der Film, -es, -e movie
finden (fand, gefunden) to find; to think

der Finger, -s, - finger
der Fingernagel, -s, ⸚ fingernail
die Firma, -, pl.: Firmen firm
der Fisch, -es, -e fish
die Flasche, -, -n bottle
flechten (flocht, geflochten; flicht) to plait, weave, braid
fliegen (flog, ist geflogen) to fly
fliehen (floh, ist geflohen) to flee
die Folge, -, -n result, consequence
folgen (ist) (w. dat.) to follow
folgend (adj.) following
die Form, -, -en form, shape
die Forschung, -, -en research
die Frage, -, -n question
fragen (nach) to ask (for)
[das] Frankreich France
der Französe, -n, -n Frenchman
französisch French (adj.)
die Frau, -, -en woman; wife; Mrs.
das Frauenzimmer, -s, - (old-fashioned; slightly derogatory in modern German) woman
frei free(ly)
der Freiherr, -n, -en baron
freilich to be sure
freuen, sich to be glad (pleased, happy)
sich freuen (auf) to look forward to
sich freuen (über) to be happy about
der Freund, -es, -e; fem.: die Freundin, -, -nen friend
freundlich friendly; adv.: in a friendly manner
frieren (fror, gefroren; ist when intr.) to be cold; to freeze
frisch fresh
früh early

zu früh early, rather early, too early
das Frühstück, -s, -e breakfast
fühlen to feel
führen to lead
die Füllfeder, -, -n fountain pen
für (*prep.*) for
furchtbar terrible
fürchten to fear
sich fürchten (vor) to be afraid of
der Fürst, -en, -en prince
der Fuß, -es, ⸗e foot

G

gab (*past of* geben) gave
ganz quite; whole, (*pl.*: all the), completely
gänzlich complete
gar nicht not at all
der Garten, -s, ⸗ garden
der Gast, -es, ⸗e guest
geben (gab, gegeben; gibt) to give
  er gibt he gives
  es gibt (*w. acc.*) there is, there are
geboren werden to be born
gebrauchen to use
der Geburtstag, -es, -e birthday
der Gedanke, -ns, -n thought
das Gedicht, -es, -e poem
geehrt honored, revered
  geehrter Herr Advokat (*translate freely:*) Your Honor
gefallen (gefiel, gefallen; gefällt) to please
gefangen=nehmen (nahm gefangen, gefangengenommen; nimmt gefangen) to capture
gefunden (*past part. of* finden) to find
der Gegenstand, -es, ⸗e object
gehen (ging, ist gegangen) to go

gehören (*w. dat.*) to belong (to)
der Geist, -es, -er mind
gelangen (zu) to arrive (at)
gelb yellow
das Geld, -es, -er money
gelingen (gelang, ist gelungen) to succeed
  es gelingt mir I succeed
gelten (galt, gegolten; gilt) to be considered; to be valid
gemütlich comfortable, comfortably, cozy
genau exact(ly)
  genau so . . . wie just as
das Genie', -s, -s genius
genug enough
die Geologie', - geology
gerade exactly
geradezu downright, absolutely
geraten (geriet, ist geraten; gerät) to get
  außer sich geraten to be beside oneself
gern(e) (*with verb*) to like to
der Gesang, -es, ⸗e singing; song
der Geschäftsmann, -es, *pl.*: Geschäfts=leute businessman
geschehen (geschah, ist geschehen; geschieht) to happen
gescheit clever
das Geschenk, -es, -e present
die Geschichte, -, -n story; history
geschickt skillful, clever
die Gesellschaft, -, -en society; party
das Gesicht, -es, -er face
gestehen (gestand, gestanden) to admit, confess
gestern yesterday
gestohlen (*past part. of* stehlen) stolen (*past part. of* to steal)

German-English Vocabulary

gesund well, healthy; wholesome
die Gesundheit, – health
gewinnen (gewann, gewonnen) to win
das Gewitter, –s, – thunderstorm
gewöhnlich usually
gibt, *see* geben
das Glas, –es, ⸚er glass
glauben (an) to believe (in)
gleich (*adv.*) shortly, immediately
  gleich (*adj.*) same
das Glück, –es good fortune, luck; happiness
glücklich happy, happily; fortunate
  glücklicherweise fortunately
das Gold, –es gold
der Gott, –es, ⸚er God; god
das Grab, –es, ⸚er grave
graben (grub, gegraben; gräbt) to dig
das Gras, –es, ⸚er grass
grausam cruel
groß great, big, large
die Großmutter, –, ⸚ grandmother
der Großvater, –s, ⸚ grandfather
grün green
die Grundlage, –, –n foundation
grüßen to greet
gut good, well
  gut! all right!

H

das Haar, –es, –e hair
halb half
die Hälfte, –, –n half
der Hals, –es, ⸚e throat, neck
halten (hielt, gehalten; hält) to hold; to stop
  halten (für) to consider, take for
  halten (von) to think (of)
die Hand, –, ⸚e hand

die Handbewegung, –, –en motion of the hand
handeln (mit) to deal (in)
der Händler, –s, – dealer
der Handschuh, –es, –e glove
hängen (hing, gehangen) to hang, be hanging
hart hard
das Haus, –es, ⸚er house
  nach Hause home (homeward)
  zu Hause at home
das Heer, –es, –e army
heftig violent(ly)
heiraten to marry
heiß hot
heißen (hieß, geheißen) to be called
  Wie heißt sie? What is her name?
  das heißt (*abbrev.* d. h.) that is, i. e.
  es hieß it was said
der Held, –en, –en; *fem.:* die Heldin, –, –nen hero; heroine
helfen (half, geholfen; hilft) (*w. dat.*) to help
das Hemd, –es, –en shirt
heraus=geben (gab heraus, herausgegeben; gibt heraus) to edit; to publish
heraus=holen (aus) to get (out of)
heraus=laufen (lief heraus, ist herausgelaufen; läuft heraus) to run out
herein! come in!
herein=kommen (kam herein, ist hereingekommen) to enter, come in
her=geben (gab her, hergegeben; gibt her) to let go, give away, part with; to hand over
der Herr, –n, –en sir; Mr.; master; gentleman; Lord
  meine Herren! gentlemen!

herrlich wonderful
herrschen to prevail, rule
herunter– (*verbal prefix*) down
das Herz, –ens, –en heart
heute (*adv.*) today
heutig (*adj.*) today's
hier here
hiermit with this
hin und her back and forth
   hin- und herlaufen to run back and forth
hinaus-gehen (ging hinaus, ist hinausgegangen) to go out
hinein– (*verbal prefix*) in
hinunter– (*verbal prefix*) down
hoch high(ly)
hoch-schätzen to value highly
der Hof, –es, ⸚e court
hoffen to hope
die Hoffnung, –, –en hope
höflich polite
holen to fetch, go and get
hören (von) to hear (of)
das Horn, –es, ⸚er horn
hübsch pretty
der Humor, –s sense of humor
der Humorist, –en, –en humorist
der Hund, –es, –e dog
hundert (one) hundred
der Hunger, –s hunger
der Hut, –es, ⸚e hat

I

die Idee', –, –n idea
ihm (*dat. of* er) him
ihn (*acc. of* er) him, it
Ihnen (*dat. of* Sie) you, to you
   von Ihnen of you
ihr (*dat. of* sie) her
Ihr (*poss. adj. of* Sie) your

immer always
   auf immer forever, for all times
die Industrie', –, –n industry
die Inflation, –, –en inflation
informie'ren to inform
der Inhalt, –es, –e contents
intelligent intelligent
interessant interesting
interessie'ren, sich (für) to be interested (in)
inzwischen meanwhile
irgendwo somewhere
irren, sich to be mistaken

J

die Jagd, –, –en hunt
   auf die Jagd gehen to go hunting
das Jahr, –es, –e year
das Jahrhundert, –s, –e century
jammern to wail, complain
jawohl yes, yes indeed
jedenfalls in any case
jedermann everybody
jedesmal each time
jedoch however
jemals ever
jemand someone
jetzt now
die Jugend, – youth; *also collective:* young people
jung young
   jünger younger
der Junge, –n, –n boy

K

der Kaffee, –s coffee
der Kaiser, –s, – emperor
kalt cold
der Kandidat, –en, –en candidate
der Kanzler, –s, – chancellor

die Katastrophe, -, -n catastrophe
die Katze, -, -n cat
kaufen to buy
der Kaufmann, -es, pl.: Kaufleute businessman, merchant
kaum hardly
kehren, see zurück=kehren
kein, keine, kein no, not any
kennen (kannte, gekannt) to know
kennen=lernen to get to know, make the acquaintance of
der Kerl, -s, -e fellow, "guy"
der Kilométer, -s, - kilometer
das Kind, -es, -er child
das Kino, -s, -s movies
ins Kino gehen to go to the movies
klar clear(ly)
die Klasse, -, -n class; grade (in school)
das Klavier', -s, -e piano
das Kleid, -es, -er dress; plural: dresses or clothes
der Kleiderschrank, -es, ⸗e wardrobe (an upright, movable cabinet)
klein small, little
klettern to climb
klingeln to ring (a bell)
klingen (klang, geklungen) (intrans.) to sound, ring (intrans.)
klopfen (an) to knock (against or on)
klug clever, smart
der Knabe, -n, -n boy
der Knochen, -s, - bone
kochen to cook
der Koffer, -s, - suitcase, trunk
der Komét, -en, -en comet
kommen (kam, ist gekommen) to come
das Komplimént, -s, -e compliment
Komplimente machen to pay compliments
kompliziert' complicated

der Kongreß, -sses, -sse congress
der König, -s, -e king
können (konnte, gekonnt; kann) to be able to
konnte, see können
konservativ conservative
die Konstruktión, -, -en construction
das Konzért, -es, -e concert
der Kopf, -es, ⸗e head
kosten to cost
der Kragen, -s, - collar
krank ill, sick
das Krankenhaus, -es, ⸗er hospital
der Krieg, -es, -e war
kritisch critical
kühl cool
die Kultúr, -, -en culture, civilization
die Kunst, -, ⸗e art
der Künstler, -s, - artist
das Kunstwerk, -es, -e work of art
kurz short

L

lächeln to smile
lachen to laugh
lächerlich ridiculous
laden (lud, geladen; lädt) to invite
der Laden, -s, ⸗ shop
die Lampe, -, -n lamp
das Land, -es, ⸗er land, country
auf das (aufs) Land to the country(side)
auf dem Lande in the country
... lang (following the noun) for
viele Jahre lang for many years
lange (adv.) long, for a long time
noch lange nicht not by a long shot
wie lange? for how long?
längst for a long time already

German-English Vocabulary

laſſen (ließ, gelaſſen; läßt) to let; to leave; to have (w. past part.)
   ſchneiden laſſen to have ... cut
laufen (lief, iſt gelaufen; läuft) to run
laut loud
leben to live
das Leben, –s, – life
lebendig alive; lively; living
legen to lay, put, place
   ſich legen to lie down
die Legion, –, –en legion
die Lehre, –, –n teaching; moral
der Lehrer, –s, –; fem.: die Lehrerin, –, –nen teacher
leicht easy, easily
leid tun (tat leid, leid getan) to feel (be) sorry
   es tut mir leid I am sorry
leiden (litt, gelitten) to suffer
leider unfortunately
lernen to learn, study (a lesson)
leſen (las, geleſen; lieſt) to read
letzt last
die Leute (pl.) people; men
das Licht, –es, –er light
lieb dear
die Liebe, – love
lieben to love
liebenswürdig charming, pleasant
lieber (compar. of gern) rather
lieblich lovely
das Lied, –es, –er song, "lied"
liegen (lag, gelegen) to lie, recline, be lying
die Literatur, –, –en literature
loben to praise
das Loch, –es, –er hole
das Los, –es lot
los ſein to be the matter
   was iſt los? what is the matter?

der Löwe, –n, –n lion
die Luft, –, –e air
lügen (log, gelogen) to lie, tell a lie
der Lügner, –s, – liar
luſtig gay, merry

M

machen to make, do
   jemanden zu etwas machen to make something out of someone
die Macht, –, –e power
das Mädchen, –s, – girl
Majeſtät! Your Majesty!
das Mal, –es, –e instance; time
man (pron.) one
mancher many a
   manche (pl.) some
der Mann, –es, –er man; husband
der Mantel, –s, – overcoat
das Märchen, –s, – fairy tale
die Mark, – (no pl.) mark (German currency)
   drei Mark three marks
der Markt, –es, –e market, fair
die Maſchine, –, –n machine
die Mathematik, – mathematics
die Mathematikklaſſe, –, –n mathematics class
die Maus, –, –e mouse
mäuschenſtill very quiet (i. e., as quiet as a mouse)
die Medizin, –, –en medicine
mehr more
   nicht mehr no more, no longer
meinen to mean; to say
meinetwegen all right with me!, for all I care!
die Meinung, –, –en opinion
meiſtens usually

der **Mensch**, -en, -en human being, person
  kein Mensch not a soul, nobody
das **Menschenalter**, -s, - age
das **Menschenleben**, -s, - human life
menschlich human
merken to notice
das **Metáll**, -s, -e metal
die **Methóde**, -, -n method
mich (acc. of ich) me
die **Milch**, - milk
mild mild
das **Militär**, -s the military, army
die **Millión**, -, -en million
der **Millionär**, -s, -e millionaire
das **Minerál**, -s, -ien mineral
der **Miníster**, -s, - minister (secretary of the government)
die **Minúte**, -, -n minute
mir (dat. of ich) me, to me
mit (prep.) with
mit=bringen (brachte mit, mitgebracht) to bring (take) along
mit=kommen (kam mit, ist mitgekommen) to come along
das **Mittelalter**, -s Middle Ages
möchte gern should (would) like to
modérn modern
der **Monárch**, -en, -en monarch
der **Mónat**, -s, -e month
der **Mond**, -es, -e moon
der **Mörder**, -s, - murderer
der **Morgen**, -s, - morning
morgen tomorrow
morgens in the morning, mornings
der **Mund**, -es, -̈er mouth
die **Musík**, - music
muß (from müssen) must, has to
müssen (mußte, gemußt; muß) to have to
die **Mutter**, -, -̈ mother

N

nach (prep.) to, toward; after
der **Nachbar**, -n (or -s), -n neighbor
nach=denken (dachte nach, nachgedacht) to think about, consider; reflect, think
nach=erzählen to retell
der **Nachmittag**, -s, -e afternoon
die **Nachricht**, -, -en news
nächst next
die **Nacht**, -, -̈e night
die **Nachtmusik** music played in the open air at night, serenade
  heute nacht tonight (during the coming night); last night
nach=weisen (wies nach, nachgewiesen) to prove, establish
näher (compar. of nah) closer
nähern, sich to approach
nahm (past tense of nehmen) took
der **Name**, -ns, -n name
nämlich that is; for (placed at the beginning of an English sentence); you know
die **Nase**, -, -n nose
der **Nationalísmus**, - nationalism
natürlich natural(ly), of course
die **Naturwissenschaft**, -, -en natural science
der **Naturwissenschaftler**, -s, - natural scientist
nehmen (nahm, genommen; nimmt) to take
nein no (in answering negatively)
nennen (nannte, genannt) to name, call, mention
das **Nest**, -es, -er nest
nett nice
neu new

German-English Vocabulary

nicht   not
nicht?   don't you?
nicht einmal   not even
nicht mehr   no more, no longer
nicht wahr?   isn't that so?
nichts   nothing
nie   never
nieder=legen   to resign
niemals   never
niemand   nobody, no one
nimmt (*present tense of* nehmen)   takes
noch   still
noch einmal   once more, once again
noch nicht   not yet
der Norden, −s   north
normál   normal
die Not, −, ⸚e   need, distress
nötig   necessary
nun   now
nur   only

O

ob (*conj.*)   whether
oben   above, upstairs
oder (*conj.*)   or
der Ofen, −s, ⸚   oven; stove
offen   open
der Offizier', −s, −e   (army) officer
öffnen   to open
oft   often
ohne (*prep.*)   without
das Ohr, −es, −en   ear
der Onkel, −s, −   uncle
die Oper, −, −n   opera
das Opfer, −s, −   victim; sacrifice
die Optik, −   optics
optimistisch   optimistic
sie ist optimistisch   she is an optimist
das Orgán, −s, −e   organ

der Orient, −s   Orient
originéll   original
Östern (*neuter sing., or plur.*)   Easter
[das] Österreich   Austria
österreichisch   Austrian

P

ein paar   a few
packen, see aus=packen
das Paket, −es, −e   parcel
das Papier', −s, −e   paper
der Paragráph, −en, −en   paragraph
der Park, −es, −e   park
die Partei', −, −en (*political*) party
paß(t) auf!   watch out!
der Pástor, −s, −óren   pastor
persönlich   personal(ly)
der Pfannkuchen, −s, −   pancake
der Pfarrer, −s, −   pastor, rector (*in charge of a church*)
der Pfennig, −s, −e   penny
das Pferd, −es, −e   horse
Pfingsten, −s, − (*neuter*) Pentecost (*50 days after Easter*)
die Pflanze, −, −n   plant
pflanzen   to plant
pflegen (zu)   to be accustomed (to)
der Philosoph, −en, −en   philosopher
die Philosophie', −, −n   philosophy
philosophie'ren   to philosophize
philosóphisch   philosophical
photographie'ren   to photograph
die Physik, −   physics
der Physiológe, −n, −n   physiologist
physiológisch   physiological
der Plan, −es, ⸚e   plan
plötzlich (*adj. or adv.*)   sudden(ly)
die Politik, −   politics
politisch   political
die Polizei', −   police

German-English Vocabulary

praktisch practical
der Präsident, –en, –en president
der Preis, –es, –e price
der Prinz, –en, –en prince
die Prinzéssin, –, –nen princess
das Prinzíp, –s, –ien principle
das Problém, –s, –e problem
das Produkt, –es, –e product
produktív productive
der Proféssor, –s, pl.: Professóren professor
die Prosa, – prose
die Puppe, –, –n doll

R

radikál radical
das Radio, –s, –s radio
rapíde rapid
rasie′ren to shave
der Rat, –es, pl.: Ratschläge advice
das Rathaus, –es, ⸚er city hall, town hall
die Ratte, –, –n rat
rauchen to smoke
der Raucher, –s, – smoker
′raus! (= heraus!) out!, get out!
die Reaktión, –, –en reaction
recht quite
  ein recht . . . quite a . . .
reden to talk
regnen to rain
reich rich
das Reich, –es, –e kingdom, empire, land
die Reise, –, –n travel, trip
reisen (ist) to travel
reiten (ritt, ist geritten) to ride (on horseback)
reizend charming
die Religión, –, –en religion

der Religiónskrieg, –es, –e war of religion
rennen (rannte, ist gerannt) to run, dash
reparie′ren to repair
die Republík, –, –en republic
das Restauránt, –s, –s (French pronunciation: au sounds like o, –ant like German –ang) restaurant
retten to save
die Revolutión, –, –en revolution
revolutionär revolutionary
richten to direct
die Richtung, –, –en direction
riechen (roch, gerochen) (trans. and intrans.) to smell
der Ring, –es, –e ring
die Rolle, –, –n role
die Romantík, – romanticism
der Romantíker, –s, – romanticist
römisch Roman
die Rose, –, –n rose
rot red
der Rücken, –s, – back
rufen (rief, gerufen) to call
ruhig quiet
[das] Rußland Russia

S

die Sache, –, –n thing
[das] Sachsen, –s Saxony
die Sage, –, –n legend
sagen to say
der Salát, –es, –e salad
sammeln to gather, collect
  sich sammeln to be gathered
die Sammlung, –, –en collection
der Sand, –es sand
der Satz, –es, ⸚e sentence
der Schädel, –s, – skull

das Schäfskelett, –s, –e sheep skeleton
schaffen (schuf, geschaffen; schafft) to create
der Schaffner, –s, – conductor
der Schal, –s, –e shawl
der Schalter, –s, – ticket window
schämen, sich to be ashamed
scharf sharp
der Scharfsinn, –s acumen
schätzen to esteem
der Schauspieler, –s, – actor
scheinen (schien, geschienen) to shine; to seem
schenken to give (*as a present*), present with
schicken to send
das Schiff, –es, –e ship
schimpfen to scold; to scream (in anger)
die Schlacht, –, –en battle
schlafen (schlief, geschlafen; schläft) to sleep
schlagen (schlug, geschlagen; schlägt) to strike, hit
schlecht bad
schlechter (*compar. of* schlecht) worse
schließen (schloß, geschlossen) to close
schließlich finally; after all
das Schloß (Schlosses, Schlösser) castle
schlürfen to sip
schmal narrow
schnell quick(ly); fast
schneiden (schnitt, geschnitten) to cut
der Schnellzug, –es, –e express train
der Schnurrbart, –es, –e mustache
schon already
schon wieder again (*strongly stressed*)
schön beautiful
der Schoß, –es, –e lap

schreiben (schrieb, geschrieben) to write
schreien (schrie, geschrieen) to scream; to shout
die Schrift, –, –en publication, essay
der Schuh, –es, –e shoe
die Schuld, – guilt
die Schule, –, –n school
die Schulter, –, –n shoulder
schütteln to shake
 den Kopf schütteln to shake one's head
schwach weak
schweigen (schwieg, geschwiegen) to be silent
schwer heavy *or* difficult
die Schwester, –, –n sister
schwimmen (schwamm, ist geschwommen) to swim
schwitzen to perspire, sweat
sechzehnt– sixteenth
die Sehnsucht, – longing
sehr very
sein (war, ist gewesen; ist) to be
seinerzeit in his time, formerly
seitdem (*conj.*) since (the time that)
die Seite, –, –n side
sehen (sah, gesehen; sieht) to see
die Sekretärin, –, –nen secretary
selb– (*adj.*) same
selber -self (myself, yourself, *etc.*)
selbst (*preceding a noun or pronoun; see* sogar) even; -self
der Selbstmörder, –s, – one who commits suicide
selten seldom, rarely
senden (sandte, gesandt) to send
setzen to set, place
 sich setzen to sit down
sicher (*w. gen.*) certain (of), sure (of)
sicher (*adv.*) certainly

er sieht (*present tense of* sehen) he sees
das Silber, -s silver
singen (sang, gesungen) to sing
sinken (sank, ist gesunken) to sink
der Sinn, -es, -e sense, meaning
 im Sinne (*w. gen.*) in the spirit of, on the basis of
die Sitte, -, -n custom
sitzen (saß, gesessen) to sit
der Sklave, -n, -n slave
so ... wie (*conj.*) as ... as
das Sofa, -s, -s sofa
sofort immediately
sogar (*usually preceding a noun or pronoun; see* selbst) even
sogenannt (*abbr.:* sog.) so-called
sogleich immediately
der Sohn, -es, ⸗e son
der Soldat, -en, -en soldier
der Sommer, -s, - summer
sonderbarerweise strangely
sondern (*conj.*) but (on the contrary); but rather
die Sonne, -, -n sun
die Sorge, -, -n worry
 sich Sorgen machen (über) to worry (about)
spät late; *comp.* später
 zu spät late, too late
spazie′ren=gehen (ging spazieren, ist spazierengegangen) to go for a walk
spazie′ren=fahren (fuhr spazieren, ist spazierengefahren; fährt spazieren) to go for a ride
der Spiegel, -s, - mirror
spielen to play
die Sprache, -, -n language
sprechen (sprach, gesprochen; spricht) to speak, talk
spricht, *see* sprechen

das Sprichwort, -es, ⸗er proverb
springen (sprang, ist gesprungen) to jump
die Stadt, -, ⸗e city
 in die Stadt downtown, uptown (*to the business center of a city*)
er stand (*past of* stehen) he stood
stark strong(ly)
die Statue, -, -n statue
stecken to stick
stehen (stand, gestanden) to stand
 stehen (*speaking of print*) to be (*written, printed, in the paper*)
stehen=bleiben (blieb stehen, ist stehengeblieben) to stop
stehlen (stahl, gestohlen; stiehlt) to steal
steigen (stieg, ist gestiegen) to climb
 (ein=)steigen (in) to climb (get) into
 (aus=)steigen (aus) to climb (get) out of
der Stein, -es, -e stone, rock
die Stelle, -, -n place
stellen to place, put
 sich stellen (als ob) to act (as if)
sterben (starb, ist gestorben; stirbt) to die
sterilisiert′ sterilized
der Stern, -es, -e star
die Steuer, -, -n tax
still quiet, still
er stirbt, *see* sterben
stolz proud
der Stoß, -es, ⸗e jolt, push
die Strafe, -, -n punishment
die Straße, -, -n street
der Streich, -es, -e prank
der Strick, -es, -e rope
das Stroh, -es straw
in Strömen: es regnet — it pours
das Stück, -es, -e piece

der Student, -en, -en; *fem.*: die Stu=
  déntin, -, -nen student
studie'ren to study
die Studier'stube, -, -n study (room)
das Studium, -s, *pl.*: Studien study
der Stuhl, -es, ⸚e chair
die Stunde, -, -n hour; class period
stundenlang for hours
stürzen to overthrow; to fall headlong
suchen (nach) to look (for); to want
die Suppe, -, -n soup
das Synonym, -s, -e synonym

T
der Tag, -es, -e day
  eines Tages one day
  Guten Tag! Good day!, (Hello!);
  How are you?
  jeden Tag every day
tagelang for days
täglich daily, every day
taktvoll tactful
der Taler, -s, - "taler," (dollar)
tanzen to dance
tapfer brave
die Tasse, -, -n cup
die Tatsache, -, -n fact
tausend thousand
der Tee, -s tea
der Teil, -es, -e part
teil=nehmen (nahm teil, teilgenommen;
  nimmt teil) to take part, participate
telephonie'ren to telephone
die Telephónnummer, -, -n telephone
  number
der Tempel, -s, - temple
der Tennisball, -es, ⸚e tennis ball
teuer expensive

der Teufel, -s, - devil
  zum Teufel! the deuce!
der Text, -es, -e text
das Theater, -s, - theater
der Theaterdirektor, -s, *pl.*: -direktóren
  director *or* manager of a theater
die Theorie', -, -n theory
tief deep(ly)
die Tinte, -, -n ink
der Tisch, -es, -e table
der Titel, -s, - title
die Tochter, -, ⸚ daughter
der Tod, -es, -e death
tolerant tolerant
das Tor, -es, -e gate
die Torheit, -, -en folly
tot dead
tragen (trug, getragen; trägt) to carry;
  to wear; to bear
trauen (*w. dat.*) to trust
der Traum, -es, ⸚e dream
träumen to dream
traurig sad
treffen (traf, getroffen; trifft) to meet;
  to hit
treiben, *see* Weide
die Treppe, -, -n stairs
treten (trat, ist getreten; tritt) to step
  er trifft (*present of* treffen) he meets
trinken (trank, getrunken) to drink
das Trinkwasser, -s drinking water
  er tritt (*present of* treten) he steps
trotz (*w. gen.*) despite, in spite of
trotzdem nevertheless
das Tuch, -es, ⸚er cloth
tun (tat, getan; er tut) to do, make
die Tür, -, -en door
türkisch Turkish
der Turm, -es, ⸚e tower
typisch typical(ly)

U

über und über all over
überall everywhere
überfallen (überfiel, überfallen; überfällt) to attack
überhaupt at all, in every respect
überleben to survive
überraschen to surprise
übersetzen to translate
die Übersetzung, -, -en translation
üblich usual
übrig remaining, other
übrig=bleiben (blieb übrig, ist übrig= geblieben) to remain *or* be left over
übrigens by the way; moreover
die Uhr, -, -en watch; o'clock
um ... zu in order to
um=bilden to transform
um=bringen (brachte um, umgebracht) to kill, do away with
um=kehren (ist) to turn around, return
sich um=kehren to turn around
um so so much (the)
der Umweg, -es, -e detour
um=wenden, sich to turn around
unangenehm disagreeable
unbedingt absolutely
unbeliebt unpopular
ungeduldig impatient
ungern (tun) to dislike (doing)
unglaublich unbelievable
das Unglück, -es misfortune; unhappiness
unglücklich unhappy; unfortunate
die Universalität, - universality
die Universität, -, -en university
unmenschlich inhuman

der Unsinn, -s nonsense
unsterilisiert unsterilized
unten below, downstairs
unter under
unterhalten, sich (unterhielt, unterhalten; unterhält) to talk about
sich gut unterhalten to have a good time
die Unterhaltung, -, -en conversation
unterzeichnen to sign
unzählig innumerable
die Urpflanze, -, -n original plant, primeval plant

V

der Vater, -s, ⸚ father
verabreden to agree, plan
sich verabreden to make a date *or* an appointment
verbessern to correct
verboten (*past part. of* verbieten) forbidden
verbringen (verbrachte, verbracht) to spend
verdächtig suspicious
verdienen to earn
verdorren (ist) to dry up, wilt, wither
vergeben (vergab, vergeben; vergibt) to forgive
vergessen (vergaß, vergessen; vergißt) to forget; *past part.*: forgotten
verhalten, sich (verhielt, verhalten; verhält) to act, remain
verkaufen to sell
verkennen (verkannte, verkannt) to misunderstand, misjudge
verlassen (verließ, verlassen; verläßt) to leave
sich verlassen (auf) to depend on

German-English Vocabulary — 277

verletzen   to hurt
verlieben, sich (in; *w. acc.*)   to fall in love (with)
verlieren (verlor, verloren)   to lose
verloben, sich   to become engaged (*promised in marriage*)
vermögen (vermochte, vermocht; vermag)   to be able to
vernichten   to destroy
verrückt   crazy
der Vers, –es, –e   verse
verschaffen (verschuf, verschafft)   to procure
verschieden   different
verschwinden (verschwand, ist verschwunden)   to disappear
verstehen (unter; *w. dat.*) (verstand, verstanden)   to understand (by)
der Versuch, –es, –e   attempt; experiment
versuchen   to try
verursachen   to cause
der Verwandte, –n, –n; ein Verwandter   relative
verwechseln   to mix up, confound (with)
verwirren   to confuse
das Verzeichnis, –sses, –sse   list, register
Verzeihung!   pardon!, beg your pardon!
viel (*plural:* **viele**)   much (*plural:* many)
vielleicht   perhaps
der Vogel, –s, ⸚   bird
das Vogelnest, –es, –er   bird's nest
das Volk, –es, ⸚er   people
vollkommen   completely
vorbei=gehen (ging vorbei, ist vorbeigegangen)   to pass by, go past

vorbei=kommen (kam vorbei, ist vorbeigekommen)   to pass by, come past
vor=bereiten   to prepare
das Vorbild, –es, –er   model
vorher   before, previous
vor=kommen (kam vor, ist vorgekommen)   to occur, happen
vor=legen (*w. dat. of person*)   to place before
vornehm   refined, well-to-do
vor=ziehen (zog vor, vorgezogen)   to prefer

W

der Wagen, –s, –   wagon, coach; car
wählen   to choose; to elect
wahr   true
während (*prep. w. gen.*)   while
die Wahrheit, –   truth
wahrscheinlich   probably
die Wand, –, ⸚e (*inside*)   wall
wandern (ist)   to hike; to wander
war (*past of* sein)   was (*past of* to be)
warm   warm
warnen (vor)   to warn (of)
die Warnung, –, –en   warning
warten (auf)   to wait (for)
warum?   why?
was?   what?
was für ein; *pl.:* **was für**   what a, what kind of; *pl.:* what, what kinds of
waschen (wusch, gewaschen; wäscht)   to wash
das Wasser, –s, –   water
der Wecker, –s, –   alarm clock
der Weg, –es, –e   way, road
weh tun, sich (tat weh, weh getan; tut weh)   to hurt oneself, get hurt

278 — German-English Vocabulary

die **Weide**, -, -n pasture
  auf die Weide treiben (trieb, getrieben) to drive to pasture
Weihnachten (*neut. sing. or plur.*) Christmas
der **Weihnachtsmann**, -es, ⸚er Santa Claus
weil (*conj.*) because
eine **Weile** for a while
der **Wein**, -es, -e wine
weinen to cry
weise wise
der **Weise**, -n, -n; ein Weiser wise man
ich **weiß** (*present of* wissen) I know
weit far
weiter on, further
  und so weiter (*abbr.* usw.) etc., and so forth *or* on
weiter=gehen (ging weiter, ist weitergegangen) to go on
die **Welt**, -, -en world
wen? (*acc. of* wer) whom?
wenden (wandte *or* wendete, gewendet *or* gewandt) to turn
  sich wenden (an) to turn (to)
wenig little
weniger (*compar. of* wenig) less
wenn (*conj.*) if, when, whenever
wenn auch even though, even if
wer? who?
werden (wurde, ist geworden; wird) (zu) to become
werfen (warf, geworfen; wirft) (nach) to throw (after, at)
das **Werk**, -es, -e work
wertvoll valuable
das **Wesen**, -s nature; essence
wesentlich essential (*adj.*)
das **Wesentliche**, -n the essential

der **Westen**, -s west
das **Wetter**, -s, - weather
wie how, as, like; what?
wieder again; back
  immer wieder again and again
wiederholen to repeat
wieder=holen to fetch back
wieder=kommen (kam wieder, ist wiedergekommen) to return
auf **Wiedersehen!** so long!, good-bye!
die **Wiese**, -, -n meadow
wieviel how much; how many
  wie viele how many
der **Wind**, -es, -e wind
der **Winter**, -s, - winter
er **wirft** (*pres. of* werfen) he throws
wirklich really
die **Wirtin**, -, -nen landlady
das **Wirtshaus**, -es, ⸚er inn
wissen (wußte, gewußt; weiß) to know
die **Wissenschaft**, -, -en science
der **Wissenschaftler**, -s, - scientist
wissenschaftlich scientific
die **Witwe**, -, -n widow
der **Witz**, -es, -e joke
wo? where?
die **Woche**, -, -n week
wohin? where?, where to?, whither?
wohl well; perhaps, probably
wohnen to live, reside, dwell
das **Wohnzimmer**, -s, - living room
die **Wolke**, -, -n cloud
wollen (wollte, gewollt; will) to want to
das **Wort**, -es, (⸚er *disconnected words; cp.* das Wörterbuch, dictionary) *or:* (-e *famous words and phrases of poets, etc.*) word
das **ein=Wort** ein=word
der **Wortschatz**, -es, ⸚e vocabulary

German-English Vocabulary — 279

wunderbar strange; wonderful
wundern, sich (über) to be surprised (at)
wunderschön very beautiful
wünschen to wish
wütend mad, furious

Z

die **Zahl,** —, —en number, numeral
zahlen to pay
zahlreich numerous
zehn ten
das **Zeichen,** —s, — sign
zeigen to show
die **Zeit,** —, —en time
der **Zeitgenosse,** —n, —n contemporary (noun)
die **Zeitung,** —, —en newspaper
zerreißen (zerriß, zerrissen) to tear up or to pieces
zerstören to destroy
die **Zertrümmerung,** —, —en crushing, splitting
ziehen (zog, ist gezogen) to hike, move, wander; *trans.:* to pull
die **Zigarre,** —, —n cigar
das **Zimmer,** —s, — room
der **Zirkel,** —s, — circle
zögern to hesitate
der **Zoo,** —s, —s zoo

zu (*prep. w. dat.*) to (*prep.*)
zu (*adv.*) too
zu=bringen (brachte zu, zugebracht) to spend
zuerst first; at first
zufrieden satisfied
der **Zug,** —es, —̈e train
zu=gehen (auf; *w. acc.*) (ging zu, ist zugegangen) to walk (up to), approach
zuletzt finally, in the last place, last of all
zu=machen to close
zurück— (*verbal prefix*) back
zurück=bringen (brachte zurück, zurückgebracht) to bring or take back
zurück=führen (auf) to trace back (to)
zurück=kehren to return
zurück=kommen (kam zurück, ist zurückgekommen) to come back, return
zusammen (*adv. or verbal prefix*) together
zwar to be sure
zweit— second
zweitklassig second-class
zwingen (zwang, gezwungen) to force
zwischen (*prep. w. dat. or acc.*) between
zwitschern to twitter, chirp

English=German Vocabulary

English=German Vocabulary

A

a, an ein
able: to be able to können
aboard (*see p. 35, #7*)
accept an=nehmen (nimmt an, an= genommen)
after all schließlich
all alles
along (*see:* take along)
already schon
always immer
among unter (*w. dat. or acc.*)
and und
angry: be angry sich ärgern
answer antworten
arrive an=kommen (kam an, ist ange= kommen)
artist der Künstler (s, –)
as . . . as so . . . wie
as if als ob
ask (*a question*) fragen
ass der Esel (s, –)

B

become werden
begin an=fangen (ä, i, a); beginnen (a, o)
believe glauben
belong gehören
best (der, *etc.*) best(e)
bite beißen (i, i)
blind blind
book das Buch (es, ⸗er)
boy der Knabe (n, n); der Junge (n, ns)
brother der Bruder (s, ⸗er)

burn brennen (brannte, gebrannt)
but aber
buy kaufen

C

can (*see:* able)
car das Auto (s, s)
cheap billig
child das Kind (es, er)
city die Stadt (–, ⸗e)
class die Klasse (–, n)
close schließen (o, o); zu=machen
clothes die Kleider (*pl.*)
cold kalt
collection die Sammlung (–, en)
come kommen (kam, ist gekommen)
 come in! (*see p. 36, #9*)
country das Land (es, ⸗er)
 to the country auf das (aufs) Land

D

dare wagen
day der Tag (es, e)
die sterben (i, a, ist gestorben)
difference der Unterschied (es, e)
 that makes no difference das macht nichts aus (keinen Unter= schied)
dining room das Eßzimmer (s, –)
disappear verschwinden (a, ist ver= schwunden)
down- (*pref.*) hinunter

— 283 —

English-German Vocabulary

to go down hinunter=gehen (ging hinunter, ist hinuntergegangen)
dress sich an=ziehen (zog sich an, sich angezogen)
drink trinken (a, u)
during während (*w. gen.*)

E

each jeder (*pl.:* alle)
early früh
eat essen (i, a, gegessen)
entire ganz
even selbst
every jeder
everything alles
excuse entschuldigen
exercise die Übung (–, en)
expensive teuer

F

fact die Tatsache (–, n)
fall der Herbst (es, e)
fall asleep ein=schlafen (ä, ie, ist ein=geschlafen)
family die Familie (–, n)
fast schnell
find finden (a, u)
follow folgen
for für (*w. acc.*)
for . . . seit (*w. dat.*)
forget vergessen (i, a, e)
friend der Freund (es, e)
front: in front of vor (*w. dat. or acc.*)

G

gentlemen! meine Herren!
Germany (das) Deutschland
get bekommen (bekam, bekommen)
  get out! (*see p. 36, #9*)
girl das Mädchen (s, –)
  girl friend die Freundin (–, nen)
  girls' school die Mädchenschule (–, n)

give geben (i, a, e; *imper.:* gib!); (to give as a present: schenken)
glass das Glas (es, ⸚er)
  glass of water Glas Wasser
go gehen (ging, ist gegangen)
gold das Gold (es)

H

hat der Hut (es, ⸚e)
have haben (hatte, gehabt)
  have to müssen
hear hören
help helfen (i, a, o)
her (*adj.*) ihr
here hier
him ihm (*dat.*)
his sein
home nach hause (Hause)
  at home zu hause (Hause)
horse das Pferd (es, e)
house das Haus (es, ⸚er)
how? wie?
husband der Mann (es, ⸚er)

I

if wenn
immediately sofort
in in (*w. dat. or acc.*)
intelligent intelligent
interested: be interested (*in*) sich interessieren (für)
interesting interessant
into in (*w. acc.*)
invitation die Einladung (–, en)
invite ein=laden (ä, u, a)

J

just gerade

K

kind die Art (–, en)
  what kind of was für ein

English-German Vocabulary — 285

king der König (es, e)
know (*to be acquainted with:*) kennen; (*to know as a fact:*) wissen

L

landlady die Wirtin (-, nen)
large groß
last dauern
lie liegen (a, e)
like (gern) mögen
  like to mögen
  I should like to ich möchte (gern)
little klein
look aus=sehen (ie, a, e)
love die Liebe (-)

M

mayor der Bürgermeister (s, -)
make machen
man der Mann (es, ̈er)
many a mancher
March der März
marry heiraten
matter: no matter how wie ... auch
me mir (*dat.*); mich (*acc.*)
mention nennen (nannte, genannt); erwähnen
metal das Metall (es, e)
Miss Fräulein
mistake der Fehler (s, -)
  be mistaken sich irren
money das Geld (es, er)
month der Monat (es, e)
morning der Morgen (s, -)
  in the morning morgens
mother die Mutter (-, ̈)
movies das Kino (s, s)
much viel
must (*see:* have to)
my mein

N

name der Name (ns, n)

my name is ich heiße
never nie
new neu
no (*adj.*) kein
  no one niemand
not nicht
  not yet noch nicht
nothing nichts
now jetzt; nun

O

often oft
old alt
only nur
open öffnen; auf=machen
out of aus (*w. dat.*)

P

papa der Papa (s)
parents die Eltern (*pl.*)
pass by vorüber=gehen (ging vorüber, ist vorübergegangen); vorbei=gehen
pencil Bleistift (es, e)
people die Leute (*pl.*)
picture das Bild (es, er)
please bitte
prefer to lieber (tun, *etc.*)
pretty hübsch

R

rain regnen
read lesen (ie, a, e; *imper.:* lies!)
recognize erkennen (erkannte, erkannt)
remember sich erinnern (an)
repeat wieder=holen
return zurück=kommen (kam zurück, ist zurückgekommen); zurück=kehren, zurück=gehen
rich reich
ride (*on horseback*) reiten (ritt, ist geritten)
ring der Ring (es, e)
room das Zimmer (s, -)

S

run rennen (rannte, ist gerannt); laufen (äu, ie, ist gelaufen)

said: be said to sollen
say sagen
season die Jahreszeit (–, en)
see sehen (ie, a, e)
sell verkaufen
send senden (sandte, gesandt); schicken (reg.)
servant das Dienstmädchen (s, –)
shake hands sich die Hände schütteln
shave sich rasieren
sing singen (a, u)
Sir! mein Herr!
skull der Schädel (s, –)
so so
song das Lied (es, er)
soon bald
speak (about) sprechen (i, a, o) (über)
spend (time) verbringen (verbrachte, verbracht)
spite: in spite of trotz (w. gen.)
spring der Frühling (s, e)
stay bleiben (ie, ist geblieben)
stop aufhören
story die Geschichte (–, n)
street die Straße (–, n)
strong stark
student der Student (en, en) (fem.:) die Studentin (–, nen)
stupid dumm
such solcher
suitcase der Koffer (s, –)
summer der Sommer (s, –)

T

take nehmen (nimmt, nahm, genommen; imper.: nimm!)
take along mitnehmen (nimmt mit, nahm mit, mitgenommen)
tell (to make a statement:) sagen; (to tell a story:) erzählen
that (demonstr.) das; (conj.) daß
their ihr

there da
thing das Ding (es, e)
think (of) denken (dachte, gedacht) (an)
this dieser
those solche (pl.)
three drei
through durch (w. acc.)
tomorrow morgen
  tomorrow morning morgen früh
too zu
train der Zug (es, ⸚e)
translate übersetzen
tree der Baum (es, ⸚e)
turn around sich umwenden (wandte sich um, sich umgewandt; also reg.)

U

uncle der Onkel (s, –)
understand verstehen (verstand, verstanden)
upstairs oben
use gebrauchen

V

very sehr
village das Dorf (es, ⸚er)
visit besuchen

W

wake up (intr.) aufwachen
want (to) wollen
wash waschen (ä, u, a)
water das Wasser (s, –)
week die Woche (–, n)
  a week from today heute in einer Woche
well gut
what? was?
what a welch ein; was für ein
when? wann?
when (referring to a single action in the past:) als; (repeated action:) wenn

whether ob
which? welcher?
who? wer?
why? warum?
window das Fenster (s, –)
winter der Winter (s, –)
with mit (w. dat.)
without ohne (w. acc.)
woman die Frau (–, en)
wonder (whether) wissen mögen (ob)
work arbeiten

worry sich Sorgen machen
write schreiben (ie, ie)

Y

yes ja
yesterday gestern
you (polite:) Sie; (fam. sing.:) du (fam. pl.:) ihr
young jung

Index

Numbers refer to pages unless otherwise stated. No reference is made to the RECAPITULATION OF MAIN POINTS.

aber (contrasted with sondern): 174
ablaut: 110
accusative: 12–13, 21, 41; — of space, 187; — of time, 187
acht Tage: 189
active tenses (of weak and strong verbs): 229–233 (see also tenses)
address, forms of (Sie, du): 4, 22; — in the imperative, 33, 34
adjective: (Lesson 9), 83–89; — after alle, 86; — after andere, einige, etc., 86; — after der=words, 84, 251; — after ein=words, 85, 251; —, comparative degree, 87; —, comparison of, 83, 87–89; — declension: mixed, 85, 251; strong, 85, 251; weak, 84, 251; — degrees, see positive, comparative, superlative degree; — in attributive position, 83, 84–89; — in predicate position, 83, 84–89; irregularities in the declension of —, 86–87, 89; positive — degree, 84; possessive —, 21, 22, 23, 24; superlative — degree, 88; am . . . sten, 88; — unpreceded, 85, 251; — used as noun, 85; — used with der=words, 84, 251; with ein=words, 85, 251; without article, 85, 251

adverbial expressions: of time, 173; of place, 173
adverbial superlative (aufs . . . ste): 90; (am . . . sten), 88
adverbs: 84, 89–90, 188; — of time, 188 (see also time); ordinal —, 184–185; position of —, 173
a fact which: 163
alle (adjective endings after —): 86
allein (adverb; co-ordinating conjunction): 174
alles, was: 163
als: with comparative, 87; as subordinating conjunction, meaning and use, 175; — = als ob, 203
als (ob): 202–203
am (with superlative): 88, 90
an (difference between an and auf): 53
antecedent: 161, 162
(an)statt . . . zu (with infinitive): 215
arithmetic terms: 190
article, definite: see der; indefinite —, see ein
a thing which: 163
auch: wenn —, wie —, 175
auf (difference between auf and an): 53
aufs with superlative: 90
aus . . . heraus: 124

— 289

Index

auxiliary verb (see also haben, sein, werden): 2, 5, 6; tenses of —, 223–226; —, modal, see modal auxiliaries

Billion: 185
bleiben: 111
brennen: 132
bringen: 132, 200

cardinal numerals (see also numerals): 184–185
cases, basic functions of: 12, 41
=chen, =lein: 43
classes of nouns: see noun
comparison of adjectives: 83, 87–89; comparative degree, 87–88; immer with comparative, 87; positive degree, 84–87; superlative degree, 88–89; am . . . sten, 88; irregularities, 89
comparison of adverbs: 90
compound nouns: 45
compound relative pronouns (wer, was): 163
compound tenses: see present perfect, past perfect, future, future perfect, and tenses
concessive statements: 200
conditions contrary to fact: 196, 201–202
conjugation of verbs: see verb
conjunctions: (Lesson 17), 170–171, 173–176; co-ordinating —, 173–174; subordinating —, 174–176
co-ordinating conjunctions: see conjunctions

da (adverb; subordinating conjunction): 175

da(r)=compounds: 56–57
damit (subordinating conjunction: so that; compound: with it): 175
das Beste, was: 163
das ist (sind): 16
daß omitted: 172, 203
dates, indication of: 186–187
dative case: 12–13; — with =e, 14, 42; — plural, 42; — in the passive, 152; — constructions, 215; — of interest, 215; — with certain verbs, 215
days of the week: 188; divisions of the day: 188
decimals: 184–185; decimal point, 186
declension: of adjectives, see adjective; of articles, 13, 249 (see also der, ein); of nouns, 14, 15 (see also noun)
definite article (see also der): 13; use of the —, 14; — instead of possessive adjective, 27; — as demonstrative pronoun, 15, 16
definitions of grammatical terms: see grammatical terms
demonstrative pronouns: 15, 16 (see also der=words)
denken: 132, 200
dependent clauses: word order, 172
dependent word order: 172
der (definite article): (Lesson 2), 12–15, 249 (see also definite article and der=words)
deren (possessive relationship): 24
derjenige: 85
derselbe: 84
der=words: (Lesson 2), 15, 249; — as pronouns, 15, 16
dessen (possessive relationship): 24

Index — 291

dieſer: 15, 249
dies iſt (ſind): 16
diminutive suffixes: 43
direct object: position of, 172–173
division of the day: 188
double infinitive: 141; position of the finite verb in dependent clause with —, 172, 228
durch (to express instrumentality in the passive): 151
dürfen: 140–143, 227–228; idiomatic use of —, 142; — with a negative = *must not*, 142

ein (indefinite article): (Lesson 3), 21, 22, 250
einander: 75, 76
eins: 185
ein=words: 22, 25, 26, 27, 250; — used as pronouns, 24, 25, 26, 250
emphatic es: 133
emphatic tense: 5
ending, verbal: 3
er: meanings of, 65
es (emphatic): 133; — omitted, 152
es gibt: 77
es iſt (ſind): 16, 77, 133
es war einmal: 152
euers, eures: 23

familiar address (du): 4; — in the imperative, 33, 34
festivals: names of, 189
finite verb: 97
formation of the plural of nouns: 42–45 (*see* noun)
fractions: 184–185
future: 96, 99; use of —, 101, 113; — of the passive, 152; *see also* Appendix, 223 ff.

future perfect: 96, 98; use of —, 101, 113; — of the passive, 152; *see also* Appendix, 224 ff.

ge= omitted: 98, 121; worden in the passive, 152
gender: grammatical — of nouns, 13
genitive: 12, 41; formation of the —, 14, 42; — of time, 187
ge=prefix of the past participle omitted: 98, 121–122
gern(e), lieber, am liebſten: 90
grammatical terms, definitions of: accusative, 13; active voice, 150; adjective, 83; adverbs, 84; agency, agent, 150, 151; antecedent (of relative pronoun), 161; attributive adjective, 83; auxiliary verbs, 2; case, function of, 12; comparative degree (of adjectives), 83; compound tenses, 97; conditions contrary to fact, 196; conjugation, to conjugate, 2; conjunctions, 170; co-ordinating conjunctions, 170; dative, 12; declension, 12; definite article, 12; direct questions, 171; finite verb, 97; genitive, 12; imperative, 33; impersonal pronouns, 64; impersonal verbs, 72; indefinite article, 21; indicative, 33, 196; indirect discourse, 196; indirect questions, 171; infinitive, 3; instrument(ality), 150, 151; interrogative pronouns, 63; intransitive, 97; irregular verb, 96; modal auxiliaries, 140; mood, 33, 196; nominative, 12; passive voice, 150; past participle, 96, 97; personal pronouns, 3, 63; positive degree (of adjectives), 83; possessive adjec-

tives, 21; possessive pronouns, 21; predicate adjective, 83; prepositions, 51; present participle, 97; principal parts of verbs, 96; pronouns, 3; reflexive pronouns, 72; reflexive verb, 72; regular verb, 96; relative pronouns, 160; (agreement with antecedent, 161); simple tenses, 97; subjunctive, 33, 196; subordinating conjunctions, 171; superlative degree (of adjectives), 83; tense, 2; names of tenses, 96; simple tenses, 97; compound tenses, 97; transitive, 97; verb, 2; voice, 150

haben: 5–6, 223–226; present tense, 5; past tense, 98, Note 1; — as auxiliary, 101, 102, Note 1; haben ... zu (with infinitive as imperative), 36
heißen: 228
helfen (in double infinitive construction): 142, 228
heute nacht: 189
hin und her: 123
holidays (and festivals): 189
hören (in double infinitive constructions): 142, 228
how (to say): 215

idiomatic use of modal auxiliaries: 142–143
=ieren: 98
ihr: meanings of, 66
immer: with adjective comparative, 87; wo ... auch —, 175
imperative: (Lesson 4), 33, 34, 35–36, 226, 230; — expressed by infinitive, 35; — expressed by past participle, 35, 36; — expressed by haben zu with infinitive, 36; — expressed by a single word, 36; — of reflexive verbs, 76; — of strong verbs with vowel change, 112; general or impersonal —, 199
imperfect tense: see past tense
impersonal pronouns: 64
impersonal verbs: 76
indefinite article: 21, 22
indem: 175
independent clause: word order, 171
indicative: 33
indirect discourse: 196, 203
indirect object: position of, 172–173
indirect questions: see questions
infinitive: 3; — used as imperative, 35; — with zu of verbs with separable prefix, 122; — with sein as passive substitute, 153; — constructions, 214–215
inflectional ending: see ending
in ... hinein: 124
inseparable prefix: 98, 111, 120–122
intensifying pronouns (selber, selbst): 75
interrogative adverb: 5
interrogative pronouns: 5, 66, 250
intransitive verbs: with sein, 101–103 (see also verbs)
inversion: see inverted word order
inverted word order: 171, 173
irregularities in verbs: in weak verbs, 4, 98, in imperatives, 34; in strong verbs, 111–112, in imperatives, 35, 112; in adjective stems, 86; in comparison, 89; in the su-

perlative degree, 88; in modal auxiliaries, 140; in the present tense of wiffen, 133, 228; in the present subjunctive II (hälfe or hülfe), 201; *see also* ge= omitted
irregular weak verbs: 132–133; list of — (and strong verbs), 236–248
it is: 16

ja: use of, 216
Jahreszeiten: 189

fein: 22
fennen: 132; meaning and use of —, 133
fönnen: 140–143, 227–228; idiomatic use of —, 143; Fönnte ich, 204

laffen (in double infinitive constructions): 142, 228; fich — with infinitive as passive substitute, 153
lehren: 228
lernen: 228
lieber (*see* gern): 90
list of strong (and irregular weak) verbs: 236–248

Mal (*as in* einmal, das erfte Mal): 190
man in the passive: 64, 152; — as passive substitute, 153
meinetwegen, *etc.*: 64
modal auxiliaries: (Lesson 14), 139–143, 227–228; basic meaning of —, 140; tenses of —, 140; — used as transitive verbs, 141; verbs of motion omitted with —, 141; double infinitive, 141; — without dependent infinitive, 141; with dependent infinitive (double infinitive), 141; idiomatic use of —, 142–143; — in the subjunctive, 201; semi-modals, 288
modified adjective construction (Zange): 212–214
mögen: 140–143, 227–228; idiomatic use of —, 143; ich möchte, 204
Monate: 189
morgen, morgens, der Morgen: 188
müffen: 140–143, 227–228

nennen: 132
nominative: 12, 41
normal word order: 171
nouns: (Lesson 5), 14–15, 41–46, 252–254; classes of —, 42–45, Appendix, 252–254; compound —, 45–46; declension of —, 41–46, 252–254; feminine —, 14, 42; — in =in, 44; — of foreign origin, 44, 45; — with plural in =ʃ, 45; principal parts of —, 45; — with strong forms in the singular and weak forms in the plural, 44; weak — with =nʃ in the singular, 45; *see also* nominative, *etc.*
numerals: (Lesson 18), 184–190; cardinal —, 184–185; ordinal —, 184–185, 186; ordinal adverbs, 184–185; — fractions, 184–185

ob: 174; — omitted (in als ob constructions), 203
ohne . . . zu: 214
ordinal adverbs: 184–185; ordinal numerals, 184–185, 187; declension of ordinal numerals, 184, Note 1

participial constructions: 212–214
passive voice: (Lesson 15), 150–153, 233–236; English — for German

impersonal construction, 153; — subjunctive, 197; impersonal —, 152; passive substitutes, 153; — tenses, 233–235; use of von and durch with the —, 151; use of werden as auxiliary of the —, 151–152

past infinitive: 99, Note 1

past participle (*see also* ge= omitted): 96, 231; — as imperative, 35, 97–98; — of weak verbs, 97; — of strong verbs, 110; irregularities in the —, weak, 98; strong, 111; — of verbs with separable prefixes, 122

past perfect: 96, 98, 113 (*see also* Appendix, 230 ff.); use of the —, 101; — of the passive, 151

past tense: 96, 98, 113 (*see also* Appendix, 229 ff.); use of the —, 100

personal pronouns: 63–66

pluperfect: *see* past perfect

plural of nouns: 14–15, 41–45 (*see also* nouns)

polite form of address (Sie): 4–5, 22; — in the imperative, 23, 34

possessive adjectives: 22, 23; definite article instead of —, 27

possessive pronouns: 24, 25

potential: 196, 204

prefixes: (Lesson 12), 120–125; — combined with prepositions, 124; inseparable —, 98, 111, 120–122, 255; separable —, 120, 122–124, 255; separable — in dependent clauses, 172; variable —, 124–125, 255

prepositions: (Lesson 6), 51–57, 254–255; — with certain verbs (fixed verbal expressions), 55, 56; — contracted with article forms, 56; — following nouns, 56; — with the accusative, 53, 255; — with the dative, 52–53, 255; — with the dative or accusative, 53–55, 255; — with the genitive, 52, 254

present participle: 100, 114, 231; — as adjective, 100

present perfect: 96, 98, 101 (*see also* Appendix, 230 ff.); — of strong verbs, 111–113; — of weak verbs, 99; use of the —, 101; — of the passive, 151 (*see also* tenses)

present tense: (Lesson 1), 3–5, 96, 98 (*see also* Appendix, 229 ff.); formation of —, 3; — as imperative, 36; use of the —, 100; — of modal auxiliaries, 140; *see also* irregularities

preterite: *see* past tense

principal parts: 45, 96, 113–114, 238–248

progressive tense: 5

pronouns: demonstrative —, 15, 16, 161–163 (*see also* der=words); der= words as —, 15, 16; ein=words as —, 24, 25; impersonal —, 64; intensifying — (selber, selbst), 75; interrogative —, 66, 250; — of address, 4; personal —, 3, (Lesson 7), 63–66; possessive —, 21, 22, 24, 25; reflexive —, 75; relative —, (Lesson 16), 160–164, 249–250 (der, die, das, 161, 249; was, 163, 250; welcher, 161, 249; wer, 163, 250; wo=compounds, 164); agreement of the relative — with its antecedent, 162

questions: direct —, 5, 171; formation of —, 5; indirect —, 171

Index — 295

rather (with adjectives): 88
reflexive verbs: (Lesson 8), 72–76, 236; — taking the accusative, 73; — taking the dative, 73; — used impersonally, 153; — as passive substitutes, 153; — with prepositions, 74–75
regular verbs: *see* verbs
relative clauses: word order, 162
relative pronouns: *see* pronouns
rennen: 132

seasons (of the year): 189
sehen (in double infinitive constructions): 142, 228
sein: 5–6, 223–226; present tense, 5; past tense, 102; present perfect tense, 111; — as auxiliary, 101–103, 111; south German and Austrian use of —, 102, Note 1; infinitive with — as passive substitute, 153; — and past participle to express state or condition, 153; subjunctive of —, 198; — as auxiliary in the subjunctive I, 198
seit (*since the time that; for*): 53
selber, selbst: 75
semi-modals (heißen, helfen, *etc.*): 228
senden: 132
separable prefixes: *see* prefixes
sich: 72
sie: meanings of, 65
so . . . wie: 87
sollen: 140–143, 227–228; idiomatic use of —, 143
sondern: 174
special (participial) constructions: 212–216
standard expressions in the subjunctive: 204

stem of a verb: 3
strong verbs (*see also* verbs and tenses): characteristics of —, 109–110; seven classes of —, 110, 117–118; irregularities in the present tense, 111; irregularities in the imperative, 112; past tense of —, 113; irregularities in the present subjunctive II (hälfe or hülfe), 201; list of —, 236–248
subjunctive: 33, (Lesson 19), 196–204, 231–233, 235–236; — endings, 197; — tense values, 197; subjunctive I: its forms, 197–198; its uses, 199–200; subjunctive II: its forms, 200–201; its uses, 201–204; — tenses, 197–198, 200–201, 225–226; — in indirect discourse, 199; — in general imperative, 199; — in impersonal imperative, 199; — in wishes, 199, 204; — in concessive statements, 200; — in conditions contrary to fact, 201–202; — in indirect discourse, 203; — in the potential, 204; — in standard expressions, 204; — to express possibility or probability, 204; translation of — forms, 199; — of the auxiliaries, 201, 223–226; — of strong verbs with alternate forms in the present — II (hälfe or hülfe), 201; — in als ob constructions, 202–203
subordinating conjunctions: *see* conjunctions
superlative adjective form: *see* comparison of adjectives
synopsis: 105
synopsis of German grammar: 221–255

tense: 2, 96–97; *see also* Appendix §§ 1, 2, 4; progressive —, 5, 6, 100, Note 1; emphatic —, 5, 6; present —, 3; tenses of weak verbs, 98–100, 229–236; tenses of strong verbs, 111–113, 229–236 (*see also* strong verbs); use of —, 100–101; — of modal auxiliaries, 140, 227–228; — of the passive, 151–152; — of the subjunctive, 197–201, 231–233

that is: 16
there is (are): 77
these are: 16
they are: 16
this is: 16
those are: 16
time (by the clock): 186; accusative of —, 187; genitive of —, 187; genitive adverbs of time, 188; adverbial expressions of —, 188; adverbs of —, 188; divisions of the day, 188; days of the week, 188; *see* months
time(s) (in the enumerative sense): 190

um . . . herum: 124
um . . . zu (with infinitive): 214
umlaut: xiii
unsers, unsres: 23

variable prefixes: *see* prefixes
verbal stem: 3
verbs (*see also* strong verbs, present tense, *etc.*): 2, 33, 96–103, 223–236; conjugation of —, 98–102 (*see also* present tense, *etc.*); governing the dative, 215; impersonal —, (Lesson 8), 72, 76–77; intransitive — with sein, 101–103; irregular weak —, (Lesson 13), 132–133, 200, 248; — of motion omitted with modal auxiliaries, 141; reflexive —, 72–76, 236 (*see also* reflexive verbs); strong —, *see* strong verbs; transitive — with haben, 101; weak (or regular) —, (Lesson 10), 97–100, 229–236; with stems ending in =d, =t, 98; — ending in =ieren, 98

vierzehn Tage: 189
von (to express agency in the passive): 151, 153
von . . . aus: 124
vor (*ago*): 55

wann: 175
wann . . . auch (immer): 176
was (as relative pronoun): 163; (as interrogative pronoun), 250
was . . . auch (immer): 176
was für (ein): 26, 27
weak verbs: *see* verbs and tense
welcher: 15, 249
wenden: 132
wenn: 175; — omitted, 176, 202; — auch (immer), 175
wer: (followed by a demonstrative pronoun), 163; — auch (immer), 175; interrogative pronoun —, 250
werden: 5–6, 113, 223–226; present tense of —, 5; imperative of —, 112; past tense of —, 113; — as auxiliary of the passive, 151; — as the auxiliary of the future, 96
what (to do): 215
where (to go): 215
wie . . . auch (immer): 175

Index — 297

wishes: 199, 204
wissen: 132, 200, 228; meaning and use of —, 133
wo . . . auch (immer): 176
wo(r)=compounds: 56–57, 164
wollen: 140–143, 227–228; idiomatic use of —, 143
worden (instead of geworden in the passive): 152
word order: 171–173; dependent —, 172; in independent clauses, 172; inverted —, 171, 173; normal —, 171; position of adverbial expressions of time and place, 173; position of objects, 172–173; daß omitted, 172; ob omitted (in als ob constructions), 203
würde=forms (future subjunctive II, future perfect subjunctive II): 202; Würden Sie, 204

Zangenkonstruktion (*see also* modified adjective construction): 212–214
Zeit: 190
zu . . . hinaus: 124
zu (with infinitive): 122